Nena O'NEILL et George O'NEILL

LE MARIAGE OPEN

Traduit de l'américain par
Marthe TEYSSEDRE & Jacques DARCUEIL

PRESSES SÉLECT LTÉE
1555 Ouest, rue de Louvain
Montréal, Qué.

DÉPÔT LÉGAL:

Bibliothèque Nationale du Canada
Bibliothèque Nationale du Québec
1er Trimestre 1979

Cet ouvrage a été publié, sous le titre original: *Open
Marriage,* par M. Evans & Company, Inc., à New York,
États-Unis, en 1972.

De chacun à l'autre

PREFACE ET REMERCIEMENTS

Si nous n'avions cru aux possibilités de l'homme, à sa créativité, à sa curiosité, et si nous n'avions considéré l'avenir du mariage avec optimisme, ce domaine de recherche n'aurait pas présenté d'intérêt pour nous, et nous n'aurions pu écrire ce livre. Les observations que nous avons faites touchant l'incidence des mutations sociales sur le mariage, et notre constant intérêt pour les êtres aussi bien que pour les facteurs déterminants du comportement humain ont constitué le ressort essentiel de nos travaux.

Nous avons entrepris, en 1967, l'étude du mariage contemporain, des innovations et des styles de vie nouveaux que les gens inventaient dans la bourgeoisie de milieu urbain (ville et banlieue résidentielle).

Nous avons parlé à des gens qui, dans la vie en commun, offraient des exemples variés d'organisation, allant du non-mariage au mariage de groupe. En avançant dans nos recherches, nous avons découvert que si les gens cherchaient des solutions de rechange, ce n'était pas seulement parce que le mariage traditionnel ne les satisfaisait pas, mais parce qu'ils avaient besoin d'espace pour se développer. Abordant la synthèse des éléments recueillis, nous avons esquissé le tableau des qualités et des conditions qui semblaient les plus nécessaires au développement d'un homme et d'une femme vivant ensemble dans le monde moderne. Dans une ébauche de 1968 sur ce sujet, nous désignions une telle relation par le terme de « mariage ouvert » (open marriage).

Notre livre ne serait pas complet si nous ne mentionnions ici les personnalités dont l'œuvre et la pensée nous ont influencés de diverses façons : Mme le Dr. Ruth Benedict, anthropologue ; M. le Dr. Abraham Maslow, psychologue, dont les œuvres de pionniers, dans leurs domaines respectifs, ont approfondi notre vision ; le groupe des chercheurs qui, dans le domaine de la psychologie humaniste, ont développé des vues pleines d'intérêt et des méthodes nouvelles propres à améliorer les relations humaines ; et M. le Dr. David Kahn, psychologue des hôpitaux, notre ami, qui le premier nous a initiés à cette troisième force en psychologie.

Plus directement, nous avons une dette spéciale envers tous ceux qui nous ont aidés, d'une façon ou d'une autre, peut-être même, parfois, sans le savoir : Robert C. Snyder, Michael et Ann O'Neill, Brian O'Neill, Elaine Kashin, René Champion, Herta Champion, Carmen Cook de Leonard, Roz Heller, Helen Anderson, Harry A. Royson, Betty et Bill Dick, Ellie Bragar, et tant d'autres que nous ne citons pas.

Enfin, nous tenons à remercier les innombrables personnes que nous avons interrogées inlassablement, qui nous ont donné leur temps, leur énergie, leur honnêteté, et qui nous ont ouvert, avec tant de confiance, leurs vies et leurs cœurs, nous révélant leurs espoirs, leurs rêves et, parfois, les tristes réalités de leur existence.

Deux soucis majeurs se faisaient jour, au cours de ces entretiens : l'un, désir de liberté ; l'autre, nostalgie d'une entente profonde avec l'autre. En somme, la quête d'une entente réciproque, profondément différenciée, au sein d'une relation qui ne limiterait, ni n'étoufferait, la croissance de chacun. Nous espérons que le concept de mariage ouvert aidera les couples à comprendre que liberté et entente profonde peuvent coexister dans le mariage ; et que la liberté, avec l'épanouissement et la responsabilité qu'elle apporte avec elle, peut être la base de l'intimité et de l'amour.

Août 1971

Nena O'Neill
George O'Neill

CHAPITRE PREMIER

FAUT-IL A TOUT PRIX SAUVER LE MARIAGE ?

Contre le mariage

« Mariage = communauté comprenant un maître, une maîtresse et deux esclaves, ce qui fait en tout deux personnes. » Ce sarcasme d'Ambrose Bierce remonte au début du XIXᵉ siècle.

Les mots amers qu'inspire ce sujet n'ont rien de nouveau. Sur eux se sont établies, depuis des siècles, maintes réputations de beaux esprits. Mais, au cours de ces vingt dernières années, la plus vénérable des institutions a vu croître démesurément le nombre de ses contempteurs, et ceux-ci ne sont plus seulement des gens de lettres en mal d'esprit. Les faiblesses du mariage se mesurent désormais au nombre sans cesse croissant de divorcés, de mal mariés, et de jeunes gens qui, rendus circonspects par les tristes expériences de leurs aînés, évitent tout engagement capable de les mener à la même catastrophe. Beaucoup de ces incrédules ne se contentent pas de maudire le mariage ; ils vont jusqu'à nier son fondement. Ceux qui ont déjà divorcé jurent de ne jamais se remarier ; les mal mariés cherchent désespérément à se faire des amitiés hors de leurs relations communes ; les plus jeunes se contentent de ranger leurs brosses à dents côte à côte et d'accoler leurs deux noms sur leur boîte à lettres. Enfin, ayant fait des mariages de pure convenance, une multitude de couples sombrent dans l'ennui et abdiquent devant une vie privée de toute indépendance.

Les gens à qui le mariage n'apparaît pas indispensable s'appuient certes sur des arguments de poids. La félicité conjugale, désormais lointain mirage, se dérobe chaque jour davantage, échappant à ceux qui voudraient la saisir. Aux Etats-Unis, environ un mariage sur trois se termine par un divorce. Certains spécialistes affirment même que soixante-quinze pour cent au moins des mariages vont cahin-caha. Bien des gens, devant de telles données statistiques, se demandent pourquoi prendre des risques. Dans un monde où la sexualité, libérée, jouit de tous les privilèges, où la morale, opportuniste, se trouve dégagée de tous ses codes conventionnels, pourquoi faudrait-il à tout prix se marier ? Pourquoi ne pas, tout simplement, vivre ensemble ou bien — comme certains le suggèrent — ensemble parmi d'autres ?

Des jeunes gens font l'expérience du mariage de groupe ; des couples mariés changent de partenaires pour une soirée ; des vedettes de cinéma parlent ouvertement aux journalistes de leurs liaisons qu'elles tenaient jusqu'ici jalousement secrètes. Il existe des communautés de toute appartenance, utopiques ou utilitaires, certaines admettant la liberté sexuelle, d'autres essayant de préserver la monogamie dans l'union libre. Nombreuses sont les jeunes femmes qui, craignant le carcan du mariage, refusent catégoriquement de prendre époux. D'autres, mères célibataires, choisissent courageusement d'élever seules leurs enfants. Dans certains pays, on peut adopter des enfants sans être marié : le temps n'est plus où une femme, décidée à demeurer « vieille fille », se trouvait dans l'impossibilité de donner à un enfant un foyer accueillant.

Il y a aussi la polygamie. Le ménage à trois est un mode de vie couramment admis. Ceux mêmes qui préfèrent mani-festement la monogamie, pratiquent en réalité une mono-gamie périodique — par l'entremise d'une suite de divorces et de remariages — qui leur fournit finalement, au cours des années, autant d'épouses ou d'époux que s'ils avaient été des polygames déclarés. Le nombre va croissant d'hommes et de femmes qui refusent de légaliser leur union sous une forme ou une autre, et choisissent de vivre ensemble suivant des modalités parfaitement étrangères au mariage. Les seuls êtres, en fait, pour qui le mariage semble encore revêtir son sens mystique, sont les homosexuels (qui, pour la première fois, trouvent des prêtres pour les marier).

Devant cette désintégration des valeurs, psychologues et sociologues proposent au mariage traditionnel des solutions de rechange ingénieuses sinon pratiques. Ainsi Robert Rimmer suggère que deux couples, avec leurs enfants, mettent en commun toutes leurs ressources économiques, affectives, sexuelles, pour doubler en quelque sorte les plaisirs du ménage. En Suède, des expériences prouvent qu'un père peut très bien se charger de la surveillance des enfants tandis que sa femme vaque à l'extérieur aux besoins du ménage. On a proposé des réseaux familiaux élargis ou encore des crèches à la journée où les enfants seraient gardés et élevés. Les premiers fourniraient l'appui d'une collectivité, des contacts amicaux et partageraient les responsabilités dans l'éducation des enfants ; les secondes libéreraient les parents de la tâche astreignante que représentent les soins quotidiens aux enfants.

Tout a été envisagé : un mariage par petites étapes allant, selon l'âge et la maturité, du « sans enfants » à la grossesse ; un contrôle des naissances obligatoire et des formalités fort sévères pour obtenir une licence de mariage ; et même des contrats à échéance de cinq, dix ou vingt ans, avec possibilité de reconduction.

En fait, les solutions de rechange sont presque illimitées et n'ont finalement pour effet que de créer une confusion générale. Il est bien évident que ce qui est bon pour un couple peut se révéler désastreux pour un autre. Devant un amas si contradictoire de formules hypothétiques, bien des gens seront tentés de se dire que le mariage, tel que nous le connaissons à l'heure actuelle, présente au moins l'avantage d'être du domaine du connu. Mais cette vertu négative serait-elle donc la seule des vertus de l'union conjugale ? N'est-ce que par comparaison avec des systèmes beaucoup plus hasardeux que le mariage vaut la peine d'être préservé ?

Porterai-je la robe de mariée de ma mère ?

Il est bien certain que c'est, avant tout, une question de tradition. Depuis que le monde est monde, hommes et femmes se marient. Les mœurs liées à la tradition judéo-chrétienne remontent elles-mêmes à presque deux mille ans. Même si l'on admet que les coutumes du mariage occidental sont dès maintenant périmées, que la fleur d'oranger et les fiançailles sont destinées, sous peu, à rejoindre dans l'oubli la dot et le trousseau, il n'en reste pas moins que la notion

de mariage a bien trop pénétré notre culture pour que son
pouvoir se trouve de beaucoup amoindri par la disparition
de quelques apparats extérieurs. Certes, votre fille Monique
manifeste le désir de se marier en blue-jeans mauves, mais
ce qu'elle veut surtout, c'est *se marier*. Après tout, n'est-ce
pas ce qu'il y a de mieux à faire sur terre, si l'on ne veut
pas « rater » sa vie ?

Monique est encore une jeune fille conventionnelle, malgré
ses jeans. Mais il existe beaucoup de jeunes filles non conven-
tionnelles dont la meilleure raison pour ne pas se marier
est que tout le monde le fait. A une époque où la seule
constante est le changement, la tradition constitue en soi un
argument de faillite pour le maintien de toute chose. Coutumes et convenances sont impatiemment rejetées. Nos jeunes
adultes sont particulièrement réfractaires aux arguments du
conservatisme. « Trahison, perdition, voilà ce que j'en pense,
du mariage », nous disait un jour un chauffeur de taxi,
écrivain et barbu, évoquant sa liaison avec Jeannette, qui
était danseuse. « Pensez-vous que nous serons plus heureux
à cause d'un bout de papier ? Nous vivons, nous nous aimons,
et je n'ai pas besoin qu'on vienne me dire comment il faut
faire. *Si jamais* je me marie, je veux d'abord savoir dans
quoi je m'engage et, en attendant, Jeannette et moi, nous
faisons un essai pour voir si ça nous va. »

En choisissant de vivre ainsi, un couple exerce son droit
à une vie sexuelle épanouie, à des rapports authentiques,
hors du mariage et sans enfants. D'ailleurs, même lorsqu'il
y a des enfants, la tradition perd encore du terrain. Nous en
voulons pour témoin cette actrice de cinéma, photographiée
avec son charmant bambin — illégitime : « Un enfant vous
ramène aux choses simples et naturelles... et je me moque
du mariage », dit-elle dans l'article qui accompagne la photo.
« Je ne suis ni pour, ni contre, tout simplement il n'existe
pas pour moi. Il n'est plus nécessaire. » Ces mots peuvent
choquer certains, mais il est bien évident que la majorité
des gens, si elle ne manifeste pas une approbation délirante
à de tels propos, n'est pourtant pas suffisamment concernée
pour bouder à l'écran l'actrice qui les tient.

Cependant, la tradition est certes plus facile à braver
dans l'abstrait que dans le quotidien, sous la forme insidieuse
de la pression sociale. La vie privée de Brigitte Bardot peut
laisser une mère de famille profondément indifférente, mais

s'il s'agit de celle de sa fille, c'est une autre histoire. L'oncle
Jean, de passage à Paris, emmène dîner Nicole, qui a vingt-
sept ans. A l'instigation de sa mère, qui habite en province,
il questionne sa nièce : « Alors, tu n'es toujours pas mariée ? »
Nicole, qui aime énormément son oncle, rougit et ne se
fâche pas : « Il faut croire que je n'ai pas encore trouvé
l'homme de ma vie », répond-elle. Or, elle l'a si bien trouvé
qu'elle vit avec lui depuis deux ans. Le numéro de téléphone
qu'elle donne à ses parents est celui d'une amie qui prétend
que Nicole vit avec elle. Un jour viendra sûrement où son
père et· sa mère viendront à Paris et voudront connaître
son appartement... Nicole se dit qu'il sera bien temps de
penser à cela lorsque cette éventualité se présentera.

Les célibataires masculins ont le même genre de problème,
mais une façon légèrement différente de l'aborder. Si un
homme n'est pas marié à quarante ans, cela éveille également la suspicion. « Vous m'avez bien dit que vous n'avez
jamais été marié ? » lui demande, au cours d'un déjeuner,
son nouveau collègue de bureau et voilà le pauvre garçon
forcé — non pas sur-le-champ mais au moins avant la fin
du repas — de tenir des propos égrillards sur les jambes
de la serveuse.

Il y a aussi des pressions plus subtiles, celles de l'ordre
établi : toute cette publicité faite pour chanter les bienfaits
de la *bonne* vie (entendez la vie conjugale) ; les mille et
une variations pour comédies sentimentales, à la télévision
(bien que celles-ci semblent avoir découvert la fausseté de
la situation et se mettent à faire des veufs et des veuves
de leurs personnages principaux) ; les soirées auxquelles
vos amis mariés ne vous invitent pas, vous célibataire (sauf,
bien sûr, s'ils se sont mis en tête de vous marier). Le monde
occidental moderne s'ordonne autour du *couple,* et, si vous
ne voulez pas en être, sachez du moins qu'il vous faudra
beaucoup de résistance. Malheureusement, beaucoup de gens
n'ont de cesse qu'ils aient trouvé, quitte à le regretter à coup
sûr plus tard, un partenaire dont le seul intérêt sera de les
épouser afin qu'ils puissent ensemble, à leur tour, posséder
ce titre envié de *couple marié.*

Les célibataires, de leur côté, contre-attaquent. Les
immeubles en coopératives d'appartements pour célibataires, les voyages de plaisance en clubs, sont autant de
de façons de dire aux gens mariés : « A vous les unions

consacrées, à nous les plaisirs de la vie. » D'ailleurs qui, sinon les couples mariés eux-mêmes, par leurs divorces de plus en plus nombreux, fournissent les meilleures raisons de ne pas se marier ? L'amertume d'une femme qui reste seule, à moins de trente ans, avec deux enfants ; la fureur du mari chaque fois qu'il doit signer le chèque alimentaire : que d'arguments contre un premier mariage et, à plus forte raison, contre un second.

Le prix d'un divorce, sur les plans tant affectif que financier, peut être catastrophique. Michel — critique littéraire, la cinquantaine — nous disait un jour sa rancœur à propos de la pension alimentaire qu'il devait verser : « On ne m'y prendra plus, fulminait-il. J'arrive tout juste à écarter de ma tête cette épée de Damoclès. Une pension, ça suffit comme ça, il n'est pas question d'en supporter une seconde. » Et pourtant, il s'agissait en l'occurrence d'un divorce à l'amiable, mais les pensions sont toujours lourdes... Maintenant il a, depuis plus d'un an, une liaison avec une jeune femme qui n'a pas trente ans. Il parle d'elle avec chaleur : « Ma liaison avec Maria est plus solide et plus étroite que ne l'a jamais été mon mariage. Pourquoi ? Parce que chaque matin, à mon réveil, en la voyant à mes côtés, je me dis qu'elle y est absolument de son plein gré, et non à cause d'un peu d'encre sur un bout de papier. Cette fois, je ne laisserai pas la paperasserie s'installer entre moi et une femme qui me plaît. »

Toutefois, cette absence de régularisation ne va pas sans problèmes. C'est avec remords qu'il constate le désir de sa compagne de posséder une sorte de statut officiel, de dénomination qui transmette au monde extérieur l'essence de leur union. Or, il n'existe pas de mot acceptable pour désigner deux êtres dont la vie commune n'a pas été sanctifiée par les liens du mariage. *Amants* même a une résonance douteuse. Ce défaut d'un mot, qui lui donnerait identité et position, est ressenti douloureusement par la jeune femme, de même que l'inévitable réprobation de ses parents, qui procèdent par allusions. « Pourquoi ne te *ranges-tu* pas, Maria ? » lui demandent-ils, ce qui signifie en fait : « Pourquoi ne laisses-tu pas tomber cet homme ? Il ne t'épousera jamais. »

Ainsi, la boucle est close. Nous voici revenus à notre point de départ : la pression que constituent les convenances. On

peut, bien entendu, la refuser, mais il faut énormément
de volonté pour l'ignorer totalement. Si les statistiques sur
le mariage sont une indication, elles ne déterminent cependant pas le comportement de tous. C'est maintenant, alors
que le mariage est mis en question comme jamais, que,
paradoxalement, il sévit le plus. Il est vrai qu'il y a également
plus de divorces, mais la majorité des divorcés se remarie.
Qu'est-ce qui pousse ainsi les gens à légitimer leurs
couples ? Ce doit être bien autre chose qu'une question de
pression sociale ou de tradition ancestrale.

L'homme et son besoin d'organisation

Une raison bien simple peut expliquer la persistance du
mariage malgré le nombre sans cesse accru de ses détrac-
teurs : l'homme a un besoin inné d'organisation. L'organisation est, avec la forme, la base de l'existence ; elles président
à tout acte créateur. L'organisation, refus du chaos, est
également nécessaire aux commodités de la vie et à l'ordon-
nancement de notre expérience en une suite d'éléments
sensés. C'est savoir que les feux de signalisation s'éteignent
puis s'allument, que la nuit fait suite au jour, le printemps
à l'hiver, que le loyer se paie en fin de mois. Composteurs
et machines à calculer, factures et billets de banque, pendules
et calendriers : on ne finirait pas d'énumérer les innombrables supports que le besoin d'organisation a fournis à la
vie moderne. La société en constante évolution et l'accroissement des populations entraînent sans cesse la création de
nouvelles formes d'organisation.

Les institutions ne représentent après tout que notre façon
de donner corps aux tendances *organisatrices* sous-jacentes
du comportement humain. Le mariage et la famille, sous
l'infinie variété de styles et de formes qu'ils peuvent adopter,
sont le fondement de toute société. Toute forme de mariage
opère à l'intérieur d'un contexte culturel spécifique fait de
l'ensemble des autres institutions, en étroite dépendance les
unes des autres : liens de parenté, systèmes social, politique,
économique. Cet engrenage fait que, dans une société en
pleine mutation comme la nôtre, les institutions sont sou-
mises, parallèlement, à un réajustement et à une tendance
à s'aligner les unes sur les autres.

Le mariage, de nature trop particulière, a été plus long

à s'adapter que les autres institutions : mais lui aussi doit changer, et changera.

Le système du mariage patriarcal, dans la tradition judéo-chrétienne, fondé sur une économie agraire, est évidemment périmé. Si, jadis, nos pères et nos mères poussaient ensemble la charrue, c'est que leur subsistance dépendait entièrement de cette coopération. L'interdépendance des éléments de la cellule matrimoniale s'intégrait dans un ensemble où les sanctions sociales et la société elle-même l'encourageaient à se perpétuer. La structure du mariage allait de pair avec sa fonction. Mais les temps ont changé.

Nous vivons aujourd'hui dans un monde de progrès techniques, en perpétuelle révolution, et les dimensions du mariage traditionnel n'ont désormais plus aucune commune mesure avec ces conditions nouvelles. A nouveau style de vie, nouvelle conception du mariage. Nous avons beau être au courant de ce défaut d'adaptation, la vie conjugale peut tout de même nous tenter. Le modèle de type patriarcal ne représente toutefois qu'une solution parmi bien d'autres — étant entendu que toutes sont conçues pour accomplir ce besoin d'organisation que nous possédons au fond de nous-mêmes.

Dans ce monde en perpétuel bouleversement, nous avons besoin de structures. Cela est aussi vrai que le vieillissement du mariage traditionnel. Ce dernier est-il susceptible de changement ? Quelle proportion d'habitudes enracinées peut-on espérer éliminer ? Dans ce magma de résidus culturels d'un autre âge, où se trouve l'élément fondamental du mariage ?

La liaison entre deux êtres

Le mariage ne s'est pas manifesté comme ça, tout seul. Il a été créé par l'homme pour servir ses besoins. Mais quand et comment a-t-il fait son apparition ? Contrairement à ce que beaucoup de messieurs aimeraient croire, ce n'est pas selon le déroulement comique d'une bande dessinée où l'on verrait l'homme des cavernes traînant jusqu'à son antre sa jeune épouse par les cheveux. Ce n'est pas non plus — comme se plaisent à se l'imaginer certains romantiques en pantoufles — au sein d'une vie en groupe où l'homme aurait mis en communauté ses activités sexuelles, enfants et épouses suivant la bande, chargés des provisions et des gourdins.

L'hypothèse de cette vie commune, reconstituée jadis par les anthropologues ou les philosophes d'un autre siècle, ne se trouve étayée par aucun fait précis et les anthropologues modernes ont dû l'abandonner définitivement. Les primates, même les plus proches de nous, ne vivent pas en bandes communautaires. Et, s'ils sont sans doute beaucoup plus fantaisistes dans leurs mœurs sexuelles que nous pensons l'être nous-mêmes, ils ne s'accouplent pourtant que selon certaines lois.

Il faut nous rendre à l'évidence : nous ignorons tout du premier canevas de la vie conjugale humaine. On peut tout imaginer et, par exemple, comme Desmond Morris dans *The Naked Ape* (le singe nu), que le couple était l'élément fondamental dans la vie de l'homme aux premiers stades de son développement. Mais il s'agit encore ici de spéculations et la recherche anthropologique nous a montré la diversité des liens du mariage, allant de la monogamie à la polygamie, en passant par le mariage de groupe. Toutefois, il faut noter que, dans les sociétés même où l'on préfère d'autres formes de mariage à la monogamie, celle-ci existe tout de même : et ceci se vérifie à travers le monde entier. Elle peut n'être pas exclusive ni durer la vie entière. Sa présence universelle semble du moins confirmer qu'une liaison entre deux êtres constitue un type de rapport fondamental chez l'homme. Des anthropologues comme Malinowski ont pu même affirmer que les mariages de groupe sont en réalité composés d'une série de combinaisons à deux.

Qu'il soit réalisé à travers la monogamie ou à l'intérieur d'autres formes matrimoniales, ce type de rapport comble en effet des besoins très profonds chez l'être humain : créature évoluée, l'homme désire intimité, confiance, affection, complicité et sérieux dans l'expérience. Qu'importe la durée ou le degré de dépendance ou de fidélité : une liaison entre deux êtres permet un rapprochement, une intimité psychologique que n'offre aucun autre type de rapport.

Jouer cartes sur table

Théoriquement, point ne devrait être besoin de se marier pour vivre pleinement un tel attachement. Même pas d'ailleurs pour légitimer un enfant. Dans un monde véritablement humain, un enfant devrait être légitimé de par sa seule naissance. Tout ce qu'il réclame — l'amour maternel assurant la liaison avec le monde extérieur, la chaleur compréhensive de l'entourage — peut se trouver hors du mariage légal. L'amour et la confiance qui rapprochent deux êtres fonctionnent fort bien et fort longtemps sans registre d'état civil. Pourrait-il en être autrement ? L'affinité ne se commande pas ; elle n'est pas imposée de l'extérieur ; elle naît spontanément. Aucun contrat ne peut vous garantir un engagement affectif. Pourquoi, inversement, l'absence de contrat signifierait-elle absence d'engagement affectif ? Ce serait évidemment absurde. Pourtant cela arrive, et assez souvent malheureusement pour donner à réfléchir à ceux mêmes qui sont sûrs de leur partenaire. Un contrat serait effectivement inutile si chacun de nous avait atteint un stade de développement où les notions de responsabilité réciproque et de confiance mutuelle seraient acquises. Ce rêve de fraternité appartient, hélas, encore pour longtemps, au monde de l'utopie. Dans celui, trop réel, où nous vivons, le mariage représente, en fin de compte, le degré suprême de confiance entre un homme et une femme; l'acte par lequel chacun semble dire à l'autre : « J'abats mon jeu, je l'étale entièrement devant toi. Vois : pas de carte cachée dans ma manche. »

C'est de cet engagement total que nous parlait, troublée, une femme divorcée de trente-cinq ans : « Je ne sais pas où j'en suis — j'ai tellement subi ma vie conjugale comme un carcan que je me demande si je pourrai jamais envisager de m'engager à nouveau : le mot mariage a pour moi une résonance tellement définitive, irrévocable... » Elle réfléchit un instant, puis : « Faire face à ses engagements conjugaux, ajoute-t-elle, est bien ce qu'il y a de plus courageux à faire, car, après tout, ce n'est pas la fin du monde que de rompre un mariage s'il ne marche pas. D'ailleurs, si c'est la deuxième fois, on réagit beaucoup plus vite. Tout compte fait, il me semble que je pourrai dire oui à quelqu'un : *oui, je vais bâtir ma vie avec vous*. Au moins, en choisissant le mariage légal, on essaie d'obtenir un total. Sinon, on n'obtient jamais que des petits bouts séparés, des pièces rapportées. »

Ceux qui préfèrent vivre ensemble sans légaliser leur union sont en réalité peu préparés à un engagement envers autrui. Notre conception du mariage est ici bien fautive : c'est en grande partie à cause d'elle qu'ils refusent de mettre à l'épreuve leur engagement. La forme actuelle du mariage, insoutenable, dépassée, périmée, fait qu'il est difficile de le leur reprocher. Le vieux contrat, totalement chimérique, avec ses clauses archaïques, a des prétentions irréalisables. Pourtant, il n'est pas question de supprimer le mariage comme un meuble gênant : ses puissants impératifs, d'ordre psychologique et structurel, s'y opposent. Il nous appartient donc plutôt de tenter de le débarrasser de ses idéaux caducs, de ses oripeaux romantiques, bref, de faire en sorte que, entrant à son tour dans la perspective du bouleversement général de la société, le mariage soit enfin, véritablement, notre contemporain.

Ne pas confondre présent et futur

Dans ce long effort, il pourrait bien se faire que le mariage disparaisse en cours de route. Il se trouve des futurologues pour prédire, avec le plus grand sérieux, un monde sorti tout droit de la science-fiction, dominé par les femelles, pour qui les mâles joueraient uniquement le rôle des faux-bourdons : sorte d'ultime revanche du Mouvement de Libération des Femmes.

Moins fâcheuses pour les mâles du XXe siècle, serait la formule selon laquelle de vagues tribus, ignorantes de tout principe, viendraient à supplanter notre cellule familiale, fournissant ainsi une sorte de support très proche de la famille collective pratiquée jadis par certaines peuplades indiennes d'Amérique. Puis, de la tribu, nous pourrions fort bien nous retrouver sans aucune famille du tout; ou bien encore — on frémit à y penser — entrer dans un futur biochimique d'acier inoxydable où le mariage ne serait plus qu'une réminiscence et où les enfants naîtraient dans des éprouvettes selon le bon vouloir des ordinateurs.

Mais tout cela n'est pas pour demain. C'est maintenant, et ici, que nous vivons. L'homme éprouve, dans ce monde qui change perpétuellement et si vite, un besoin accru de se tourner vers ceux qu'il considère comme ses amis pour leur demander de l'aider à mener sa propre vie. Notre besoin de relations en recouvre d'autres, beaucoup plus profonds. Seule la connaissance intime, authentique de l'autre nous introduit à l'amour, nous donne la mesure de nos propres forces et de celles d'autrui, nous permet d'échapper à l'aliénation du temps. Or, jusqu'ici, il se trouve que, seul,

le mariage, sous une forme ou sous une autre, fournit la
stabilité nécessaire à l'expérience d'une intimité totale entre
deux êtres. Les propos d'Evelyne sont très révélateurs de ce
besoin d'engagement (il s'agit d'une femme maintenant heureuse en ménage mais qui, jusqu'à trente-quatre ans, avait
refusé le mariage, dont la seule idée la jetait, avouait-elle,
dans l'anxiété, voire l'angoisse : « Sans être mariée, nous dit-
elle, j'ai eu un tas de liaisons prolongées, mais je ne me suis
jamais réellement engagée. Maintenant que je suis mariée, je
découvre que c'était là la seule voie d'épanouissement valable pour moi. Si l'épanouissement existe dans le mariage,
c'est en fonction de ce que l'on prend et de ce que l'on
rejette. C'est un processus à l'intérieur duquel on doit entrer.
Qu'est-ce que j'ai laissé derrière moi ? Qu'est-ce que j'ai
rejeté ? Je pense que j'ai abandonné derrière moi ma coquille
et que j'ai acquis la faculté de m'ouvrir. C'est cela un engagement : pouvoir s'ouvrir entièrement l'un à l'autre ». En
somme, ce n'est qu'en s'engageant à fond dans une liaison
que l'on peut s'épanouir et se révéler à soi-même.

Le mariage, tout l'indique, est la voie que choisissent
encore, et pour longtemps sans doute, la plupart des gens dans
leur quête passionnée d'intimité, de confiance, d'épanouissement. Au lieu de vouloir, avec tant d'autres, faire table rase
de ce vieux procédé, il semble donc plus réaliste d'essayer
de transformer l'ordre établi à travers ses institutions. Il
s'agit, par exemple, d'individualiser le mariage, de sorte que
chacun puisse l'adapter à sa convenance. Il faut en finir
avec le mariage de confection : faisons-le tailler chez le bon
faiseur afin que, tel un costume bien coupé, il épouse parfaitement les formes de ceux qui s'en revêtent.

Le mariage est bien décidé à être des nôtres encore longtemps : eh bien, qu'il soit notre désir de voir s'épanouir
notre amour et notre personnalité *à travers, avec* et *vers*
les autres.

Les séquelles du mariage bourgeois

Si le mariage doit être sauvé, c'est ouvert et libre, et non
clos et étouffant. Au cours des cinquante dernières années,
nous avons au moins fait un grand pas vers une nouvelle
conception du mariage : le droit de la femme au plaisir
physique — qui lui était absolument dénié au début du siècle

— est désormais acquis. Cependant, même lorsque les femmes luttaient pour obtenir la pleine reconnaissance de leurs désirs physiques, à l'égal des hommes, les séquelles du mariage bourgeois continuaient à sévir contre elles sous d'autres formes, et continuent de nos jours à déterminer sournoisement les innombrables limites de la femme dans ses rapports avec son mari.

En 1927, apparut aux États-Unis l'une des premières critiques ouvertes des idéaux du mariage bourgeois : il s'agit de *The Companionate Marriage* (l'union libre - et stérile) de Judge Ben B. Lindsey. Pour avoir osé suggérer que l'envie d'être ensemble et de faire l'amour, sans pour autant avoir d'enfants, pouvait être la seule fin du mariage, l'auteur se trouva en butte à des médisances sans nombre. Il proposait deux sortes de mariage, l'un pour la procréation, l'autre pour une vie commune. Son double plan, conçu de manière rationnelle, honnête, avec un grand sens de la responsabilité, développait des théories touchant le mariage, les enfants, le contrôle des naissances, la simplification du divorce avec une pension alimentaire raisonnable et différentes formes de soutien moral. Lindsey était en avance de dizaines d'années sur son temps. Il s'est battu pour qu'une législation enfin humaine sanctionnât une situation de fait qu'il voyait déjà parfaitement établie autour de lui : des hommes et des femmes vivaient ensemble sans être mariés et avaient besoin qu'on leur accordât la dignité que méritait leur union spirituelle et charnelle. Mais ce réformateur de sociétés était un visionnaire et, comme tel, dépassait par trop les conceptions conservatrices de son époque. Ce fut un tollé général : « déchéance morale », « débauche d'amour libre », etc. Voici un échantillon de ce que Lindsey entendait couramment proférer (c'est un ministre qui parle) : « *Le mariage est, à peu de chose près, un syndicat de femmes pour la protection des femmes. Les prostituées et les vamps sont les « jaunes » qui cassent les prix de l'union. Les femmes mariées feront bien de conserver leurs cartes d'adhésion, de payer scrupuleusement leurs cotisations et de maintenir très haut la qualité de leurs biens. Elles ont de la concurrence.* »

Il est intéressant de noter le message essentiel de ce morceau de bravoure : la réalité sexuelle est un expédient dont les femmes devraient user pour protéger leur vie conjugale. Ce thème reviendra comme un leitmotiv. Il y a une grande différence entre le fait de dire ce que le mariage *devrait* être et ce qu'il *peut* être. Judge Lindsey disait à ses lecteurs ce que pourrait être leur mariage. Mais cette largeur de vue, fort nouvelle, demeurait très isolée. Les « spécialistes » des questions conjugales continuaient, pour la plupart, à rappeler consciencieusement à leurs lecteurs ce que devait être le mariage.

La discussion sur les formes possibles de mariage alla en s'estompant dans la grisaille des années sombres. Puis survint la Seconde Guerre mondiale qui allait servir la cause de la liberté féminine, non seulement dans le domaine matrimonial, mais dans bien d'autres secteurs. Leurs maris au front, les femmes découvraient qu'elles étaient capables de se débrouiller seules. Participant à l'effort de guerre, elles soudaient et calculaient aux côtés des hommes, donnant la preuve qu'elles étaient bel et bien leurs égales dans la pratique. Les femmes américaines, par exemple, se mirent à suivre leurs époux d'un État à l'autre, parfois même au-delà des mers, et s'adaptèrent fort bien à ces changements perpétuels. Certaines servirent dans l'armée. Cette mobilité, ainsi que le sens aigu de la minute présente (« vivons l'instant qui passe puisque nous serons morts demain ») libérèrent considérablement la vie sexuelle de ses contraintes morales. On cessa provisoirement de condamner les femmes qui avaient des aventures extra-conjugales et la plupart des mariages survécurent aux « infidélités » réciproques qui, en temps ordinaire, auraient entraîné leur ruine.

C'était trop beau. L'après-guerre eut tôt fait de mettre bon ordre à ces libertés troublantes. Le marché du travail fut repris par les hommes rentrés de l'armée et les femmes revinrent, une fois de plus, au foyer pour jouer les diligentes abeilles et veiller au repos du guerrier. Tout allait rentrer dans l'ordre qui venait d'être si compromis....

Alors s'abattit sur la femme une véritable avalanche d'exhortations l'éclairant, en termes fort précis, sur ce que *devrait* être son mariage. Tout ce qu'on lui disait tendait à l'enchaîner à son foyer aussi totalement qu'une épouse de la plus pure tradition bourgeoise. Il y avait cependant une énorme différence : on lui permettait d'avoir des sens et d'en jouir. Mais cette évolution même devait apporter autant de malheur que de bonheur.

Dans *The Feminine Mystique,* Betty Friedan a dressé une

liste brillante des pressions sociales qui sévissaient autour des années 50, soutenues et encouragées par la mise en œuvre de moyens gigantesques. Ainsi naquit un syndrome que nous appellerons *Tous-les-deux*. La publicité, par l'entremise des magazines féminins, opérait un lavage systématique du cerveau des épouses, à qui elle démontrait qu'elles étaient nées pour récurer avec allégresse les casseroles à la cuisine ; à la salle à manger, pour cirer la table et y disposer des fleurettes ; dans la chambre d'enfants, pour y coudre de nouveaux rideaux en prévision d'un deuxième événement. De toutes parts, on chantait les louanges du mariage et de la maternité, sous les prétextes les plus invraisemblables. Tout, disait-on à la femme, absolument tout ce qu'elle pouvait attendre de la vie, se trouvait chez elle, auprès de son mari et de ses enfants. La médaille-de-la-bonne-ménagère-au-sein-de-son-foyer-légal dépossédait les femmes de toute identité. Leur personnalité ainsi écrasée, elles firent l'expérience de la frustration et d'un vague mais constant mécontentement. Celui-ci prenait parfois la forme de troubles semblables à ceux que l'on a observés dans les camps de prisonniers de guerre : apathie chronique, puérilité, peur de la frigidité. Ignorant tous ces signes de malaise, les magazines poursuivaient sereinement leur endoctrinement à haute dose : tout ce qu'il faut à une femme normale, c'est être *Tous-les-deux*.

L'érotisme était indissolublement lié au *Tous-les-deux* dans l'étreinte amoureuse idéale. On ne peut imaginer pire contresens. Aux États-Unis par exemple, ces soldats qui revenaient de la guerre, et surtout des années d'occupation, revenaient avec une expérience sexuelle plus étendue que n'en avaient jamais connu les générations masculines précédentes. Les femmes américaines avaient tout à coup pour rivales des *fräulein* et des *geishas* dont la ferveur habitait la mémoire de leurs époux, même s'ils ne l'admettaient pas. La compétition mène infailliblement aux méthodes expérimentales. Les rapports Kinsey indiquent clairement — dans *Le comportement sexuel du mâle humain*, 1948, ainsi que dans *La femelle humaine*, 1953 — que n'importe qui en faisait déjà apparemment tout autant. Ce qui se passait alors réellement dans les mœurs sexuelles américaines avait enfin été rendu public par des recherches scientifiques rigoureuses. Toute inhibition commençait à sembler parfaitement ridicule. Mari et femme pouvaient désormais se tourner vers le mariage prolifique et les manuels d'éducation sexuelle pour découvrir la meilleure façon de soutenir leur tentative de *Tous-les-deux* au lit. Et si l'épouse avait encore quelque doute, le message que lui lançait mensuellement, ou hebdomadairement, son magazine, était clair comme l'eau de roche : Si vous voulez retenir votre petit mari et le rendre heureux, sachez tout sur la sexualité, « soyez érotique ». L'érotisme s'inscrivait à son tour sur la liste sans fin des dons qu'un mari était en devoir d'attendre d'une parfaite épouse accomplie.

La femme-fourneau

Avec l'adjonction de l'érotisme à sa liste, la femme-fourneau devenait partie intégrante de son foyer au même titre que sa cuisinière. Déjà femme, mère et éducatrice, elle devait désormais être aussi maîtresse. Munie de ce quatrième brûleur, l'épouse pouvait être assurée que son mari resterait attaché au foyer, aussi fidèle qu'une vestale.

Non que le concept de *Tous-les-deux* ait été d'orientation essentiellement féminine dans le plus utilitaire des idéaux du mariage américain. Richard *et* Odette, par exemple, étaient portés à croire que, mari et femme, ils devaient être tout l'un pour l'autre, que chacun devait être source de joie pour l'autre. Mais c'est à la femme qu'incombait la plus lourde tâche. Elle n'avait, n'est-ce pas, ni carrière à poursuivre ni activités intellectuelles pour accaparer son cœur léger ou sa petite cervelle. Pourquoi ne profiterait-elle pas de toute cette vacuité pour apprendre à être la huitième merveille du monde ?

« Une femme affectivement mûre doit, si elle veut réussir sa vie conjugale, devenir comédienne de théâtre et avoir à son répertoire environ ... vingt-cinq rôles, qu'elle puisse intervertir dès que l'opportunité s'en fait sentir. » C'est ce qu'écrivait le Dr. George Lawton dans un article en 1956 intitulé *Emotional Maturity in Wives* (maturité affective chez l'épouse), l'un des documents les plus hystériques — dans tous les sens du terme — de la période du *Tous-les-deux*. Voici quelques-uns des innombrables rôles qu'il assignait à la femme :

Elle doit être une chaste créature, apprenant de son mari, avec l'émerveillement qui convient, les choses de la vie.

Elle doit être une séduisante femelle pleine de charme, rivale de toutes les autres femmes et capable d'agressivité, si besoin est.

Elle doit être une partenaire experte, patiente et, si cela est nécessaire, indulgente.

Elle doit être une compagne de travail compétente et capable, le cas échéant, de subvenir aux besoins de la famille. S'il n'est pas nécessaire qu'elle gagne sa vie, elle peut apparaître ignorante de tout ce qui touche au travail et à l'argent.

Elle doit être une mère et, en cas de malheur, être à elle seule un père et une mère, les malheurs arrivant, hélas, plus souvent qu'on ne pense.

Elle doit être une décoratrice pleine de talent pour son intérieur, une compagne de lit, une maîtresse de maison, une tenancière de restaurant, une cuisinière, une servante et une commissionnaire, tout cela en une seule personne...

Elle doit, de plus, savoir trancher les problèmes domestiques, s'arranger pour être toujours disponible ; en société, écouter attentivement et poser uniquement les questions qui peuvent mettre l'autre en valeur.

Elle doit être une infirmière efficace, une psychologue avisée, une psychothérapeute, elle doit deviner et prévenir les désirs d'autrui, être une ambassadrice et une parfaite diplomate.

Elle doit savoir danser et être une partenaire convenable — mais seulement convenable — au bridge...

Elle est l'amie intime, la confidente, la complice, l'hôtesse, et la grande maîtresse en l'art de préparer de savoureux petits plats.

Après avoir épuisé cette liste démentielle, le Dr. Lawton ajoute en toute sérénité : « Lorsqu'une jeune fille sort avec un jeune soupirant, il est curieux de penser que l'idée qu'il sera bientôt très important pour elle de savoir confectionner des petits mets délicats, ne les effleure ni l'un ni l'autre. » Ainsi, vous voilà condamnée, vous, femme moderne, à préparer avec dextérité quelque suave douceur culinaire, entre deux exploits érotiques, et quelquefois même pendant.

Quoi d'étrange, après cela, si le bilan des divorces se fait de plus en plus lourd ? Qui peut remplir un tel programme ?

Certainement pas Odette, à qui une simple partie d'échecs semble déjà surhumaine après une journée de blanchissage, cirage, épluchage, etc. Et certainement pas non plus la plupart des femmes. D'ailleurs, même en admettant que Richard trouve une telle femme, en voudrait-il vraiment ? La femme idéale des années 50, si on y regarde à deux fois, c'est une gorgone, non une épouse. Ashley Montagu a bien raison de parler de la supériorité naturelle des femmes : auraient-elles autrement survécu aux années 50 ? Leur espèce serait probablement éteinte, épuisée par les multiples rôles qu'attendait d'elles l'opinion publique.

Ce que nous présente le Dr. Lawton, c'est un *mariage clos*. C'est risible à lire comme ça, bien sûr, mais certainement pas à vivre. Nous pensons, au premier chef, que le fait d'être clos est la cause la plus profonde de la crise actuelle du mariage. Nous en traînons avec nous la conception, depuis l'enfance. Elle fait partie de nos idéaux culturels, est formalisée par l'Église et l'État, renforcée par la pression sociale. Ce n'est qu'après avoir par nous-mêmes expérimenté le mariage clos, et avoir subi certaines de ses imperfections, que nous sommes en mesure de constater à quel point nous avons été dupés, tristement abusés par la certitude qu'il avait le pouvoir de combler tous nos rêves. Le contrat clos de Richard et d'Odette ne stipulait-il pas qu'ils devaient à jamais former un couple ; partager les mêmes amis ; abandonner ceux que l'un des deux ne pouvait supporter; avoir les mêmes vacances, les mêmes distractions ; être toujours prêt à devancer les désirs de l'autre, à l'encourager, à le consoler ; mettre en commun tout l'argent gagné par chacun ; ne jamais se sentir attiré par une autre personne du sexe opposé.

Oh, bien sûr, Odette peut, autant qu'elle en a envie, faire un ma-jong avec ses voisines, aller à l'Opéra avec une vieille amie de classe, échanger des recettes ou des confidences gynécologiques avec d'autres femmes, même non mariées, (quelle générosité !). Mais il n'est pas question d'avoir quelque rapport que ce soit avec un homme. De même, Richard a parfaitement le droit d'aller à un match de football avec un ami, d'assister à une réunion professionnelle avec des collègues (tous masculins) ou de faire une partie de poker avec d'autres hommes. Mais qu'il n'emmène surtout pas une autre femme au stade, même si la sienne a le football en horreur.

Le traquenard de la fidélité

C'est autour de 1950 que le mariage clos atteint son paroxysme. Mais il portait en soi les germes de sa propre destruction, en particulier sous l'espèce des doubles normes de sexualité qu'il prônait. Les femmes avaient eu loisir de découvrir l'importance de l'amour physique. Les hommes l'avaient naturellement toujours connue, et c'est même pour cette raison que leurs infidélités passagères semblaient, après tout, fort excusables (*les hommes seront toujours les hommes, n'est-ce pas ?*). Avec la découverte de leurs sens, les femmes avaient-elles conquis leurs droits à l'infidélité ? Évidemment non. On s'appliqua à diriger leurs désirs uniquement vers leurs maris. C'est par là qu'elles devaient retenir leurs époux : le piège de la fidélité allait se refermer sur cet appât.

L'appétit sexuel étant devenu le piège à mâles, ces dames se devaient, en conséquence, d'être de plus en plus expertes. Il n'était pas question de combler leurs propres désirs mais ceux de leurs maris. Ces instructions, répétées dans tous les magazines féminins de l'époque, s'inspiraient avec sérieux des interprétations freudiennes de la sexualité féminine. Les deux plus célèbres porte-parole de cette école — les Dr. Hélène Deutsch et Marynia Farnham — élaborèrent la doctrine freudienne de la passivité et de la soumission féminines. Mais avec un léger additif : le Dr. Marynia Farnham, en collaboration avec le sociologue Ferdinand Lundberg, établit que « les conditions favorables à l'atteinte de l'orgasme », pour une femme, étaient « la réceptivité et la passivité; une volonté d'accepter la dépendance sans crainte ni ressentiment; une profonde ferveur pour la fin de toute vie sexuelle, qui est la maternité ». Le mythe de la maternité, comme accomplissement suprême de la féminité, servait ainsi à prendre au piège, du même coup, l'homme et la femme.

Il ne s'agit pas de nier la contribution de Freud à la connaissance de l'homme. Elle est évidemment énorme. Mais il ne faut pas oublier que Freud était lui-même un produit de la bourgeoisie, au sein de laquelle il avait passé toute sa jeunesse. D'autre part, la tradition patriarcale était son héritage culturel naturel. La fusion en lui de ces deux traditions est certainement à la base de ses théories sur l'infériorité physique et intellectuelle des femmes. Il a bâti une théorie sur le développement mental humain, entièrement centrée sur le mâle. Nous en avons hérité avec les résultats de ses recherches géniales sur l'inconscient, les rêves et les mécanismes d'autodéfense. La femme n'était, pour Freud, qu'un homme incomplet, anormal, inférieur, à jamais destiné, à cause de ses imperfections anatomiques, à errer sur la face du globe, en proie aux regrets les plus vifs d'être justement aussi imparfaite, et à la recherche de ce qui fait que l'homme est complet, à savoir : un pénis. Cela suffisait pour lui dénier toute égalité intellectuelle avec l'homme. Elle était également reléguée dans une semi-latence sexuelle — Freud et son école étant, en effet, à l'origine du mythe de la supériorité de l'orgasme vaginal. Ce mythe allait persister dans toute sa splendeur jusqu'en 1960, et c'est aux alentours de 1950 qu'il sévit avec le plus de virulence.

La divulgation progressive des connaissances sexuelles n'aida guère le mariage à sortir de la voie des illusions — sur la nature de la sexualité féminine par exemple —, ou de l'imagination — la romance à deux, entre autres. Le mariage demeurait fermé à toute possibilité de communication ouverte entre époux, dans le lit comme hors du lit.

La course au divorce continuait de plus belle. Mais s'il venait quelque doute à la femme occidentale sur son rôle de partenaire sexuelle passive et de ménagère frénétique, un expert en la matière se trouvait toujours là pour lui prouver sa monumentale erreur.

The Power of Sexual Surrender, du Dr. Marie Robinson (Puissance de l'abandon en matière sexuelle), publié en 1959, se vendit à plus d'un million d'exemplaires, traduit dans toutes les langues. Il s'agit d'un document invraisemblable qui fait de la femme l'unique responsable des problèmes sexuels conjugaux. « L'homme », écrit-elle, « est rarement à l'origine de la frigidité de sa femme ». Page après page, dans une suite hallucinante de clichés, le Dr. Robinson condamne comme frigide la femme dite clitoridienne, la voue à l'opprobre pour son autonomie, la persuade que la seule voie de l'amour passe par l'abandon total de soi. Une femme, sensible autant que sensuelle, nous a raconté que ce livre, qu'elle avait pris au sérieux quelques années auparavent, l'avait jetée dans le trouble et le doute de soi les plus extrêmes. Elle trouvait cet ouvrage véritablement « redoutable ».

Et comme on la comprend : le Dr. Robinson ne se contente pas de réclamer l'abandon physique, elle exige également l'abandon intellectuel.

« Mais la confiance dans son partenaire et le désir de s'abandonner ne suffisent pas à créer l'état psychique favorable à l'orgasme... dans l'orgasme féminin, *l'excitation vient de l'acte d'abandon même* (l'italique est du Dr. Robinson). Une extase prodigieuse naît de l'impression d'être l'instrument passif de l'autre, de sortir de soi-même, d'abandonner toute volonté personnelle pour être emportée par la seule passion de cet être, comme une feuille par le vent. »

Quoi qu'on puisse penser aujourd'hui de ces idées, elles eurent alors des effets extrêmement nocifs. Les femmes, après avoir été considérées comme asexuées, après avoir été culpabilisées par la découverte qu'elles ne l'étaient point, puis par la conviction que l'orgasme vaginal était seul légitime — ce qui les avait menées à tenter un conciliation impossible entre le mythe et leur réalité biologique —, se trouvaient maintenant, par-dessus le marché, dans l'obligation d'assumer un abandon à la fois physique et intellectuel. Ces impératifs étaient, sans exception, contraires à la nature des femmes, comme à leurs rapports avec les hommes.

Car les femmes n'étaient pas seules à en souffrir. Ces « experts », en culpabilisant à tort la femme, minaient en même temps la vie psycho-sexuelle de l'homme, et parachevaient évidemment cette œuvre doublement négative par l'échec de l'institution même du mariage. L'importance donnée à l'orgasme féminin poussait les hommes à croire que leur « masculinité », leur puissance sexuelle étaient fonction de leur capacité d'amener leur femme à l'orgasme. « Tu y es ? » susurre impatiemment Richard à l'oreille de Geneviève qui, de son côté, dans cette atmosphère tendue, s'évertue — évidemment en vain — pour être à la hauteur de la performance que l'on attend d'elle. Si l'on ajoute à cette double tâche (pour la femme d'avoir un orgasme, et pour l'homme de l'y amener — et chaque fois bien sûr !), celle, supplémentaire, de l'orgasme simultané, on réunit toutes les conditions pour faire, de l'amour conjugal, un désastre. Dans de telles circonstances, comment un homme et une femme pourraient-ils jamais espérer comprendre les véritables besoins et désirs de l'autre ?

Au lieu d'être un lien, une expression de l'amour, la vie sexuelle conjugale était devenue une nouvelle source de problèmes qu'il faudrait clarifier.

Le sexe serait-il tout ?

Les années 60 devaient apporter un apaisement aux tensions causées par ces objectifs sexuels aberrants. Dans *Human Sexual Response* (1966) et *Human Sexual Inadequacy* (1970) (Entente sexuelle chez l'être humain ; Mésentente sexuelle chez l'être humain), Masters et Johnson mettaient définitivement terme au mythe de la primauté de l'orgasme vaginal en développant une thérapeutique du couple qui remettait l'épanouissement sexuel à sa véritable place, à savoir sous la sauvegarde des deux partenaires et non plus uniquement de la femme. En même temps, la « pilule » faisait son apparition, donnant aux femmes, pour la première fois dans l'histoire, un moyen infaillible de contrôler les naissances, et la possibilité d'échapper à leurs inhibitions passées. La femme pouvait maintenant faire l'amour sans angoisse; et cette liberté d'esprit vis-à-vis d'une éventuelle fécondation, qui avait été jusqu'ici l'apanage du mâle, devenait sienne. Même si la pilule n'était pas tout à fait au point, elle avait le mérite d'introduire les femmes à cette liberté nécessaire à l'égalité. Les contraceptifs ont acquis progressivement un degré de sécurité absolue, et, après un siècle de répression, l'égalité sexuelle des femmes n'est plus un vain mot.

Mais cette égalité sexuelle toute fraîche, bien qu'ayant

apaisé les tensions d'innombrables couples en les libérant de faux objectifs sexuels, ne semblait pourtant pas être la réponse universelle. Certes, Richard et Geneviève ne se sentaient plus disposés à faire entrer de force leur vie sexuelle dans les moules préfabriqués d'un quelconque guide de l'entente matrimoniale, tout *best-seller* qu'il soit. Mais d'autres objectifs erronés demeuraient vivaces. Les gens commençaient à s'apercevoir que d'autres aspects du contrat de mariage présentaient des problèmes aussi sérieux et complexes que la question sexuelle.

Cette attitude rigide qui est imposée dans le mariage clos, peut se révéler aussi destructrice et génératrice d'inhibitions, que les impératifs d'abandon sexuel et d'orgasme simultané. Richard et Geneviève nous serviront encore d'exemple : Richard a invité quelques collègues à dîner. Avant son mariage, il a travaillé dans une boîte anglaise à Paris, et il a appris à cuisiner quelques spécialités de là-bas. Il aimerait donc bien confectionner pour ses amis un véritable *plum-pudding*. Stupeur de Geneviève : « De quoi aurai-je l'air si c'est toi qui fais la cuisine ! » Les préjugés l'emportent. La créativité de Richard est frustrée, mais l'image de Geneviève est préservée : les invités auront droit à une tarte aux pommes bien de chez nous, et tout rentrera dans l'ordre. N'est-il pas vrai que la femme doit être la cuisinière, la maîtresse de maison, l'essuyeuse de poussière, la laveuse de vaisselle, la poseuse de pièces aux genoux ? Ne doit-elle pas, également, penser à son foyer et à sa famille avant tout, être serviable et empressée envers l'*ego* de son mari, au mépris de sa propre identité et de son épanouissement personnel ? L'homme, c'est celui qui s'en va gagner, *dehors,* la vie du ménage; il a des contacts extérieurs pour affaires; il est le lion superbe et généreux. Il prend les décisions importantes et tond la pelouse. L'autorité masculine est le thème central du mariage clos. L'homme occidental, entré dans son rôle jusqu'au cou, perçoit comme insolite, et plutôt inquiétant, tout acte d'autonomie de sa femme. Et Geneviève, que cette mainmise sur sa personnalité déprime, incapable de formuler son insatisfaction, refoulant les désirs d'évasion qui vont si souvent de pair avec l'image de la femme et de la mère, se perd en récriminations amères, et sombre, à force de brimer son identité, dans le dégoût de soi-même.

Il faut, un jour ou l'autre, payer le prix de la rigidité et de la servitude névrotiques, créations d'un rôle à jouer perpétuellement et d'un contact *Tous-les-deux* excessif. Mariée depuis dix ans à un directeur artistique plein de talent qui ne s'occupe que de son métier, Anne nous a donné une idée de ce prix à payer. En termes fort précis, elle dénonçait les barrières qu'avaient dressées entre elle et son époux, ces idéaux sclérosés. « L'ancienne conception du mariage ne nous permet pas d'avoir des points de vue divergents, et limite nos désirs respectifs. Nous ne pouvons avoir sur tout les mêmes notions de valeurs ! Voyez ce qu'il est advenu de moi et de mes leçons de chant. Si on y regarde d'un peu près, Frédéric désapprouvait formellement tout ce qui touchait au développement de ma personnalité. Comme il ne pouvait supporter de m'entendre chanter, j'étais sans cesse pleine de scrupules. Il se plaignait dès qu'il m'entendait, et je pense qu'il en aurait fait tout autant si j'avais été la Callas. Et puis, pas seulement ça, il était furieux si j'allais répéter avec mon groupe de théâtre. Pourquoi ? Il disait qu'une femme ne doit pas abandonner son mari un seul instant... Bon, d'accord, il est certainement flatteur pour moi qu'il me veuille constamment à ses côtés. Mais je n'ai pas besoin d'autant de flatteries : ce ne sont pas elles qui m'aident à me développer ! »

En dépit de ce *Tous-les-deux* pléthorique, ou sans doute à cause de lui, il est rare que s'établissent entre conjoints des rapports affectifs très profonds, des contacts honnêtes et ouverts. En se coupant de toute possibilité de croissance, ils se coupent également de la possibilité de croissance de leurs *moi* respectifs, et se coupent finalement l'un de l'autre. Chacun d'eux censure ses communications à l'autre afin de ressembler toujours davantage aux images idéales répressives que recouvrent les concepts d'époux et d'épouse. Puisque les époux communiquent rarement, et sentent qu'ils doivent vivre selon les objectifs d'un rôle qui leur est dévolu, aucun d'eux ne peut, dans un mariage clos, exister en tant que personnage à l'identité propre. Comment pourraient, dans ces conditions, exister entre eux cette affection et ce respect qui sont les fondements de l'amour ?

Cependant, les objectifs que nous fixons au mariage sont-ils donc tous erronés ? Avons-nous vraiment pu nous laisser abuser si grossièrement ? Quelle est la part de notre propre idéalisme qui nous a entraînés dans une telle galère ? Il est certain que ce que nous attendons, en général, du mariage n'est guère réaliste. Mais ce serait lui demander bien peu que de n'en attendre qu'une camaraderie, qu'un peu de chaleur, de compréhension, qu'un apport, enfin, à notre développement personnel. Ce n'est pas de la mégalo-manie d'espérer qu'il existe quelque part un être capable de recevoir notre confiance et de nous donner la sienne en échange ; capable de partager avec nous la révélation mutu-elle de notre moi le plus scret. En tant que *fins,* ces objectifs se justifient fort bien. Ce qui est utopique, c'est de supposer que le mariage clos, traditionnel, bourgeois, périmé, est le *moyen* par lequel nous parviendrons à ces fins. La théorie est juste, la méthode fausse. Il y a une distinction fondamen-tale à faire entre les objectifs réalistes d'une relation fruc-tueuse et la méthode chimérique employée pour y parvenir. Un système conjugal clos, donc répressif, limite, condamne, sabote l'effet poursuivi.

Une plante dans un pot poussera dans les limites de son récipient (lequel peut même étouffer sa croissance). Mais une plante dans un champ ! Au grand soleil et à l'air pur, elle atteindra son épanouissement maximum. Les règles rigides qui ont gouverné notre traditionnel mariage monoli-thique, ont empêché la croissance des qualités de développe-ment et d'échange que nous sommes en droit d'atten-dre du mariage. Il est urgent que nous installions celui-ci dans un contexte plus ouvert, où la croissance naturelle aurait sa place. La répression sexuelle « victorienne » a fait long feu. Dissipées également ses séquelles : tous ces mythes qui obligeaient hommes et femmes à chercher l'épanouisse-ment sexuel selon des normes standardisées, totalement erronées. Il faut maintenant que nous nous débarrassions de ces guêpières comprimantes, legs d'une société depuis longtemps abolie. Quittons ses recoins obscurs et allons vers le grand air des temps nouveaux, où hommes et femmes œuvreront de conserve pour un épanouissement des deux, grâce à l'épanouissement de chacun.

Le concept de mariage ouvert (ou mariage open)

Le mariage *open,* c'est-à-dire ouvert, sous-entend, entre deux êtres, un type de rapports honnête et ouvert, fondé sur la liberté et l'égalité totales des deux partenaires. Il exige un engagement de fait, intellectuel comme affectif, à la reconnaissance du droit de chacun à se réaliser en tant qu'individu à l'intérieur du mariage.

Dans ce genre de rapports, il n'entre aucune manipulation de l'un par l'autre : c'est dire que l'épanouissement de l'un n'y est, en aucun cas, l'effet de l'aliénation ou des frustrations de l'autre. La femme n'y est pas plus la servante, que l'homme le dictateur : ce sont deux égaux, et il n'entre dans leurs relations nul besoin de domination ou de soumission, de réduction par contrainte ou de possession étouffante. Leurs rapports étant d'affection et de confiance mutuelles, chacun trouve suffisamment d'espace psychique, autrement dit de liberté intellectuelle et affective, pour croître en tant qu'individu. L'homme aussi bien que la femme ont toute latitude de se développer et de se révéler dans le monde extérieur. Chacun a l'occasion de s'épanouir et de vivre de nouvelles expériences hors du mariage. Ce développement, atteint individuellement, et la solidarité de leur amour concourent ainsi à renforcer et à accroître la solidité du couple qu'ils forment. Leur union se raffermit et s'enrichit grâce à un nouveau principe dynamique. Chacun se dirige, par la liberté, vers la réalisation de son *moi,* qui bénéficie des nouvelles expériences extérieures, auxquelles viennent s'adjoindre celles du partenaire. Ainsi l'union est en perpétuel développement, suivant une spirale montante (voir schéma p. 249). Le mariage ouvert utilise donc ce critère synergétique selon lequel **un plus un vaut plus que deux, la somme des parties agissant ensemble étant supérieure à la somme des parties agissant séparément.**

Dans un mariage clos, le couple n'existe pas comme rapport un-plus-un. Son idéal est de fondre les deux partenaires en une entité : le couple. Toute expérience vécue séparément leur est interdite hormis celles qui leur sont imposées par l'existence : le mari va au bureau ou à l'usine; la femme reste au foyer pour faire le ménage et les courses.

S'il arrive que l'un ou l'autre sorte seul, cela est fort mal accepté : pour l'époux, elle « a traîné qui sait où » ; pour l'épouse, « il a encore fait la foire ». Ce qui se passe, en fait, le plus fréquemment c'est que le mari, ayant plus d'ouvertures sur le monde extérieur, développe sa personnalité selon un rythme plus accéléré que celui de sa femme. De la naît un déséquilibre entre les deux partenaires, et celui dont la croissance se trouve limitée, tend à prendre ombrage de l'épanouissement de l'autre.

Le mariage ouvert, par contre, encourage l'épanouissement des deux partenaires. Tout changement, toute nouvelle expérience, sont donc bénéfiques à leur union. Le changement rend possibles une foule de conduites nouvelles, de nouveaux modes de relations, une nouvelle connaissance de soi. Il renforce le dynamisme d'échange mutuel. Tout devient possible : on tombe cycliquement amoureux l'un de l'autre, par exemple. Ce progrès individuel, et cette connaissance réciproque qui va en s'approfondissant, font que chacun devient de plus en plus séduisant pour l'autre. Sans cesse revitalisé, tonifié, ce type d'union ne peut que se consolider au cours des années.

Par opposition, le mariage clos est conçu comme un véritable traquenard. L'idée bien établie que nous nous faisons du mariage traditionnel est lumineusement traduite par ces expressions toutes faites couramment employées : « elle lui a mis le grappin dessus », « là où la chèvre est attachée, il faut qu'elle broute », « je ne me laisserai pas prendre au piège », « quel boulet ! », « quelle chaîne ! », etc.

Les faits montrent que beaucoup de couples cherchent actuellement une issue au traquenard de leur mariage clos. Au cours de ces dernières années, certains procédés curatifs ont fait leur apparition, apportant quelque soulagement à la tension conjugale. On enseigne aux couples à canaliser leur hostilité et leur agressivité au cours de menées thérapeutiques contre les règles établies ; dans les dynamiques de groupe pour couples, dont le nombre ne cesse d'augmenter, les époux apprennent à exposer publiquement leurs frustrations accumulées, leurs fantasmes les plus intimes, pour tenter d'abattre les barrières et d'atteindre à une communication réciproque par l'entremise de violents exercices verbaux et, souvent, même physiques. Ou bien encore, ils apprennent, à procéder sur eux-mêmes à un *checking* émotionnel annuel, à peu près come ils vérifieraient le moteur de leur voiture, ou procéderaient périodiquement au classement de leurs dossiers. D'aucuns trouvent un certain réconfort et un apaisement dans ces exercices. Toutefois, un peu comme ces cachets qui soulagent d'une indigestion mais ne guérissent pas l'ulcère, ces remèdes n'offrent qu'un secours d'urgence au mariage clos.

Avec le mariage ouvert, nous proposons une révision totale du mariage à partir *de l'intérieur* — une révision fondée sur les deux partenaires concernés, et non point sur la tradition. Le mariage ouvert, loin d'appartenir au monde des idées et des abstractions, vous convie à repenser de fond en comble votre contrat, votre vie même, uniquement en fonction de vos personnalités.

Si le mariage a un sens, de nos jours, c'est dans le *libre* choix d'un homme et d'une femme *libres* de découvrir leurs propres raisons d'être ; et d'être ensemble. Il doit être fondé sur une nouvelle ouverture — sur soi, sur autrui, sur le monde extérieur. Par le fait d'écrire son propre contrat *ouvert*, un couple se trouve en mesure de parvenir à la plasticité nécessaire à son épanouissement. Le mariage ouvert est une monogamie aérée, comportant les côtés de plénitude et de reconnaissance que possède toute relation profonde avec autrui, mais éliminant les restrictions dont nous étions auparavant induits à croire qu'elles étaient partie intégrante de la monogamie.

Nous nous sommes considérablement affranchis, depuis le siècle dernier, de la conception rétrécie du mariage-cage-dorée. Au cours des seules dix dernières années, nous avons enfin découvert que chaque partenaire est capable de s'accomplir sexuellement, tout en s'efforçant de combler l'autre ; et nous savons maintenant fort bien comment réaliser ce don mutuel. Mais nous avons également appris que « faire l'amour » ne suffit pas à élaborer de bons rapports sexuels, et aussi — et surtout — qu'une bonne entente sexuelle est loin d'être tout dans un bon mariage : cela pouvait sembler ainsi, lorsque la déformation de la réalité, le mythe, écartaient hommes et femmes de toute véritable connaissance de leur sexualité. Or, Albert Ellis l'a noté :

« Le désir sexuel... provient essentiellement... d'un processus intellectuel : pensée et émotion. L'art de la sexualité, c'est donc, ainsi que l'a dit Ovide, il y a bien des siècles, l'art d'aimer — c'est-à-dire l'art d'être prévenant, bon, aimant, attentif, sûr de soi, communicatif, imaginatif, indulgent et expérimenté. »

Il est clair que l'éducation de ces qualités de base doit absorber la plus grande part de nos efforts. Nous sommes persuadés que la conception *ouverte* du mariage, si elle est bien comprise, doit conduire un homme et une femme à bâtir, entre eux, des rapports hautement favorables au développement de telles qualités.

Au cours du siècle, la rouille a remplacé la dorure disparue. Du mariage doré, il ne reste que la cage. Il est grand temps de se débarrasser du tout, et de construire nos mariages à la grande lumière du jour.

CHAPITRE II

MARIAGE OUVERT OU MARIAGE CLOS ?

Ne jugez pas selon les apparences

Les instantanés suivants sont un test : savez-vous reconnaître un mariage ouvert, dans la vie courante ? Comme le *Diable boiteux,* qui soulevait les toits, nous nous glissons dans l'intimité de trois couples, à l'heure où ils se retrouvent, un soir comme tant d'autres.

— COUPLE I

Décors : Un luxueux appartement, de style très moderne.

Par les vastes baies, on aperçoit les lumières de la ville. Elsa, séduisante et blonde, tout juste la trentaine. Chef de rayon dans un grand magasin, elle pourrait se permettre de vivre seule dans un décor tout aussi élégant. Mais elle a choisi, depuis six ans, de partager sa vie avec Stéphane, qui est avocat. Ils se considèrent comme mariés, bien que ne l'étant pas, et leurs amis font de même. Elsa est rentrée, ce soir, vers 7 heures. Elle « retape » le *living-room,* tirant les épais rideaux, donnant quelques coups de poing aux coussins qui garnissent le canapé de cuir blanc. Elle a déjà préparé la salade, et préparé le gril pour les biftecks. Elle s'est changée, et a passé une jupe longue pour accueillir Stéphane qui apparaît dans l'encadrement de la porte, quelques minutes plus tard. « Fichtre, je prendrais bien un verre », dit-il, en se débarrassant de sa serviette. Elsa l'embrasse, à la fois flirt et maternelle, puis lui prépare son verre.

— COUPLE II

Décor : un studio au huitième étage d'un immeuble 1920.

Dans un confortable désordre, des samovars et un bric-à-brac indouisant voisinent avec des piles de livres ; mobilier de paille mexicain, sièges rembourrés. Il y a huit ans que Laure a épousé Paul, brillant dessinateur industriel. Elle s'affaire à la cuisine, afin que tout soit prêt lorsqu'il rentrera : ils pourront ainsi se rejoindre aussitôt. Paul l'enlace en arrivant. Il enlève son manteau et déclare : « Je crève de faim. » Laure, qui a déjà réintégré sa cuisine, lui crie : « Préparenous quelque chose à boire, j'ai presque fini. » Paul vient la retrouver et ils se mettent à parler avec animation de leur journée respective, tandis que Laure surveille les côtelettes. Puis ils s'asseyent, et dînent rapidement, car elle a un cours du soir, et lui doit se rendre à une galerie où un de leurs amis « a » un vernissage.

— COUPLE III

Décor : Une petite villa de banlieue, répétée à dix exemplaires dans le bloc. L'intérieur, par contre, est personnalisé par un intéressant mélange d'antique, d'*Art nouveau*, et d'ultramoderne.

Guillaume, maître-assistant en littérature à la faculté, dont les bâtiments sont tout proches, vient de recevoir un coup de fil de sa femme Catherine, qui est en ville. Elle s'excuse car elle va être en retard. Ils se sont mariés il y a cinq ans, et Catherine a conservé son poste dans une maison d'édition, malgré les changements d'autobus qui lui font perdre pas mal de temps. Guillaume partage son enthousiasme pour son travail ; de plus, il apprécie fort d'avoir une compagne cultivée dans un domaine qui est aussi le sien. Il s'en va donc tout simplement préparer le dîner. Après tout, son dernier cours se terminait à trois heures, et il est rentré à la maison depuis des heures. Le réfrigérateur est rempli, car ils ont fait ensemble le marché samedi. Lorsque Catherine rentre à son tour, la table est mise, et le dîner presque prêt.

Avez-vous deviné lequel de ces trois couples vit en mariage ouvert ? Pouvez-vous dire lequel a révisé le contrat traditionnel, afin de l'adapter à sa propre mesure ? Ne jugez pas selon les apparences, car il y a plus que ce qui frappe à première vue, dans ces trois exemples. Avant de tirer des conclusions, voyons un peu à quoi nos couples vont employer le reste de leur soirée.

— COUPLE I

Après un petit souper aux chandelles, Elsa fait la vaisselle dans la machine, tandis que Stéphane, étendu sur le canapé blanc, regarde la télévision en couleurs. Lorsqu'elle a terminé dans la cuisine, elle vient se pelotonner contre lui et ils se parlent de tout et de rien, en couvrant de leurs voix le son de la télévision. Puis il s'en va dans son bureau, travailler une plaidoirie. Elsa, allongée sur le canapé, continue à regarder la télévision. Le téléphone sonne ; elle répond avec entrain pendant plusieurs minutes. Stéphane sort de son bureau et prend l'écouteur. Elle tend la main, et lui caresse le bras, comme pour le rassurer. En raccrochant, Elsa explique que cet homme travaille avec elle et qu'il lui parlait de nouveaux projets. Mais Stéphane, ne la croyant qu'à moitié, boude. « Je ne comprends pas pourquoi ton boulot te suit toujours jusqu'à la maison. Vous êtes vraiment des petits rigolos là-bas. — Mais, chéri, murmure Elsa, il faut parler des choses au moment où on y pense. Comment peux-tu être aussi jaloux ? » Stéphane renifle et s'en retourne dans son bureau. Dix minutes après, il est de nouveau là, se sentant d'humeur érotique. Elsa se montre obligeante.

— COUPLE II

Pendant que Laure s'en va suivre ses cours — elle prépare une maîtrise en histoire de l'art — Paul fait la vaisselle, puis s'en va à son vernissage. Il arrive quand les gens commencent à s'en aller et passe une demi-heure devant les tableaux. Une soirée, à laquelle ils sont tous deux invités, les attend ; il y est bien avant sa femme, qui n'arrive pas avant dix heures et demie. Il lui présente alors des gens avec qui il vient de faire connaissance, et ils restent environ une heure. Rentrés chez eux vers minuit, ils s'installent devant l'entremets qu'ils n'avaient pas eu le temps de finir tout à l'heure, et se racontent ce qu'ils ont fait durant les heures qu'ils ont passées séparés. Il est tard, et Paul doit se lever tôt demain matin, mais ils font tout de même l'amour avant de s'endormir.

— COUPLE III

Catherine et Guillaume ont un dîner détendu. Catherine se repose de la tension de la journée. Elle apprécie ce qu'il lui a préparé. Tous deux se mettent ensuite à la vaisselle. Mais elle n'en peut plus et se jette sur le divan Récamier. Guillaume lui rappelle qu'ils sont invités à une soirée. Il aimerait bien y aller, mais Catherine est *vannée*. « Si on allait au cinéma, alors ? » propose-t-il. Mais, pour ça aussi, elle est trop fatiguée. Elle s'endormirait pendant le spectacle. De fait, elle s'endort sur son canapé, et Guillaume prépare ses cours pour la semaine prochaine.

Il ne s'agit pas de savoir qui fait la vaisselle

Lequel de ces couples vit en mariage ouvert ?

Si vous pensez que c'est le couple I, vous vous trompez. Bien qu'Elsa exerce une profession, et qu'elle vive avec Stéphane sans être mariée avec lui, leur relation est strictement fondée sur le contrat de mariage clos. Elle est la « servante de son seigneur », liée de la tête aux pieds à Stéphane. Il s'arrange pour combiner l'autorité du patriarche et la pétulance d'un jeune garçon. Il a été jaloux du coup de téléphone qu'a reçu sa femme, et cette jalousie les a rapprochés sexuellement. Bien qu'elle soit tout à fait capable de se suffire financièrement, elle est affectivement sous sa totale dépendance, et utilise ses services d'ordre ménager pour le garder sous la sienne. Leur intimité est fondée sur une dépendance réciproque : lui, dépend d'elle en ce qu'elle l'affirme dans sa masculinité, et pourvoit à ses besoins ; elle, dépend de lui en ce qu'elle se sent *nécessaire*.

Si Elsa était véritablement mariée à Stéphane, et s'ils avaient par exemple deux enfants, elle ferait figure de ménagère typique, soumise à un contrat typique — qui pourrait alors être fondé sur une réelle dépendance économique. Dans la situation présente, elle dépend de lui sous bien d'autres rapports ; sans cet amour possessif, exigeant, qu'il a pour elle, elle se sentirait perdue. Elle pourrait fort bien prendre une aide si elle le voulait (une laveuse vient une fois par semaine), mais elle a peur que Stéphane ne se détourne d'elle, si elle ne subvient elle-même à tous ses besoins, à lui. De son côté, Stéphane exige de cette femme toute son attention, comme jadis de sa mère. Il surveille même les relations de travail d'Elsa et, lorsqu'elle a un *cocktail* d'entreprise, par exemple, il la suit et la guette, attentif comme un radar aux moindres nuances de sa conduite. Evidemment, elle perçoit fort bien cet intérêt... enveloppant, et contrôle soigneusement sa spontanéité.

Tous deux ont opté pour le mariage traditionnel, restrictif :

lui, par son attitude autoritaire ; elle, par la « passivité » féminine qu'on attend d'elle. Des trois couples que nous avons cités, c'est en fait celui-là qui a la relation la plus close.

Vous seriez également dans l'erreur, si vous pensiez que le Couple III vit en mariage ouvert. Leur aptitude à remplir indifféremment les tâches du ménage, selon les exigences du simple bon sens et les besoins du moment, sans se préoccuper de savoir si elles sont réservées plus particulièrement à l'homme ou à la femme, est en effet fort peu conforme au contrat traditionnel. Mais Catherine et Guillaume demeurent encore liés par un nœud d'interdépendance, ou de ce que nous appelons *tous-les-deux*. Du moins, Guillaume respecte-t-il l'identité de sa femme, pressentant qu'il a plus à gagner d'une épouse qui développe sa personnalité et a conscience de sa propre valeur. Il le dit lui-même : « Je ne crois pas à la théorie de la complémentarité du mariage, qui veut que chacun s'acquitte, suivant son sexe, de tâches réputées soit *féminines*, soit *masculines*. A la limite, cela signifierait que nous vivons dans deux mondes différents, que nous constituons deux espèces distinctes, incapables même, qui sait ? de communiquer. Si deux êtres sont respectivement capables de *tout* faire, cela signifie qu'ils *partagent* mieux. »

Mais s'il a su progresser en ce sens, en fonction de Catherine, celle-ci, par contre, le dépossède de certains traits de son identité, de son indépendance. Voyant beaucoup de monde toute la journée, sa détente c'est de rester seule avec Guillaume, et de se reposer. Or, Guillaume, dont les journées se passent dans la solitude, ou à faire des cours, a besoin, pour se détendre, de voir des gens, d'avoir des *échanges*. Mais comme le contrat traditionnel implique que les deux époux doivent tout faire *ensemble*, le fait que l'un des deux soit trop fatigué pour sortir, conduit inévitablement l'autre à se sacrifier et à être également désœuvré, ou fatigué... Dans ce vieux contrat, pas de place pour l'humeur du moment, les besoins ou le simple désir. Par ukase, ce contrat signifie au couple d'avoir à opérer en tandem, d'avoir à ressentir les mêmes besoins aux mêmes moments, ou, en tout cas, à se comporter comme s'il en était ainsi. Guillaume et Catherine continuent à suivre cette règle. Elle ne sort pas, donc lui non plus. Malgré toute l'ouverture et la plasticité qu'ils ont acquises sur pas mal de points, ils ne sont pas encore en possession d'un mariage ouvert.

Les moyens pour Catherine d'accéder à la croissance et à la satisfaction, ce sont sa carrière, ses responsabilités professionnelles, non pas celles de Guillaume. Si cela signifie qu'elle est toujours fatiguée, elle doit alors consentir à ce que Guillaume sorte sans elle, au lieu de l'enchaîner dans une forme de détente qui correspond à sa propre vie professionnelle, non à celle de son époux. Ils ont tous deux une identité hors de leur union, mais dans leur union Catherine frustre Guillaume de la sienne. Ils sont esclaves de la conception qui veut que deux époux marchent de front. Ils ne se déplacent jamais l'un sans l'autre.

Le Couple II vit en mariage ouvert.

Le Couple I a sacrifié identité et égalité à sa relation de dépendance. Le Couple III possède en partie l'égalité et l'identité nécessaires, mais il est loin de la *confiance mutuelle* qui lui garantirait une réelle liberté. Vous avez pu le constater, l'égalité, l'identité et la confiance ne se mesurent pas à qui-fera-la-vaisselle-ou-la-cuisine. C'est ainsi que Paul peut fort bien dîner tout seul s'il a faim et si Laure ne rentre qu'à 9 heures et demie ; ou, au contraire, préparer le repas et l'attendre. Cela dépend des soirs. Celui qui rentre le premier s'occupe du dîner. Mais leur plasticité ne se limite pas aux tâches ménagères. Elle s'étend à leur vie sociale.

Il est plus important pour Laure d'aller à son cours qu'au vernissage. Mais cela ne signifie pas que Paul doive rester à la maison. S'il a envie d'y aller, elle veut qu'il y aille. Il aura le plaisir de cette soirée, et elle sera capable de le partager lorsqu'il en parlera plus tard. Si quelqu'un de l'assistance, les connaissant, est assez stupide pour imaginer, en voyant Paul seul, que quelque chose ne va pas entre eux, Laure se désintéresse totalement de cette opinion, dont elle n'a que faire. Paul, aussi peu attaché qu'elle à l'idée de présenter une image de « front unique » de leur couple, arrive plus tôt qu'elle à la soirée. Si Laure, fatiguée, n'était pas venue, il n'en aurait pas été autrement gêné. Elle a *choisi* d'aller à son cours, de rater le vernissage, et d'arriver en retard à la soirée. Mais, contrairement à ce qui se passe pour Catherine, les conséquences de son choix n'entravent en rien le choix de son mari. Lorsque enfin ils se retrouvent, tard dans la nuit, ils peuvent échanger leurs expériences séparées, et ont bien plus de choses à se raconter que les partenaires d'un mariage clos qui font tout ensemble. De plus, puisqu'il existe entre eux la plus grande confiance, ils peuvent s'ouvrir l'un à l'autre bien plus profondément que ne le font Stéphane et Elsa, qui doivent se cacher leurs expériences respectives, par crainte de se blesser l'un l'autre.

Ces trois couples mettent en relief l'une des réalités les plus importantes du mariage ouvert : il ne s'agit pas d'un nouvel ensemble de règles, vous dictant ce que vous devez faire ou ne pas faire ; c'est plutôt une nouvelle façon de *considérer* ce que vous faites. Le mariage ouvert fonctionne, dans votre vie à deux, comme une coopérative : les besoins de chacun sont assumés, sans pour autant vous entraîner dans une interdépendance sclérosante pour l'un et l'autre. L'amour devient un partage fondé sur le développement indépendant de l'un et de l'autre — non plus une réduction de personnalités possédées l'une par l'autre. L'égalité, dans le mariage ouvert, est un état d'esprit fondé sur le respect et la considération des vœux et des besoins de chacun. Les rôles y sont donc plastiques et interchangeables. Dans le mariage ouvert, la femme peut très bien faire la cuisine ; le mari et la femme peuvent fort bien se rendre ensemble à une soirée. Mais quand ils le font, c'est par choix personnel, non parce que l'*autre* le désire ainsi. Toute la différence entre mariage ouvert et mariage clos est là : d'une part, il y a *choix* ; de l'autre, *contrainte*.

CHAPITRE III

ECRIRE SON PROPRE CONTRAT

Engagements psychologiques du mariage clos

Le mariage est un contrat. Mais, bien plus qu'un contrat légal entre le couple conjugal et la société dans son ensemble, c'est surtout un contrat psychologique entre deux époux. Il a été déterminé pour vous, une fois pour toutes, bien avant que vous ayez jamais songé à vous marier. C'est, en un certain sens, un contrat inconscient auquel on adhère par défaut, puisque c'est inconsciemment qu'on le signe. Mais cela n'entre pas en ligne de compte : il vous lie bel et bien au partenaire que vous vous êtes choisi ; au public devant lequel vous évoluez en tant que couple ; aux attitudes mêmes que vous adoptez à l'égard du sens du mariage.

Nous apportons dans nos mariages ce qui nous a été inculqué dans notre enfance, quelque peu modifié par notre expérience personnelle. Nos idéaux passés nous guident. Fils d'un mariage malheureux, nous tentons des formules aptes, selon nous, à nous donner ce qu'avaient raté nos parents. Mais, ces nouvelles formules mêmes, nous les expérimentons à l'intérieur d'un système — le mariage clos — qui a mené la société occidentale depuis des siècles. Votre père buvait le samedi soir, c'était un sujet de discorde entre vos parents. Croyez-vous vraiment qu'en vous abstenant de boire le samedi soir, vous réussirez là où ils ont échoué ? En ne transformant que les manifestations extérieures, vous traiterez les symptômes, non le mal.

Le mariage clos traditionnel est une forme d'enchaînement pour chacun des deux époux. (Le fait que votre père traînait, le samedi soir, dans les cafés, était probablement une révolte symbolique contre cet enchaînement.) Le contrat de mariage clos est tellement rigide, tellement aberrant, qu'un professeur de psychologie, le Dr. Henry Guze, a pu écrire ceci :

« Il est possible qu'en acceptant ce contrat, les personnes consentent à une conduite antinaturelle, allant à l'encontre de leur propre nature, et peut-être même de la nature humaine. Cette absence de réalisme crée un terrain propice à une interaction névrotique, et développe une possibilité accrue d'exploitation mutuelle des personnalités en jeu. »

Au lieu d'acquiescer au vieux contrat, parce que nos parents l'ont fait, ou nos voisins le font encore, nous devrions nous employer à le réécrire selon nos propres aspirations. Chacun de nous a une personnalité et donc des besoins différents, et nos mariages devraient être taillés à la mesure de nos couples. Si chacun de nous réécrit, dans l'ouverture et la franchise, son propre contrat, ces nouveaux termes devraient minimiser l'interaction névrotique et les conflits créés par les anciens. Le mariage pourrait alors devenir une entente, une complicité ouvrant sur la satisfaction réciproque de besoins réalistes et sur un développement propice à la maturité.

Mais avant de nous attaquer à la rédaction de notre contrat unique, suffisamment plastique pour qu'il puisse s'adapter à nos futures évolutions — car nous croissons, notre partenaire et nous-même, à l'intérieur et à l'extérieur du mariage — nous devons assimiler quelques-uns des impératifs, des exigences, du mariage clos.

En fait, quels engagements psychologiques prenons-nous en contractant un mariage clos ?

LE CONTRAT DE MARIAGE CLOS

I - Possession du partenaire. (Les deux époux, l'homme comme la femme, sont enchaînés l'un à l'autre : « Tu m'appartiens. » Prière de noter qu'appartenir *à* quelqu'un est très différent de vivre *avec* quelqu'un.)

II - Négation du moi. (On sacrifie sa propre identité au contrat.)

III - Maintien du couple « front unique ». (Nous devons, tels des frères siamois, donner sans désemparer l'image du couple. Le mariage en soi devient notre carte d'identité, comme si nous ne pouvions exister sans lui.)

IV - Rôles sclérosés. (Tâches, conduite, attitudes strictement différenciées selon des lignes préétablies fondées sur les notions de « masculin » et de « féminin ».)

V - Fidélité absolue. (Enchaînement physique et psychologique, davantage par contrainte que par choix.)

VI - Interdépendance totale. (Un *tous-les-deux* étroit préservera l'union.)

Il peut vous sembler que ce n'est pas du tout ce genre de contrat que vous avez accepté en vous mariant. Vous, c'était pour l'amour, la chaleur, la complicité. Bien sûr. Mais, subtilement, insidieusement, bien souvent à votre insu, les clauses du contrat de mariage clos commencent à se saisir de votre liberté et de votre identité, faisant de vous l'esclave de votre mariage. Des clauses subsidiaires entrent en jeu, gouvernant votre conduite à l'intérieur de votre vie conjugale.

Voyons un peu comment le mariage clos s'empare aisément de vous, vous coupant non seulement du monde extérieur, mais de vos propres désirs naturels. Nous suivrons un couple de jeunes mariés, au cours d'une semaine de leur vie quotidienne, notant au passage les situations où ils succombent aux règles du contrat de mariage clos, souvent en dépit du meilleur bon sens. Par des interprétations marginales, nous éclairerons les clauses psychologiques particulières qui commandent leur conduite à chaque moment donné.

Les liens qui enchaînent : huit jours en pleine genèse de contrat clos

Jean et Suzanne, très épris l'un de l'autre, sont mariés depuis quinze jours. Ils rentrent d'un voyage de noces à Venise. Jean occupait, avant son mariage, l'appartement où ils habitent actuellement. Il travaille dans un cabinet d'architecte, et Suzanne est secrétaire. Ils transportent avec eux, non seulement les valises légères de leur lune de miel, mais aussi, bien qu'invisible, l'encombrant bagage de leurs passés respectifs, alourdis de leurs expériences personnelles, de leur conditionnement intellectuel, de leurs espoirs, de leur idéal. Inconsciemment, par le seul désir de se faire mutuellement plaisir et de se prouver leur amour, ces deux jeunes époux sont en train de s'enfermer dans un mariage clos.

Ils respirent le bonheur, la joie, l'amour, car leur plaisir d'être ensemble est tout nouveau — donc tout beau — mais ils se préparent, à leur propre insu, un monde de frustrations et de déceptions. Voyons un peu pourquoi et comment.

PREMIER JOUR : C'est dimanche matin. Suzanne erre, à moitié endormie, dans la cuisine, et se met à préparer le petit déjeuner. Jean entre peu après, le journal à la main. Tandis que Suzanne beurre les tartines tout en surveillant le lait, Jean, assis devant la table de cuisine, lit le journal. Chaque fois que sa femme passe entre la table et la cuisinière, il étend la main avec tendresse, pour une brève caresse. En un sens, c'est une scène charmante. Mais, sous la surface, les futures chaînes apparaissent en contrepoint. (CLAUSE : La femme fait la cuisine.) Lorsqu'il était célibataire, Jean faisait souvent sa popote, non pas seulement le petit déjeuner, mais aussi de la vraie cuisine. Or, il est marié, désormais il ne touchera plus aux casseroles, sauf s'ils ont un jour assez d'argent pour acheter une maison de campagne, auquel cas on attendra de lui qu'il prépare le *barbecue* au jardin. Pourtant, Jean ne verrait aucun inconvénient à cuisiner. Il n'a jamais fait de plats très compliqués, mais il trouvait plutôt reposant le processus culinaire en soi. Cependant, le voilà s'installant avec simplicité dans la certitude que sa femme fera toujours la cuisine. Et, bien qu'il lui tienne maintenant affectueusement compagnie, le jour viendra bientôt où il lira son journal dans la salle à manger, où il y a plus de place pour l'étaler. Alors, Suzanne commencera peut-être à éprouver du ressentiment à l'égard de son rôle de cuisinière perpétuelle.

Un peu plus tard dans la matinée, le téléphone sonne.

« Chéri, soupire Suzanne, c'est maman. Ils veulent venir nous dire un petit bonjour. Tu sais comme ils ont envie qu'on leur raconte le voyage. Tu veux bien ?

— Bien sûr, ma chérie », répond-il gentiment. (CLAUSE : en vous mariant, vous n'épousez pas seulement un homme ou une femme, mais tout un réseau d'amis et de proches, à qui vous vous devez.) Jean se souvient brusquement qu'ils avaient promis de voir aujourd'hui Line et Bertrand, qui les ont présentés l'un à l'autre, et sont leurs meilleurs amis. Là, bien entendu, il y a un autre réseau. La plupart de ceux qui les composent, et avec lesquels les deux époux entretiennent des relations extérieures au ménage, sont drôles et intéres-

sants. Mais ils peuvent également présenter des problèmes.
L'un de ces problèmes est ici évident ; nous en rencontrerons
d'autres en avançant. Il est bien certain que, le premier
jour de son retour de voyage de noces, Jean ne va pas
refuser à Suzanne d'inviter ses parents. Mais, ayant accepté
cette fois, il lui sera plus difficile de refuser les prochaines,
si les parents de Suzanne se mettent à venir de plus en plus
souvent les voir. Cela ne signifie pas que, dans un mariage
ouvert, Jean dirait : « Oui, qu'ils viennent cet après-midi,
mais ne t'attends pas à ce que j'aie envie de les voir tous
les dimanches. » Bien au contraire. Dans un mariage ouvert,
Jean n'aurait pas besoin de prendre ainsi les devants, car
il ne viendrait même pas à l'esprit de Suzanne qu'il pourrait
toujours dire oui. En fait, c'est plutôt en mariage clos que
Jean pourrait être obligé de parler ainsi, pour que la
situation soit bien nette. Mais, il va sans dire qu'un jeune
marié, épris de sa femme, ne va pas lui dire une chose
pareille ; elle sera donc, de son côté, persuadée que, si elle
veut voir ses parents, ils les verront toujours ensemble.
Suzanne formule une autre hypothèse. « Ne t'en fais pas,
dit-elle, je vais passer un coup de fil à Line. On peut
toujours la voir pendant la semaine, tandis que Papa et
Maman ne sont libres que pendant les week-ends. » (CLAUSE :
c'est à la femme que revient le rôle de prendre les décisions
concernant les activités sociales du couple. Et cela implique
que c'est à elle de décider comment son mari passera son
temps.) Dans le mariage ouvert, une telle hypothèse est
hors de question. Il appartient à chacun des partenaires de
décider ce qu'il fera de son temps. Parfois ils le passent
ensemble, parfois séparément. Et comme ni l'un ni l'autre
n'est censé pouvoir dicter à l'autre son emploi du temps,
frustrations et ressentiments se trouvent singulièrement
réduits.

DEUXIÈME JOUR : Suzanne prépare le petit déjeuner, laisse
la vaisselle sur l'évier, et tous deux se précipitent dehors,
pour se rendre à leur travail. A son bureau, Jean se trouve
devant un nouveau projet, dont les plans sont en contradiction avec l'ancien. C'est déprimant. Le soir, il est à la
maison avant Suzanne, et il se prépare un verre. Sa femme
arrive, chargée d'une masse de victuailles. (CLAUSE : les
courses, c'est l'épouse que ça regarde.) Il l'aide à ranger ses
achats, puis lui verse un verre pendant qu'elle lave les tasses

et les soucoupes du petit déjeuner, et se met en cuisine. (CLAUSE : « préparer quelque chose à boire », c'est l'affaire du mari, mais la vaisselle et la cuisine, c'est pour la femme.) Jean est préoccupé par ses problèmes professionnels de la journée, mais fait bonne figure, comme si tout allait pour le mieux. (CLAUSE : un homme, c'est fort ; s'il a des problèmes, il ne doit jamais les communiquer à sa femme, afin de ne jamais lui paraître faible.) Ils dînent, tout en parlant de choses et autres : du travail de Suzanne, surtout, et de la question de savoir quand ils vont voir Line et Bertrand. Tout en parlant, Jean continue à se tourmenter pour ses problèmes, mais il continue à observer le silence sur ce sujet. (CLAUSE : vous devez vivre sans cesse conformément à la conception idéale très élevée que vous avez de votre rôle d'époux ou d'épouse.) De toutes façons, il est intimement persuadé que Suzanne ne comprendrait rien, même s'il lui en parlait : sait-elle seulement ce que c'est qu'un *projet* d'architecte ? (CLAUSE : les cerveaux des femmes fonctionnent différemment de ceux des hommes : celui de l'homme est abstrait ; celui de la femme, intuitif.)

Même s'il était vrai que Suzanne ne puisse comprendre la nature des problèmes de Jean — et il est bien certain qu'une telle supposition est digne de l'époque victorienne — il n'est pas dit qu'elle ne pourrait pas, d'une façon ou d'une autre, soulager Jean. Le seul fait de parler de ce qui le préoccupe lui ferait du bien. Au contraire, en n'en parlant pas, Jean est en train de se préparer pour le futur une source de tension. Les clauses tacites du contrat psychologique l'enferment dans une position de non-communication avec sa partenaire. Il scelle à sa femme l'une des plus importantes parties de sa vie, et se met, en même temps, dans l'impossibilité de trouver jamais la détente chez lui. S'il ne peut avouer à sa femme ce qui ne va pas, il se met dans l'obligation de prétendre que tout va bien, toujours. Il est sans doute capable de faire ainsi « semblant », mais avec les années, les choses ne feront qu'aller en empirant. Elle reconnaîtra peut-être un jour cette tension, même si elle n'en perçoit pas la cause, et elle se sentira exclue. La mésentente entre époux devient, dans ces cas-là, inévitable. Et elle est entièrement issue de cette tentative de vivre selon les clauses implicites d'un contrat psychologique.

TROISIÈME JOUR : Suzanne appelle Jean à son bureau pour

lui proposer de dîner en ville, ce soir, avec Line et Bertrand. Jean avait espéré quelque temps être seul ce soir à la maison pour faire le point sur ses problèmes professionnels. Il répond cependant : « C'est entendu, chérie », et ils dînent dehors. (CLAUSE : deux époux doivent toujours offrir à leurs amis l'image du couple.) Jean est terriblement fatigué, ayant discuté tout l'après-midi avec un client sur un acte de propriété : en rentrant après le dîner, il s'effondre sur le lit sans même jeter un œil sur les projets qu'il avait cependant apportés de son bureau.

QUATRIÈME JOUR : Lorsque Jean rentre de son travail, Suzanne n'est pas encore là. Elle ne peut être au marché, puisque le réfrigérateur est plein depuis ses courses de lundi. Jean aime dîner aux alentours de 7 heures et demie, mais il est presque 7 heures, et sa femme n'est toujours pas là. Il est fatigué, il a faim, et il commence à être de mauvaise humeur. (CLAUSE : la femme cuisinière...) Malgré ses anciens talents culinaires de célibataire, il n'est pas question qu'il se mette même à commencer la cuisine. Marié, il considère désormais que la cuisine est le domaine réservé de sa femme. Il est parfaitement lié par une ancienne conception des rôles dévolus respectivement à l'homme et à la femme. Non seulement il ne prend pas la situation en main, en faisant la chose sensée pratique, qui consisterait à commencer le dîner, mais encore il est tellement troublé de ne pas voir Suzanne s'affairer à ce qu'il regarde comme son travail à elle, qu'il n'a que fort peu de temps libre pour accorder une pleine attention à ses projets. (CLAUSE : mari et femme doivent abandonner leur identité devant le couple.) Jean est déjà pris au mythe de la *couplitude*, au point d'en perdre son pouvoir d'agir dans l'indépendance.

Quelques minutes plus tard, Suzanne arrive tout essoufflée, joyeuse. Elle est en retard parce qu'elle est tombée, à la sortie du bureau, sur un ancien camarade de classe : « Henri B., tu sais bien, je t'en ai parlé. Nous avons pris un verre, et je lui ai tout dit sur mon merveilleux époux. » Jean sourit et prend sa femme dans ses bras, tandis que, tout au fond de lui, vacille une minuscule étincelle de jalousie. (CLAUSE : chaque partenaire, dans le mariage, appartient à l'autre, et à personne d'autre.) Ce genre de possessivité, fondé sur un idéal irréaliste (CLAUSE : je serai tout pour toi, comme tu seras tout pour moi) mène tout droit à un

manque de confiance fondamental et à un sentiment d'insécurité. Les époux savent fort bien, au fond d'eux-mêmes, qu'ils
ne peuvent être tout l'un pour l'autre. Cette certitude cependant n'est pas formulée explicitement, elle se fait donc jour
en termes de méfiance. Jean, par exemple, ne pourra s'empêcher de remarquer : « Tu avais vraiment besoin de prendre
un verre avec lui ? », et Suzanne répond : « Bof, on était
juste devant un bar, et je ne le reverrai pas de sitôt... »

Cela crée toutefois un terrain propice à une mésentente.
Jean, préoccupé par ses problèmes, est plus silencieux,
durant le dîner, qu'à l'accoutumée. Suzanne se méprend et
pense qu'il boude à cause de ce verre avec Henri. « Tu
n'es pas jaloux, n'est-ce pas ? » demande-t-elle. Et Jean,
qui était en train de se demander si elle le laisserait faire
un peu de travail personnel après le dîner, sent fort bien
qu'il va devoir en fait regarder la télévision avec elle. S'il
lui disait maintenant qu'il a besoin d'être seul, elle aurait
de la peine et penserait qu'il est en effet jaloux. (CLAUSE :
le *tous-les-deux* est l'un des éléments les plus importants
dans le mariage. Vous devez être toujours prêt à sacrifier
vos propres désirs sur l'autel du *tous-les-deux*.)

Vous pouvez voir ici des clauses profondément différentes
du contrat de mariage jouer les unes sur les autres pour
attacher les partenaires, de plus en plus étroitement, à
l'intérieur de leur mariage clos. Si Jean s'était suffisamment
ouvert à Suzanne, tout d'abord sur ses tracas professionnels
(au lieu de se sentir concerné par ce rôle d'homme *fort*),
elle ne se serait certainement pas autant méprise sur la
signification de son silence à table. Au lieu de dire : « Tu
n'es pas jaloux ? », elle aurait eu l'instinct — ainsi que la
confiance qui l'accompagne — de demander : « Ce sont
toujours tes *projets* qui te tracassent ? » Alors Jean aurait
pu répondre : « Oui, il va falloir que j'y travaille un peu
après le dîner », sans se croire obligé d'ajouter : « Ça ne
t'ennuie pas ? », car, en mariage ouvert, il n'est pas nécessaire de demander la permission — vous savez à l'avance
que votre droit à l'accomplissement de vos propres désirs
vous est donné en toute liberté.

CINQUIÈME JOUR : Le petit matin. Jean, les yeux rougis par
l'insomnie. Il est réveillé depuis 2 heures du matin, trop
tendu pour se rendormir, mais aussi trop fatigué pour
consacrer une pensée cohérente à ses problèmes. Il tait son

insomnie, tout comme il cache son manque d'appétit. Il se force à avaler le déjeuner chaud qu'elle lui sert, mais il lui restera sur l'estomac, toute la matinée. Pourtant, s'il savait que Suzanne a horreur de faire le petit déjeuner... Chacun, au nom de l'amour et aux dépens de soi-même, a fait quelque chose qu'il ne voulait pas faire, qui était inutile ; et cela, tout simplement parce qu'ils se sentaient soumis aux clauses tacites du contrat de mariage clos. Chacun répond à ce qu'il *pense* que l'autre attend de lui, au lieu d'essayer de découvrir ce que l'autre attend réellement de lui.

Pendant la journée, Léopold, un vieil ami de Jean, l'appelle pour lui demander de prendre un verre *un de ces soirs*, après le bureau ou, peut-être, de dîner ensemble un samedi soir, lorsque Suzanne sera libre. Jean aurait bien envie de changer un peu de cadre, et il aime beaucoup Léopold ; cependant, il refuse le verre pour ce soir, et dit que Suzanne a déjà prévu quelque chose pour samedi. (CLAUSE : le temps de l'époux appartient à l'épouse, excepté quand il est réellement à son travail.) Il s'est excusé pour samedi, car Suzanne a toujours été effrayée par la lucidité et le sens de l'humour impitoyables de Léopold. Comme il s'y attendait, Suzanne formule son idée : « Décidément, Léopold ne me plaît pas beaucoup », dit-elle, et elle lui rappelle que les Meunier, qui habitent au-dessous, les ont invités à une soirée samedi soir. (CLAUSE : tous les amis d'un couple marié doivent être des amis des deux.)

SIXIÈME JOUR : Vendredi, enfin. Suzanne rappelle à Jean qu'elle rentrera plus tard, car elle doit aller chez son coiffeur. Lorsque Jean appelle Léopold pour l'avertir que ce ne sera pas possible samedi soir, Léopold propose à la place que Jean vienne prendre un verre à la sortie du bureau, avec lui et sa nouvelle petite amie. Puisque, de toute façon, Suzanne sera en retard, Jean accepte, mais il se sent coupable à l'avance. Si Suzanne ne veut réellement pas voir Léopold, il semble à Jean qu'il soit un peu traître de sa part de prendre un verre avec lui le jour suivant — comme s'il laissait Suzanne de côté, ce qu'il ne veut faire à aucun prix. Si Suzanne ne veut vraiment pas voir Léopold, eh bien, Jean laissera tomber cette vieille amitié.

Jean passe un si bon moment avec Léopold et son amie, qu'il est soudain beaucoup plus tard qu'il ne l'avait prévu.

Il appelle sa femme pour lui dire pourquoi il n'est pas à l'heure. Elle vient tout juste de rentrer, mais commençait, dit-elle, à s'inquiéter. Il s'arrête chez le fleuriste pour acheter une douzaine de roses, car il se soumet déjà aux règles du mariage clos. Certes, ce n'est pas seulement pour apaiser sa femme qu'il achète ces roses : il vient de se marier et il est très amoureux. Pourtant, il entre dans cette action un élément de culpabilité sous-entendu — pour ne pas avoir été à la maison quand elle-même est rentrée, et surtout pour avoir vu Léopold. Il y a aussi, dans tout ça, un autre genre de culpabilité qui s'insinue : tout au fond de lui-même, Jean se rend compte que, la prochaine fois, ce sera plus difficile de voir Léopold, et, qu'en réalité, il sera bien forcé d'abandonner cette amitié. Comme il aime vraiment beaucoup son vieil ami, cela le culpabilise également un peu.

Un mariage ouvert n'aurait développé aucun de ces deux sentiments de culpabilité. Les clauses relatives à la possession du partenaire, et au maintien de l'image couple-front uni, n'y ont pas cours, et aucun des deux partenaires ne se serait senti coupable d'avoir un ami que l'autre n'aime pas, ou d'être en retard pour rentrer. Dans un mariage ouvert, cela fait partie de la vie courante, et c'est ce qui est d'ailleurs vrai dans la réalité. Deux personnes ne peuvent s'attendre, avec un peu de bon sens, à aimer toujours les mêmes gens. Pourtant, dans le mariage clos, c'est exactement le genre d'invraisemblance que chaque partenaire s'imagine pouvoir assumer.

SEPTIÈME JOUR : C'est le matin. Suzanne fait le ménage, Jean emmène le linge sale à la laverie automatique. Ce genre de corvée lui semble pourtant faire plutôt partie des attributions de sa femme, mais il ne va pas s'amuser à s'asseoir pour contempler la machine en train de fonctionner — il s'en ira faire un tour, donnera un pourboire supplémentaire à l'homme de service qui a fait le travail pour lui, et reprendra le linge plus tard. Et puis, c'est lourd et encombrant, et cela fatiguerait Suzanne de transporter ces ballots. (CLAUSE : le mari ne doit jamais faire quelque chose qui ne soit pas dans la ligne de sa masculinité.) Evidemment, le raisonnement de Jean sur la « pesanteur » du linge est un peu ridicule — mais c'est justement le genre de raisonnement auquel mène une participation excessive du rôle à jouer.

Ce soir, tandis qu'ils se préparent pour la soirée des Meunier, Suzanne consulte son époux sur ce qu'elle doit mettre. « Tu es belle dans n'importe quelle robe », répond-il. Mais lorsqu'elle apparaît dans un fourreau luisant et moulant, très 1925, il s'écrie : « Dis donc, Suzanne, où t'en vas-tu comme ça, à un bal costumé ? » (CLAUSE : les époux sont un reflet l'un de l'autre ; aucun des deux n'est autorisé à porter des vêtements qui ne sont pas du goût de l'autre.) Bien que Suzanne soit très en beauté dans cette toilette, qui, de plus, est tout à fait de circonstance, elle l'enlève aussitôt. Jean et Suzanne font ici preuve, tous deux, d'un manque de personnalité. Suzanne a l'instinct de ce qu'elle doit porter mais montre un manque de confiance en soi, d'abord en consultant Jean, ensuite en se changeant, lorsqu'il désapprouve son choix. Cela ne veut pas dire qu'en mariage ouvert, les époux ne se consultent jamais sur ce qu'ils doivent porter. Si Suzanne avait été réellement perplexe et avait réellement désiré l'avis de son mari, il aurait été parfaitement sensé de lui demander son avis. Mais le lui demander, alors qu'elle sait très bien ce qu'elle veut mettre, c'est jouer à un jeu très dangereux et destructeur. Jean, de son côté, en lui demandant de se changer, fait tout autant preuve d'un manque de confiance en soi : si ce que porte sa femme a le don de l'émouvoir aussi aisément, c'est que l'idée qu'il a de lui-même est particulièrement déficiente. Ce qui est navrant.

A la soirée des Meunier, Jean et Suzanne passent la plus grande partie du temps ensemble, comme s'ils étaient soudés l'un à l'autre. (CLAUSE : mari et femme existent, à l'origine, en tant que couple, et doivent toujours maintenir l'image de couple-front uni. Sinon, quelqu'un pourrait penser qu'ils ne sont pas mariés, ou, pis encore, qu'ils ne s'accordent pas très bien.) Pourtant, ils sont un moment séparés, lorsque Monique Meunier demande à Suzanne de lui donner un coup de main à la cuisine. Lorsque Suzanne revient au salon, Jean est assis sur un canapé et parle avec animation à une femme qu'elle ne connaît pas, et qui, selon toute apparence, vient juste d'arriver. Suzanne *fond* sur eux, sans perdre une seconde (CLAUSE : ni le mari ni la femme ne sont jamais autorisés à montrer de l'intérêt pour un membre du sexe opposé, sauf en présence du partenaire.) Lorsque Jean la présente, Suzanne est parfaitement polie. Mais son intervention physique a clairement indiqué à l'autre femme qu'elle est considérée comme une intruse. Suzanne aurait pu tout aussi bien dire : « Il est à moi. Eloignez-vous de lui. » D'ailleurs, au bout de quelques minutes, la dame en question, sous un prétexte quelconque, va se joindre à un autre groupe. Elle a parfaitement reçu le message. Pourtant, il se trouve qu'elle est aussi architecte et qu'elle a travaillé pour le client qui est à l'origine des soucis de Jean. Elle donnait à celui-ci de précieux conseils sur la façon de manier ce client, mais la jalousie instantanée de Suzanne a mis un terme à la conversation. Sa conduite signifiait à la fois : à cette dame, « il est à moi », et à son mari, « je n'ai pas confiance en toi ». Car, bien sûr, elle n'a pas confiance en lui. Comment le pourrait-elle ? On lui a appris que la fidélité est un rôle rigide, mécanique ; ne jamais prendre intérêt à quelqu'un du sexe opposé. Tout au fond d'elle-même, Suzanne sait bien — et chacun de nous le sait aussi — que Jean ne pourra jamais accéder à ce modèle standardisé de fidélité. Devant une telle conception de la fidélité, quel partenaire *pourrait* faire confiance à l'autre ? Suzanne ferait mieux de mettre en question la rigidité de la règle.

HUITIÈME JOUR : C'est à nouveau dimanche. Et, comme l'autre dimanche, les parents de Suzanne téléphonent et proposent de venir les voir. « Tu n'y vois pas d'inconvénient, chéri, n'est-ce pas ? », demande Suzanne. Jean, qui avait espéré l'emmener au cinéma, répond : « Bien sûr que non », pour ne pas lui faire de peine. Le moule s'impose un peu plus...

Le contrat implicite a été accepté par les deux époux.

CHAPITRE IV

MARIAGE OUVERT ET MARIAGE CLOS : LES LIGNES DIRECTRICES

Le moule préfabriqué

Jean et Suzanne, sans le moindre mot de discussion, ont dès la première semaine de leur mariage établi les grandes lignes du contrat qui gouvernera leur conduite tant qu'ils seront mariés. Suzanne s'occupe de la cuisine et du ménage, Jean porte le linge à la laverie automatique et va le chercher. Aucun n'a de vie privée, chacun contrôle les amis de l'autre. Ils apparaissent toujours comme couple, jusqu'à exclure leurs intérêts personnels. Et avec le temps, on peut s'attendre à ce qu'ils soient de plus en plus *tous-les-deux*. Que signifie ce *tous-les-deux* dans le cadre du contrat clos ? Ils étoufferont leurs possibilités et leurs désirs individuels à l'exception de ceux qui leur seront mutuellement agréables et acceptables ; ils n'encourageront que ceux-là. Ce qu'au nom de leur amour réciproque ils éliminent brutalement, ce sont précisément les qualités individuelles qui seraient la base de leur croissance personnelle ultérieure, sans laquelle tout ménage est réduit à la séparation.

Le moule dans lequel ils seront coincés eux-mêmes était préfabriqué et sa configuration déterminée par des traditions sociales depuis longtemps désuètes. Jean attend que son foyer soit organisé à peu près comme sa mère tenait le sien. Assurément, il veut bien faire quelques concessions aux changements de l'époque. Sa mère faisait la lessive à la maison, mais elle avait sa machine à laver pour la faire et une arrière-cour pour la sécher. Suzanne a appris par l'exemple de la société et les articles des journaux que ce qu'une bonne épouse a de mieux à faire, c'est de tenir la maison de son mari comme il le désire. Le fait qu'elle travaille à plein temps, chose que ni sa mère ni celle de Jean n'ont jamais faite, n'est pas pris en considération, tout simplement. A la fin, sans doute, Suzanne en tiendra compte et viendra à en souffrir, quand elle découvrira combien il est éprouvant d'accomplir en quelques heures trouvées par-ci par-là ce à quoi sa mère consacrait tout son temps. Mais, d'ici que Suzanne fasse cette découverte, les règles seront si fortement établies qu'il faudra une explosion de première grandeur pour changer cela.

Un jeune architecte épouse une esclave ménagère

Quand les deux conjoints travaillent, le problème de tenir la maison devient crucial. Et, depuis que de plus en plus nombreuses les femmes ont (et doivent avoir) une profession, le problème est de plus en plus courant. Suzanne et Jean avaient donc leur appartement avant leur mariage. Jean sait faire la cuisine et le ménage. En fait, bien que Suzanne soit meilleure cuisinière, on peut aussi dire que Jean est meilleur balayeur, à en juger par la propreté comparée de leurs appartements de célibataire. Pourtant ils n'étaient pas plus tôt mariés que Jean attendait de Suzanne qu'elle se chargeât du fardeau complet des corvées ménagères. Cela appartient aux rôles de la femme, ou du moins c'est ce qu'on lui avait appris. Et comme Suzanne avait appris la même chose avec encore plus de conscience, elle essaya de conformer sa vie à cet idéal. Si Jean lui offre de l'aider à faire la vaisselle une fois par hasard, c'est un geste de pure magnanimité de sa part. Il a été si profondément endoctriné qu'il se sent vraiment une grande âme quand il porte le sac de linge à deux blocs de là, jusqu'à la laverie automatique.

Cette attitude, du côté de Jean, étant donnée, Suzanne a deux possibilités : accepter ou résister. Si elle accepte, cela signifiera probablement qu'elle finira par abandonner son milieu pour devenir une femme d'intérieur, retombant dans le plus rigide des mariages clos. Si elle résiste, alors la maison se transformera en un véritable champ de bataille. Les tâches ménagères ne sont pas simplement des empoisonnements quotidiens avec lesquels chacun doit compter, à moins que les deux partenaires soient d'accord pour les regarder de cette façon. Si cette entente se réalise, si faire la vaisselle et balayer sous le lit apparaissent comme une partie du tout complexe des ennuyeuses tâches quotidiennes qu'il faut assumer pour vivre à l'aise, on peut s'en faire un jeu. On peut les partager, les échanger, ou les attribuer à celui que cela gêne le moins. Le ménage ne devient important que lorsqu'il devient le symbole de l'accomplissement d'un rôle préétabli.

La femme qui a un métier, mais qui a en plus toutes les tâches ménagères, se voit signifier — et accepte — un statut dans le mariage inférieur à celui de son mari. Par malheur, la frustration de bien des femmes à ce sujet a conduit à des réactions absurdement excessives. Aujourd'hui, il y a des femmes qui mènent le grand branle-bas en faveur d'un nouveau contrat aussi raide que l'ancien. Brandissant la balayette et le torchon, elles prétendent vendre leur camelote et exigent que les hommes paient les femmes argent comptant pour les services rendus dans la maison. Mais la substitution d'un formalisme à un autre ne résoudra pas le problème. La véritable égalité du mari et de la femme ne peut se mesurer à qui fait la vaisselle ou au prix qu'on la paie. Elle ne peut se mesurer qu'à la nature de votre attitude à l'égard de cette tâche : faire la vaisselle. Tant qu'un homme évaluera son statut selon les règles anciennes, en vertu desquelles son temps et ses efforts sont tenus pour plus précieux que ceux de sa femme, la poêle à frire restera une arme de guerre et les assiettes pourront toujours se transformer en projectiles. Mais si les rôles de l'homme et de la femme sont plastiques et interchangeables, et qu'existe la véritable égalité, alors les tâches quotidiennes prendront leur vraie place, une place d'importance secondaire.

Chérie, tu es tout pour moi

Jean et Suzanne sont tellement accrochés au *tous-les-deux*, si pleins de la pensée que chacun peut répondre à tous les besoins de l'autre, que l'idée de se ménager un secteur de vie privée personnelle leur paraîtrait probablement absurde. Mais déjà Jean a connu quelques moments de frustration quand il n'a pu se dégager une heure pour travailler à ses plans. De tels moments se multiplieront à mesure que l'intimité à deux prélève sa dîme inévitable. Chacun a besoin d'espace, dans le ménage. Non seulement d'espace physique, sous la forme d'un coin à soi, d'une petite pièce où chacun puisse s'isoler de l'autre un moment (bien que l'espace physique ne soit pas négligeable), mais d'espace psychique. L'espace psychique peut être décrit comme zone mentale propre. Sans cet espace, la croissance est impossible. Et sans croissance, le couple le plus épris finira par n'avoir en commun que l'ennui.

Mais le besoin d'espace psychique, Jean et Suzanne devront l'apprendre, sans doute péniblement. Dupés dans leur attente d'être tout l'un pour l'autre, ils s'échineront à qui mieux mieux pour conformer leur vie aux vrais idéaux d'un autre temps. Au fil des mois, leur ménage va devenir un camp retranché aux fossés de plus en plus profonds. Quand ils commenceront à découvrir que leur idéal est irréalisable, les exigences qu'il implique exorbitantes et que leur croissance est paralysée, il leur sera très difficile de trouver la sortie de ce dédale de clauses et de sous-clauses qui constituent leur contrat. Au début, chacun pense que l'amour vaincra, et tous deux sont trop occupés par leurs efforts de plaire pour analyser ce qu'ils sont en train de faire, et pourquoi. Le contrat social et psychologique imposé n'est jamais verbalisé, jamais établi. D'une façon générale, il n'y a rien en soi de mal dans leur façon de faire : demander quelle robe il faut mettre, passer plus de temps qu'on ne le voudrait avec sa belle-famille, faire toujours la vaisselle soi-même, abandonner un ami ; tout cela se peut sans dommage pour l'un et pour l'autre, et même avec avantage pour tous deux, pourvu que les raisons de ce comportement soient à découvert et que la responsabilité en soit pleinement assumée. Mais tout cela est mauvais et naïf, s'il ne s'agit que de schémas préétablis, élaborés pour répondre à une kyrielle d'obligations et si ces actes sont fondés sur l'erreur et la négation inconsciente de soi. Si l'on doit se vendre comme esclave, nier sa liberté et son développement individuel au moins qu'on s'en rende compte.

Mais quand aucune des interactions entre Jean et Suzanne n'est exprimée verbalement, quand ils n'analysent pas leurs propres actes, quand ni l'un ni l'autre ne dit ce qu'il ressent réellement, ce qu'il désire, ce dont il a besoin, alors les clauses inavouées du contrat clos prendront rapidement effet. Et elles mèneront inévitablement au malheur, car elles sont fondées sur des normes erronées.

Les réactions seront d'abord modestes : quelques plaintes, deux ou trois grognements. Mais à mesure qu'augmentera la frustration, le ressentiment grandira, et explosera pour finir. Tôt ou tard, Suzanne criera : « J'en ai assez de tout faire à la maison en plus de mon travail », et Jean hurlera : « Par Dieu, ne comprends-tu pas que j'ai besoin de temps à moi ? » Après trop de week-ends passés avec les beaux-parents, Jean est peut-être encore capable de sourire en apparence, mais au-dedans il va bouillir. Il commencera à critiquer ses beaux-parents, puis il accusera Suzanne d'être comme sa mère, et finira par éclater : « Qui diable ai-je épousé en fin de compte, toi ou ta famille ? »

En général, nous n'aimons pas penser à une vie commune avec un compagnon aimant dans les termes peu romantiques d'un contrat. Mais qu'on aime ou non, c'est exactement ce qui nous attend avec le mariage. Si nous refusons de voir les choses en face, d'examiner ce qu'il y a de mauvais dans les engagements psychologiques du contrat clos traditionnel, nous accepterons ce contrat et tout ce qu'il comporte. Assurément cela finira par aboutir à une communication, mais sous forme de combat. Quand nous refusons de communiquer directement et rationnellement, ou si nous ne savons pas nous y prendre, alors les tensions réprimées trouvent une échappée indirecte dans les éclats irrationnels de la colère.

Quand Jean et Suzanne commenceront à communiquer par le combat, il sera trop tard pour que leur acrimonie incontrôlée puisse avoir un effet constructif. Le mieux qu'ils puissent espérer est que, par leur lutte même, ils parviendront à un compromis. Ils mettront en pratique tous les vieux conseils fatigués si chers aux conseillers matrimoniaux et aux psychologues prêtres du culte du *tous-les-deux* : ils céderont, sacrifieront, négocieront et marchanderont leurs droits, comme si le mariage était une foire. Jean et Suzanne finiront par s'adapter l'un à l'autre.

Mais cet ajustement se fera en fonction du contrat clos, et il ne surviendra qu'au prix de bien des peines endurées. Dans le monde d'aujourd'hui, avec ce changement si rapide et si constant, la plasticité est une nécessité absolue. Nos contrats de mariage doivent être assez ouverts pour que l'adaptation se fasse vite et aisément et non par une suite infinie de traumas et de compromis. Il faut être capable de changer les contrats pour les adapter aux circonstances : un nouveau métier, plus de métier, naissance d'un enfant.

Voyons ce qui se produit quand Jean et Suzanne ont un enfant. Sous le vieux contrat de mariage clos, la venue du premier enfant provoque généralement une crise : elle constitue la plus importante des adaptations qu'un jeune couple ait à réaliser. Si votre compagnon attend de vous une attention exclusive, pour ne pas parler de la satisfaction de toutes ses aspirations, et que vous en attendiez autant de lui, comment l'enfant pénétrera-t-il dans ce cercle d'amour ? Une revue des travaux effectués au cours des années 60-70 sur la question du bonheur conjugal aboutissait à cette conclusion surprenante : « La présence d'enfants a plutôt tendance à ôter qu'à ajouter au bonheur conjugal. » Sans doute, nous ne devons pas prendre parti contre les enfants, mais plutôt rechercher les causes de cette difficulté dans les procédés utilisés pour réaliser le bonheur conjugal. De toute évidence, Jean et Suzanne devront changer et élargir leur conception de l'amour possessif pour inclure leur enfant dans l'unité qu'ils forment. L'amour exclusif et la propriété psychologique du conjoint n'ont vraiment pas l'air d'être les préalables obligés de la parenté, et pourtant le mariage clos est fondé là-dessus. Comment Jean et Suzanne pourront-ils amener leur enfant à la responsabilité et à la maturité conscientes d'une personne adulte s'ils n'ont pas eux-mêmes vécu l'individualité au sein de leur mariage ? Comment pourront-ils prodiguer leur amour à l'enfant, de façon qu'il se développe et progresse, s'ils ne voient dans leur mariage qu'un amour fait de dépendance et d'effacement de soi ?

Il est clair que, pour leur propre bien et celui de leurs enfants, Jean et Suzanne doivent s'efforcer d'échapper à l'esclavage du contrat clos, avec ses clauses secondaires restrictives. Mais comment sortir de cet esclavage, *sans pourtant annuler purement et simplement tout le contrat ?*

Rédaction du contrat ouvert

Au lieu de s'en remettre aux clauses cachées du vieux contrat clos, on peut écrire son propre contrat ouvert. On peut s'entendre pour examiner franchement, ouvertement, ce qu'on fait et pourquoi on le fait, qu'on soit sur le point de se marier, ou qu'on le soit depuis dix ans. Le pouvoir qu'ont les clauses cachées du vieux contrat de restreindre votre vie conjugale réside précisément dans le fait qu'elles sont cachées. Nous avons vu comment ces clauses opèrent dans l'examen que nous avons fait de la relation entre Jean et Suzanne. Nous avons vu les dangers qu'il y a à accepter inconsciemment ces clauses secrètes. Considérez votre propre mariage. Découvrez à la vue ces clauses cachées. Alors vous pourrez commencez à écrire votre contrat pas à pas, en prenant aujourd'hui un nouveau départ.

On peut récrire le contrat pour s'engager dans la liberté individuelle et la croissance mutuelle au lieu d'en faire un instrument d'asservissement réciproque. En s'ouvrant l'un à l'autre de ses besoins et de ses désirs, on peut modifier le contrat de façon à ce qu'il reflète les conditions de ce couple singulier. De plus, en gardant le contrat toujours ouvert devant soi, on peut constamment le réviser pour l'adapter aux changements futurs et poursuivre la croissance.

Le contrat ouvert ne susbstitue pas les règles à des règles, mais suggère plutôt des moyens d'apprendre à communiquer librement, afin d'arriver à un consentement mutuel, pleinement compris. Comparons une fois de plus les exigences de l'ancien contrat et les possibilités offertes par le contrat ouvert.

EXIGENCES DE L'ANCIEN CONTRAT	POSSIBILITÉS OFFERTES PAR LE CONTRAT OUVERT
Propriété du conjoint	*Indépendance*
Négation du moi	*Croissance personnelle*
Jouer le jeu du couple	*Liberté individuelle*
Comportement rigide et rôle préfabriqué	*Plasticité des rôles*
Fidélité absolue	*Confiance réciproque*
Exclusivité totale	*Vie ouverte à l'enrichissement*

Le vieux contrat, avec ses exigences secrètes, mène à la stagnation. Le contrat ouvert, avec ses stimulants du développement mutuel, mène à la synergie ; la synergie est l'action combinée, coopérante de deux individus travaillant de concert. Quand l'un grandit, il n'est pas seul à bénéficier de sa propre croissance, il stimule par la même occasion la croissance de l'autre. Dans le mariage clos, la possessivité force les deux partenaires à renoncer aux expériences susceptibles d'élargir leur monde. Jean doit abandonner l'amitié de Léopold ; Suzanne reste toute la soirée collée à Jean au lieu de rechercher des connaissances nouvelles, qui pourraient avoir de l'intérêt pour elle. La stagnation est inévitable dans un tel mariage. Mais si chacun était libre de suivre son instinct et de rester avec ceux qui l'intéressent, même s'ils n'intéressent pas l'autre, la croissance que chacun éprouve au cours de tels contacts pourraient être canalisée et reversée dans le mariage. Tous deux doivent avoir la liberté de s'attacher aux possibilités de développement personnel par d'autres voies, dans l'ordre des choix professionnels, des intérêts intellectuels ou autres modes de réalisation de soi.

Chacun peut bien comprendre que, tant que l'accroissement est d'ordre financier (comme dans le cas d'une augmentation de salaire) ou consiste en une situation nouvelle, les deux en profitent. Mais ce qu'il faut comprendre aussi, c'est que la croissance intellectuelle ou affective de part ou d'autre profite au conjoint et au mariage. Le contrat n'est pas simplement un arrangement financier, un document officiel créant une unité sociale particulière. C'est aussi un contrat psychologique, et, à ce titre, le développement personnel et affectif aussi bien que matériel de chacun des partenaires affectera le mariage de manière vitale. Les occasions de développement personnel, intellectuel et affectif, sont encore plus importantes dans un mariage que les gains matériels. La synergie dégagée par la croissance mutuelle, en un sens personnel, peut apporter à un mariage bien plus de dynamisme, des avantages bien plus riches et profonds que ne le peut un simple progrès matériel. Ce n'est pas là nier l'importance du monde matériel, mais tout simplement dire que, sans croissance personnelle, aucun succès matériel, si grand soit-il, ne peut amener le sentiment véritable de l'accomplissement mutuel.

Nous avons trouvé huit lignes directrices cardinales pour vous aider à individualiser votre contrat de mariage, dans la mesure où vous visez à la réalisation d'un mariage ouvert.

Chacune de ces directives est importante, et si vous devez faire plein usage de l'une d'entre elles, vous aurez aussi à mettre les autres en œuvre. Mais on peut les prendre une par une, en développant à loisir sa force dans chaque domaine. En passant de l'une à l'autre, vous reconnaîtrez que la maîtrise de chacune vous aidera à mettre les autres en pratique et vice versa. Les directives elles-mêmes constituent une dialectique synergétique.

Les lignes directrices sont les suivantes :

1. Vivre au présent, en attendant de la vie ce que permet une vision objective.
2. Vie privée.
3. Communication ouverte et franche.
4. Plasticité des rôles.
5. Camaraderie ouverte.
6. Égalité.
7. Identité.
8. Confiance.

Et l'amour, me direz-vous, la vie sexuelle, la fidélité, qu'en faites-vous ? Ne sont-ce pas aussi des lignes directrices ? Les bases de tout mariage ? C'est important, en effet, mais ce ne sont pas des lignes directrices. Bien des problèmes du mariage clos viennent d'une idée fausse qu'on se fait du rôle de l'amour, de la sexualité et de la fidélité dans les relations homme-femme. Les directives du mariage ouvert énumérées ci-dessus forment la base sur laquelle amour, sexualité et fidélité prennent sens, et non l'inverse. Si l'identité personnelle est fondée sur l'amour, l'égalité mesurée à la vie sexuelle, et la confiance définie comme fidélité, alors l'identité sera écrasée par la diminution de la ferveur romantique, l'égalité amoindrie par une défaillance temporaire, et la confiance détruite ne serait-ce que par l'apparence d'une infidélité. Mais si l'identité personnelle, l'égalité et la confiance existent pleinement, alors les fluctuations normales, inévitables dans toute relation entre deux êtres peuvent être surmontées.

Un mot sur les lignes directrices

Les huit directives forment le cœur du livre. Elles sont spécialement destinées à vous aider à devenir plus compétent et plus habile dans vos rapports avec votre conjoint.

Nous recommandons de les lire dans l'ordre où elles sont traitées, en vue d'une meilleure compréhension de leurs relations réciproques, mais cela ne signifie pas qu'il faille les aborder dans cet ordre quand vous commencerez à passer à la pratique dans la vie quotidienne. Elles vont des aspects les plus simples aux plus complexes de la relation humaine, mais on trouvera dans telle directive plus complexe, dès le début de l'application, la plus grande utilité, car c'est elle peut-être qui correspond le mieux à telle relation conjugale. Les directives sont des suggestions, non des formules magiques ni un code. Notre objet n'est pas de vous dire : voici un mode d'emploi, suivez-le ! mais de vous montrer comment il est possible de parvenir à un style de vie constructif spécialement adapté à chaque couple.

CHAPITRE V

LIGNE DIRECTRICE I :
VIVRE AU PRESENT, VOULOIR LE POSSIBLE

Maintenant pour maintenant

C'est une expression colorée, en usage à la Trinité, qui résume l'opinion des habitants : le moment présent est tout ce sur quoi un homme peut compter dans la vie, et celui qui, de ce moment présent, ne tire pas le maximum, ne peut en réalité que gaspiller sa vie. Le mariage ouvert s'apparente à cette philosophie : pour vivre une vie ouverte avec votre compagnon et réviser votre contrat pas à pas, il faut que votre relation s'effectue ici et maintenant. Hier est passé, demain pas encore arrivé. Mais c'est aujourd'hui, dont vous devez tirer le meilleur, en recherchant, tous les sens éveillés, la conscience de ce que vous faites, de la façon dont vous sentez et agissez, de ce qui vous arrive dans le présent.

L'obsession du futur est l'estampille du mariage clos. Quand Jean et Suzanne se marient, ils prennent immédiatement une hypothèque sur l'avenir, se liant eux-mêmes à leur attente. Un mobilier nouveau, une nouvelle voiture, un versement pour une maison, un voyage à l'étranger, un premier enfant, une maison de campagne, un second enfant, autant de raison d'économiser, de planifier, de sorte que le présent est oublié et n'est rien de plus que le temps passé à envisager l'avenir. Les attentes, les buts prennent sa place. Jean et Suzanne perdent leur moi personnel et le sens de l'instant en s'efforçant d'atteindre un but, de réaliser ces attentes. Mais le mariage doit être fait pour les intéressés, et non pour des buts matériels à atteindre dans le futur.

Assurément il n'est pas mauvais de savoir ce qu'on veut de la vie dans l'ordre matériel, de rêver d'un bateau, de vacances de neige dans les Alpes ou d'une maison au bord de la mer. Mais si on laisse ces buts matériels devenir le centre de sa vie, au lieu de la croissance personnelle, il y a de fortes chances que, lorsque vous aurez cette maison au bord de la mer, vous ne la partagiez pas avec qui vous en avez rêvé d'abord. L'engagement du couple doit être réciproque, et non un engagement à des objectifs réalisables ou non. En mariage ouvert, les conjoints savent qu'il sont *eux*, les éléments essentiels du couple, ils savent que la conscience personnelle, immédiate de soi-même et de l'autre, est plus importante que toute possibilité future. Le temps qu'on passe à viser les réalisations de demain, ou à se lamenter ou se flatter du passé, est temps perdu pour le présent vivant. Et la perte de ce temps présent vous met dans l'incapacité de saisir ce qui se passe entre vous et l'autre.

Passé et futur interviennent certainement, mais il est nécessaire de se demander dans quelle mesure et de ne leur consacrer que ce qu'il faut d'attention. Vous pouvez, par exemple, apprendre du passé les erreurs à éviter, mais quelles que soient la nature de vos problèmes et la profondeur de leur enracinement dans le passé, ces problèmes existent dans le présent et doivent être traités dans le présent, ils ne pourront être résolus qu'en termes d'action au jour le jour. Votre façon de les résoudre maintenant, de connaître joies et plaisirs maintenant, vos émotions et vos sentiments immédiats, ainsi que votre capacité de les partager avec l'autre détermineront la nature de votre relation. Vos rapports dialectiques avec votre partenaire dans le présent, voilà ce qui favorise une relation valable. S'il n'y a pas de relation dans le présent, comment pourrait-il y en avoir une dans l'avenir ?

L'importance de cette orientation « maintenant pour maintenant » a été exprimée par un jeune couple que nous avons interrogé. La femme Jeanne nous a dit : « Jacques était très malheureux ; il passait son temps à tirer des plans sur la comète. Il était toujours dans l'avenir, anticipant, prévoyant pour le cas où.... et ça ne se produisait jamais. Essayer de faire arriver les choses avant qu'elles ne soient possibles, il appelait cela assurer l'avenir, et moi je l'appelais angoisse mortelle. Je me mis à partager ses tourments, pas au même point, mais encore trop. Eh bien, cela détruisit presque notre couple. Il m'appelait à mon travail cinq ou six fois par jour ; il avait peur aujourd'hui pour demain ; il ne pouvait laisser se faire les choses. Du moins jusqu'à ce que nous ayons quelques attrapades et que je lui fasse comprendre que j'étais ici maintenant et que je ne vivrais plus avec lui dans l'avenir s'il continuait.

« Eh bien, dit Jacques, j'ai fini par apprendre à laisser les choses se faire. Et j'ai trouvé que c'était tellement mieux que de se torturer à propos de ce qui peut ou ne peut arriver. Ça ne s'est pas fait tout seul, il a fallu que je me secoue, mais je vis dans le présent. Il faut affronter chaque jour en lui-même, pour lui-même. Un pont ne doit être traversé que lorsqu'on y arrive, et, en attendant, Jeanne et moi nous construisons juste où nous sommes, ici et maintenant. Et c'est drôle, non seulement notre couple a dépassé ce que je rêvais, mais ma réussite professionnelle aussi a fait un bond prodigieux. »

La couverture de sécurité

Le couple trouverait plus facile d'avoir des échanges dans le présent, et de vivre une vie ouverte, plus dynamique, si le mariage ne leur était pas présenté comme le symbole de la sécurité. La plupart des idées irréalistes qu'on se fait du mariage sont coulées dans ce moule : des promesses de sécurité. Les couples escomptent du mariage qu'il *apportera* un but et un sens à leur vie, qu'il leur apportera l'amour, l'approbation du milieu, le statut social et une famille heureuse. En vérité, ce sont-là des choses que les partenaires doivent créer pour eux-mêmes à l'intérieur de leur mariage. Le mariage par lui-même ne procure aucune de ces sécurités. Beaucoup de couples refusent pourtant de regarder les choses en face, et essaient, au lieu de cela, de faire du mariage une sorte de couverture de sécurité, comme les enfants qui trimbalent partout avec eux un lambeau effiloché de leur couverture de bébé. On leur a inculqué, toute leur vie, que le mariage leur apportera la sécurité, et ils s'accrochent désespérément à cette notion fausse, même quand tout s'écroule autour d'eux. De tels couples rechercheront la cause de leurs difficultés partout plutôt que dans leurs idées erronées sur l'idéal du mariage.

Bien des couples nourrissent cette illusion de sécurité au

moyen d'acquisitions matérielles (la maison, le compte en banque, la voiture, les appareils ménagers). Mais la sécurité matérielle peut en vérité s'évaporer du jour au lendemain, ou se désintégrer en petits événements horriblement lents, changement de voisins, chute de la bourse, montées inflationnistes, mutation professionnelle, chômage. Les enfants ne procurent pas de sécurité, en fait c'est tout le contraire, ils sont une lourde responsabilité. La promesse d'amour et d'attachement éternels à votre conjoint, qui est prononcée parmi les serments du mariage et renforcée par des idéaux déraisonnables devient une cruelle tromperie, quand on constate que les gens changent, que les sentiments fluctuent, que le romantisme fraîchit, que les mariages ratent et que l'un ou l'autre part. L'affection et l'amour ont besoin de nourriture pour grandir ; ils se dessèchent dans le feu d'exigences et d'obligations excessives.

Ainsi la promesse de sécurité dans et par le mariage est un mythe. La sécurité, la constance amoureuse ne peuvent se trouver qu'en nous, et non dans l'institution du mariage. Personne ne peut offrir à personne une sécurité qu'il ne possède pas lui-même. Et, de même que l'enfant rejette en grandissant ses vêtements trop courts, de même nous devons rejeter nos rêves irréalisables, nos contes de fées, si nous voulons parvenir à cette confiance en nous-mêmes qui, seule, nous fournira une sécurité réelle, la seule qui vaille qu'on l'offre au conjoint ou à l'enfant.

Peut-être ne sera-t-il pas le père de votre enfant

« Jusqu'à ce que la mort nous sépare », telle est la formule sacramentelle. Mais nous savons très bien, ou devrions savoir, que d'autres causes peuvent nous séparer bien plus tôt. Le divorce aujourd'hui est si fréquent que le mariage est devenu comme une porte à tambour, par où défilent les conjoints en route pour une nouvelle promesse de fidélité éternelle : c'est un échange de cavaliers et de cavalières qui ridiculise notre mépris de la polygamie. Celui que vous épousez aujourd'hui, ce n'est pas gai à dire, ne sera peut-être pas le père de votre enfant.

Et votre femme ne sera pas nécessairement non plus la mère de vos enfants. C'est possible, mais n'y comptez pas. Peut-être trouvera-t-on que c'est là une manière dure et désagréable de voir les choses. Mais nous n'insinuons nullement qu'il vous faille affirmer « celui ou celle que j'épouse ne sera pas le père ou la mère de mon enfant » ; nous vous demandons seulement de résister au désir d'affirmer qu'il ou elle le sera, et de reconnaître que, *peut-être,* ce ne sera pas le cas. Ce n'est pas du nihilisme, c'est du réalisme.

Cette certitude que votre conjoint restera définitivement le père ou la mère de votre enfant est une illusion, une représentation qui pourrait se transformer en un type de vraie relation conjugale, seule base possible d'un mariage solide, sain et durable. La paternité est aujourd'hui affaire de choix, qu'on le veuille ou non, et celui qui épouse doit être apprécié pour ce qu'il est, aimé comme une personne et non comme un père en puissance. Les partenaires capables de cesser de vivre dans un avenir consacré à élever une famille et qui se concentrent sur l'élaboration d'une bonne relation ont d'emblée beaucoup plus de chance d'avoir en fin de compte une famille heureuse.

Même si vous avez des enfants et que vous parveniez à rester mariés toute la vie (disons que vous vous êtes mariés à vingt ans et devez vivre jusqu'à soixante-quinze ans), vous devez vous rappeler que l'éducation des enfants ne prendra approximativement qu'un tiers de votre vie conjugale, et deux bons tiers (soit plus de 12 700 jours) seront consacrés à des relations intimes que vous aurez comme couple plutôt que comme parents. Ainsi, même s'il devient réellement le père de votre enfant, ou si elle en devient la mère, votre relation restera de la première importance. Meilleure est cette relation, plus elle enrichit la fonction parentale. Il est donc vital de s'intéresser d'abord à l'autre comme individu et non comme père en puissance, de se plaire l'un avec l'autre aujourd'hui et maintenant, au lieu de viser le futur. Le futur qu'on laisse venir est déjà là bien trop tôt.

Empaquetage et conditionnement

Les anticipations prématurées de la paternité et les faux espoirs de sécurité sont deux éléments, parmi toute une panoplie de normes irréalistes, qui nous empêchent de vivre dans le présent et de rechercher activement la liberté, la croissance et l'amour dans nos relations avec nos conjoints. Sans regarder de près ces normes que le vieux contrat clos impose, il est impossible d'en revivre un nouveau, ouvert, mieux adapté aux besoins actuels. Le mariage clos est destiné à éliminer la pensée. On nous vend une liste complète de marchandises : normes et règles rigides pour accomplir ces normes. Du fait de l'irréalité de ces normes, et du fait aussi qu'il n'y a qu'une manière reçue de s'y conformer, voilà élaborés, pour ainsi dire en confection, le plan d'inévitables désillusions. Les normes entraînent des exigences, les exigences des manœuvres, les manœuvres la frustration, la frustration l'amertume. On ne peut enrayer cette progression du mal qu'en l'arrêtant à la source, en éliminant ces normes inadaptées qui sont la racine du mal.

Nous sommes conditionnés ; dans notre société, il nous faut la perfection immédiate, celle de l'orgasme comme celle de la guérison. Nous achetons un produit ; s'il n'est pas parfait, nous le retournons immédiatement. Souvent, le produit n'est pas ce que nous attendions, nous avons été trompés par l'emballage. Le mariage clos, lui aussi, s'avance enveloppé d'emballages trompeurs, qui, sans plastique ni mousse de styrène, porte les brillantes couleurs de l'idéalisation. L'emballage du mariage clos nous conduit à croire, non seulement qu'il va réaliser nos rêves, mais qu'il est la seule manière de les réaliser. Evidemment, quand nous constatons qu'il ne tient pas ses promesses, qu'il est autre chose que ce pourquoi on nous le donnait, nous nous sentons volés. Et alors nous faisons l'une des trois choses suivantes : nous vivons avec notre projet dans la résignation et la déception, nous le rejetons et en achetons un autre qui, nous l'espérons, vaudra mieux que le précédent et qui, peut-être en effet, vaudra par le simple fait que nous aurons appris à mesurer nos attentes, ou encore nous le rejetons, et soucieux de ne plus nous laisser embarquer dans un nouvel achat global, nous ne prenons plus que des abonnements à court terme.

Voici maintenant une liste des normes sans réalisme, courantes à propos du mariage. Cela s'oppose à ce que vous pensez être en droit d'attendre d'un mariage ouvert. Telle ou telle norme inadéquate peut sembler vraie à certains lecteurs. Mais nous espérons qu'au cours du livre, les raisons de la présence de chacune des propositions de la liste s'éclaireront parfaitement. Nous irons même jusqu'à prédire qu'à mesure que vous avancerez, vous découvrirez que c'est précisément les normes dont vous ne reconnaissiez pas l'incongruité à première vue qui sont la cause de vos propres problèmes conjugaux.

Normes irréalistes, idéaux déraisonnables, croyances mythologiques du mariage clos

— Qu'il durera toujours.
— Qu'il signifie un engagement total.
— Qu'il apportera le bonheur, le confort et la sécurité.
— Que l'autre vous appartient.
— Que vous trouverez toujours, chez votre conjoint, attention, intérêt, admiration et considération.
— Que vous ne serez jamais plus seul.
— Qu'en toutes circonstances l'autre préférera être avec vous plutôt qu'avec n'importe qui.
— Que l'autre ne sera jamais attiré par personne et sera toujours fidèle.
— Que la jalousie est signe d'amour.
— Que la fidélité est la vraie mesure de votre amour réciproque.
— Que vos rapports sexuels s'amélioreront avec le temps s'ils ne sont pas déjà l'expérience sismique qu'ils sont censés être.
— Que de bons rapports sexuels résoudront tous vos problèmes (il suffit pour cela de connaître les bonnes techniques et les bonnes positions).
— Que tous les problèmes du mariage tournent autour de la sexualité et de l'amour.
— Qu'on n'est pas une personnalité complète tant qu'on n'a pas d'enfant.
— Que le but ultime du mariage est d'avoir un enfant.
— Qu'avoir un enfant est l'expression suprême de votre amour réciproque.
— Qu'avoir un enfant apportera une vitalité nouvelle à un mariage fléchissant ou sauvera un mariage en détresse.
— Qu'on s'adapte l'un à l'autre graduellement, sans combats, disputes ni incompréhensions.
— Qu'on ne s'aime pas si on n'est pas d'accord.
— Qu'un changement progressif se produira chez l'autre avec la maturité.

— Que toute autre espèce de changement est perturbante et signifie un manque d'amour.

— Que chacun joue un rôle différent dans le mariage, rôle auquel on est biologiquement destiné.

— Qu'on est, par conséquent, en droit d'attendre ceci d'un homme et cela d'une femme.

— Que le sacrifice est la vraie mesure de l'amour.

— Et enfin, le plus important, que la personne que vous épousez peut répondre à tous vos besoins, économiques, physiques, sexuels, intellectuels et affectifs.

Il n'y a pas une phrase dans tout cela qui ne soit fausse d'une manière ou d'une autre, et pratiquement impossible à réaliser, encore moins à soutenir. Pourtant les clauses du contrat de mariage clos sont spécialement destinées à faire de ces idées une réalité. Quand on y arrive, malheureusement, c'est presque toujours au prix de la liberté individuelle et du développement personnel, avec d'importants dégâts pour les enfants et le mariage lui-même dans son ensemble.

Le problème réel est que le mariage clos est conçu comme une façon d'être statique, un cadre qui, une fois établi, signifiera l'accomplissement de toutes les normes a priori. Mais, quand les normes sont rigides et les moyens restrictifs, la spontanéité se perd et la créativité s'étouffe. Le mariage ouvert, en revanche, est un processus dans lequel une interaction dynamique se produit entre l'homme et la femme, dans lequel réalités et prévisions changent constamment. Nous pensons en fait que les seules prévisions réalistes qu'on puisse faire en matière de mariage tournent autour du changement et de la croissance.

Prévisions réalistes du mariage ouvert

— Que vous partagerez l'essentiel, mais non tout.

— Que chacun changera et que ce changement pourra venir par crise ou par évolution graduelle.

— Que chacun acceptera ses responsabilités personnelles et accordera à l'autre le droit d'avoir les siennes.

— Que vous ne pouvez attendre de l'autre qu'il satisfasse tous vos besoins, ou fasse pour vous ce que vous devriez faire vous-même.

— Que chacun sera différent par ses besoins, ses aptitudes, ses valeurs et ses demandes, car chacun est une *personne* différente, et pas seulement parce qu'ils sont l'un mari, l'autre femme.

— Que le but mutuel est la relation, et non le statut, la maison à la mer ou les enfants.

— Que les enfants ne sont pas nécessaires en tant que preuve de votre amour.

— Qu'il faut *choisir* d'avoir des enfants, que vous entrerez dans le rôle de parents à bon escient et volontairement, comme dans la plus grande responsabilité de la vie.

— Qu'affection et amour grandiront à cause du respect mutuel engendré par votre relation ouverte.

Faisant contraste avec les idéaux non réalistes de l'amour immortel, de la sécurité et de la satisfaction obtenue par le moyen d'autrui, toutes formules typiques du mariage clos, les idéaux du mariage ouvert sont :

Intimité	Responsabilité
Intensité	Apprentissage
Créativité	Stimulation
Spontanéité	Plasticité
Croissance	Enrichissement,
Respect	Liberté

et
affection et amour
croissant de par tout cela

Les idéaux ne se réalisent pas en imposant des exigences à l'autre, comme c'est le cas pour les idéaux du mariage clos. Ils sont le fruit naturel d'une relation ouverte, qui peut différer beaucoup d'un couple à l'autre, que l'on construit soi-même, par soi-même et pour soi-même : en tant qu'individu et que couple à la fois.

Nous pensons que la relation ouverte, d'où naîtront les idéaux ci-dessus énumérés, peut se réaliser par l'application à votre cas individuel des lignes directrices ici rassemblées :

Appréciation réaliste de la situation et vie au présent.

Vie privée et liberté réciproquement accordées.
Communication franche et ouverte.
Abandon des rôles rigides.
Camaraderie ouverte.
Identité, égalité et confiance.

Il y en a peut-être d'autres que vous découvrirez vous-même. Mais aucune ne peut-être utile tant que vous n'aurez pas fait le *premier pas vivant* : examinez à fond ce que vous attendez du mariage et alors, chaque couple selon son jugement, décidera ce qui est réel, franc, ouvert, et ce qui est irréel, étouffant, limitatif. Découvrez parmi vos idées sur le mariage celles qui vous empêchent de vivre dans le présent, de jouir du moment présent avec votre compagnon et alors, à l'aide des directives, esquissez une relation ouverte qui vous soit propre.

CHAPITRE VI

LIGNE DIRECTRICE II :
VIE PRIVEE

Nom d'une pipe, laisse-moi seul !

Quand Samuel crie à Lucie de le laisser seul, il l'entend probablement au pied de la lettre. Le problème est que Lucie, à la fin d'une longue journée passée parmi les enfants qui se chamaillent, les épluchures de carottes et le linge sale, attend les quelques heures de la soirée qu'elle pourra passer avec son mari. Il est, assurément, son meilleur contact avec le vaste monde, le monde non domestique. Mais elle oublie que le vaste monde impose aussi des exigences à son mari. Il a eu des gens sur le dos toute la sainte journée, et maintenant il rentre chez lui pour découvrir que sa femme a tourné à la pieuvre. Exaspéré, il explose. « Qu'est-ce qui te prend ? demande Lucie. Désires-tu vraiment être seul, ou veux-tu simplement éviter ma compagnie ? » Immédiatement elle a transformé un simple besoin éprouvé par son mari en un affront personnel. Il lui passe un bras autour de la taille pour la rassurer. « Ce n'est pas que je t'aime moins, c'est simplement que j'ai besoin d'un peu de temps à moi, ne le comprends-tu pas ? » Elle essaie de comprendre, mais se sent rejetée. Après tout, une des raisons de se marier est de pouvoir passer le plus de temps possible avec son conjoint. Et il est ici, à la maison, faisant comme s'il désirait être ailleurs.

La maîtresse de maison a fréquemment l'occasion de trouver quelques moments pour elle, par intermittence, au cours de la journée, mais les nécessités professionnelles, qui pèsent sur son mari, ont bien moins de chance de lui laisser une vie privée réelle, des moments où il puisse se détendre et penser à ce qu'il veut. Les femmes qui travaillent sont plus à même de comprendre de telles pressions. Après une pleine journée de travail, un instant de vie privée peut être plus réconfortant que la compagnie de quiconque, quelque amour que l'on ait pour lui. La maîtresse de maison ne découvre quelquefois qu'il peut être excessif de rester toujours ensemble, que lorsque son mari reste trois ou quatre jours à la maison, avec la grippe. Et cette épouse, qui considère le temps passé par le mari à la maison comme lui appartenant par droit conjugal, s'écriera sans doute : « Mon Dieu, il me rend folle. Il me tarde qu'il reprenne le travail ! »

Si mari et femme comprennent tous deux le besoin de vie privée, alors il ne faut pas qu'on se sente blessé, qu'on craigne d'être rejeté, quand l'un ou l'autre s'isole un moment. Un jeune couple, que nous avons interrogé, a élaboré des directives personnelles sur la question de la vie privée pendant leur première année de mariage. Michel et Françoise travaillent tous deux, mais Michel fait souvent des heures supplémentaires, de sorte que Françoise arrive en général à la maison avant lui. Quand il ouvre la porte, ils échangent un baiser et un bonjour, mais aucun ne fond sur l'autre avec les nouvelles toutes fraîches. Comme il le dit en propres termes : « Quelquefois, j'ai besoin d'un petit moment à moi, quand je rentre à la maison. Ce moment me donne le loisir de me détendre un peu, de sorte qu'après cela je me consacre bien mieux à Françoise.

« Croyez-moi, j'arrive à la maison de très mauvais poil au sortir du travail, poursuit Michel, si je suis obligé de faire quelque chose tout de suite, parler, travailler, j'introduis ces tensions dans la conversation ou l'activité en question, et elles ne font que se renforcer. Si je peux prendre ne serait-ce que quelques minutes, juste de quoi me reposer un peu la tête, alors je n'ai plus à les lui imposer. Elle peut m'aider à les chasser en me laissant me désembrouiller à mon propre rythme, en se montrant patiente et en sachant attendre que je sois disponible. »

Michel et Françoise parlèrent aussi des moments de solitude qu'ils s'accordaient l'un à l'autre au cours des weekends, sentant qu'ils étaient essentiels à une bonne relation affective : « Sans eux je suis épuisé, dit Michel, ce n'est plus tout à fait moi que je lui donne. »

La plupart des jeunes couples qui ont une famille reconnaîtront qu'ils ont parfois besoin de vivre à l'écart des enfants. Un jeune couple actif, de New York, boucle de temps à autre sa valise et descend dans un hôtel pour y passer le week-end, en pleine ville. Ils ne se sont éloignés des enfants que de la distance d'un trajet en taxi, s'il devait survenir une question que la garde ne puisse régler, néanmoins ils peuvent avoir ainsi deux jours d'intimité. Les mêmes époux cependant reconnaîtraient difficilement leur besoin de se séparer l'un de l'autre de temps en temps. Il n'est pas nécessaire de suggérer aux couples mariés de passer de temps à autre des week-ends séparés, bien que de tels arrangements, étendus même à des vacances séparées, aient fourni à certains couples la solution du problème de la vie privée. Mais le mari ou la femme qui nie complètement le besoin de vie privée de l'autre contribue à créer une tension susceptible de déborder dans les autres domaines de la relation. Le besoin de vie privée, nous l'éprouvons tous. Les seules exceptions sont ceux chez qui la dépendance a pris des proportions névrotiques.

Une particularité américaine

Aucune autre société au monde n'a promu ni répandu l'idée du « tous les deux ensemble » autant que les Américains. Dans une étude ethnographique portant sur 554 sociétés du monde, le Dr. George Murdock a découvert que dans environ un quart d'entre elles la mère et les enfants formaient un foyer où le père n'apparaissait qu'occasionnellement. Dans certaines sociétés primitives, maris et femmes ne mangent pas ensemble et ne peuvent manifester, en public, ni tendresse ni affection. Chez d'autres, les tabous menstruels et postortum exigent que les époux dorment séparément pendant de longues périodes.

Il est évident que ces schèmes de comportement sont le contraire des nôtres, et nous n'insistons pas pour qu'on s'aligne sur eux. Mais puisque les mariages de ce type sont aussi stables, si ce n'est plus, que les nôtres, il devrait être assez visible que le système du « tous les deux » n'est pas l'élément décisif qui fait réussir le mariage. On peut soutenir, comme nous l'avons indiqué au chapitre I, que la mystique du « tous les deux » s'est développée impétueusement pour endiguer la mobilité et la liberté nouvelles de la femme, en fournissant à celle-ci une nouvelle raison de rester à la maison, sous la férule du mari. Les tabous des sociétés primitives qui interdisent aux époux de manger ensemble ou de faire l'amour à telle ou telle époque constituent une limitation du plaisir que deux personnes peuvent tirer de leurs relations. Mais la mystique du *tous-les-deux* a ses tabous elle aussi. Quand on prend pour affront personnel le fait de fermer une porte au nez de son conjoint, alors nous parlons de tabou ; et quand un tabou vient à l'encontre d'un besoin psychique aussi fort que notre désir d'indépendance occasionnelle, il est fatal qu'une tension en résulte.

Espace psychique

Il fallut au musicien Martin vingt ans de tête-à-tête ininterrompu pour qu'il découvre l'importance réelle et le vrai sens de la solitude. Ces constatations témoignent de la pression exercée par une intimité excessive. « J'aime bien ma femme et mes gosses, mais il y avait des fois où j'avais envie d'être seul, explique-t-il. Voyez-vous, je me disais : mon Dieu, c'est immoral ! Malgré ce besoin impérieux de solitude, je me sentais encore coupable. Nous avons trois enfants, une famille remuante, mon travail se fait avec des gens, le soir je joue en groupe, et mes étudiants m'appellent à 4 heures du matin. Je n'ai jamais su ce que signifiait la « vie privée » jusqu'à il y a environ trois ans. Je devais donner un concert en Virginie, et j'y allais seul, en voiture. Neuf heures de route. Ce fut une révélation. Je m'arrêtai dans les montagnes, je sortis et grimpai jusqu'au sommet. C'était la première fois en vingt ans de mariage que j'étais seul. Tout à fait seul. Moi et les montagnes, c'est tout. Je me retrouvai là-haut. Je m'y plaisais. Ça s'est passé il y a trois ans, et depuis, je prends le temps d'être seul. J'ai un studio insonorisé et j'y vais, non pour jouer, mais pour être seul. Je m'assieds là, dans mon studio, et je sens une charge énergétique, une auto-communication que je ne trouve nulle part ailleurs. C'est peut-être ce que vous appelez libération. »

L'homme fluctue entre le désir grégaire et celui de la solitude. C'est dans les instants où nous sommes seuls que nous pouvons nous recharger, faire le point et revitaliser notre énergie pour des rencontres ultérieures. Tout donner de nous-mêmes, tout le temps, à ceux avec qui nous choisissons de vivre, est la négation de nos identités séparées et de nos besoins individuels de renouvellement. L'exigence d'être en interaction permanente avec son conjoint n'est pas tellement une agression, mais une limite à sa croissance.

Comme l'a montré le Dr. Clark Moustakas, il y a deux voies principales de croissance. L'une est celle de nos rapports dialectiques avec les autres hommes ; l'autre est la découverte de soi-même dans la solitude. « Certaines sortes de découvertes de soi, écrit-il, n'émergent que par la réflexion sur soi, la confrontation de soi à soi, la méditation... La relation personnelle est précisément ce qu'il faut abandonner à certains moments critiques de la vie. »

Préserver une vie privée peut fournir un moyen d'affronter les problèmes ; un jeune mari commentait : « Vie privée, cela signifie qu'il faut avoir assez de tripes, quand le tonus est en baisse, pour se dégager de l'autre et trouver un moyen personnel de se tirer de là : allez faire un tour et ronchonnez tout votre saoul ! » Sa femme ajouta : « Je respecte son désir d'avoir une vie privée, car je sais qu'il y a des lieux où je ne puis l'accompagner, de même qu'il y a des domaines à moi qui n'appartiennent qu'à moi. Quand il en a fini avec son cafard, nous nous retrouvons et nous partageons de nouveau, mais seulement quand il y est prêt. » Ce couple a reconnu que chacun a une manière propre de maintenir son niveau et que les deux partenaires doivent respecter intégralement la méthode de l'autre.

Le mariage ne consiste pas à être sans arrêt collés l'un contre l'autre, jusqu'à nier le besoin de chacun d'un espace psychique, qui peut être l'espace intellectuel de la « pensée » ou l'espace affectif du « sentiment ». Le temps passé loin de l'autre donne à chacun l'occasion d'explorer ses propres goûts, ses conceptions particulières, ses points de vue, ses croyances, ses valeurs. Si vous n'avez pas un moment à vous, vous ne vous connaîtrez jamais vous-même. Et, pour finir, ce que vous avez de plus précieux à offrir à votre couple, c'est vous-même. Si vous n'avez pas l'occasion de découvrir de façon continue ce qu'est le moi, alors vous ne saurez rien en offrir, en toute ouverture, à votre compagnon.

La casquette et le foulard

Un psychologue éminent avait mis au point un système de signaux qui indiquait, à sa femme et à lui-même, le besoin de tranquillité. Si le professeur réfléchissait à un problème particulièrement difficile, estimant qu'une intervention extérieure serait dommageable, il mettait sa casquette. Pour sa femme, cela signifiait : « Laisse-moi seul pour le moment, je réfléchis », aussi clair que de l'eau de roche. Sa femme mettait un certain foulard quand elle était de semblable humeur. Parfois, ils portaient casquette ou foulard quelques heures, parfois pendant des périodes bien plus longues. Chacun respectait le besoin de tranquillité de l'autre et laissait strictement seul celui qui portait la coiffure significative.

Comme souvent le professeur travaillait chez lui et que son travail comportait le maniement de théories psychologiques complexes, il avait un besoin de tranquillité supérieur à la moyenne. Mais chacun d'entre nous connaît des moments qui nécessitent une certaine disposition de son temps, alors qu'un tendre intérêt, un avis bien intentionné ne nous sont d'aucune aide et ne peuvent qu'empirer les choses. Un couple qui établit un signal non verbal pour indiquer le besoin de retraite y trouvera de la facilité à éliminer les rudesses et à poursuivre la compréhension réciproque. Si la relation entre deux personnes est telle que chacun puisse dire : « Laissez-moi la paix un moment », sans que l'autre s'en offusque, ils n'auront nul besoin d'un signal non verbal. Mais si l'un ou l'autre doit prendre cette demande comme une forme de rejet, ou exige des explications, un système de signaux peut être très utile. Les explications ou les prières peuvent être mal interprétées, une casquette va sans dire.

Etre seuls ensemble

Avec leurs couvre-chefs symboliques, le professeur et sa femme pouvaient jouir de leur retraite, même assis dans la même pièce ou mangeant à la même table. Cette forme de vie privée n'implique pas nécessairement qu'on s'en aille tout à fait. En fait, la capacité d'un couple d'être ensemble dans la même pièce et pourtant seuls, indique un respect fondamental de l'autre, En une telle situation, le *tous-les-*

deux prend un nouveau sens. Comme l'exprime la femme d'un bijoutier : « Je peux être avec Remy et pourtant très seule quand je m'absorbe dans ma tâche de bijouterie et que lui fait autre chose. Nous travaillons côte à côte, et je puis me sentir seule et penser seule. Le meilleur de notre communauté vient de ce que nous laissons à chacun la possibilité d'être entièrement à ce qu'il fait. »

Daniel et Marylène, en revanche, représentent typiquement le couple qui a négligé de se communiquer ses besoins de solitude. Daniel a une étude prospère et qui l'absorbe beaucoup. Sa femme dirige leur maison — dix pièces — et veille sur la petite famille avec beaucoup de compétence mais, c'est compréhensible, elle aime s'allonger sur son lit et faire la sieste après déjeuner. Elle voudrait bien que Daniel en fasse autant, mais ses besoins à lui sont différents. « Au bureau, nous dit-il, vous voyez le boulot ; et le chaos qu'il y a à la maison, avec quatre gosses. Précisément pour cela, pour avoir un coin tranquille, j'ai fait réparer la mansarde. Mais il faudrait un miracle pour que je m'en serve. Marylène grogne et boude quand je monte ; impossible de lui faire comprendre que j'ai besoin de me retirer. Alors, je reste avec elle et j'étale mes factures, mes plans d'investissement, mes calculs, etc. Et cela ne lui suffit pas. Non qu'elle veuille d'ailleurs partager mes soucis ! Oh non ! Elle gémit que je ne lui parle pas. Alors, comment y arriver, que faire ? Je reste encore plus longtemps au bureau, et j'y vais le dimanche; et pour m'échapper réellement, je vais au golf. »

La femme qui n'a pas les moyens de se suffire elle-même et ne comprend pas le besoin de tranquillité qu'éprouve son mari, en arrive fatalement à faire ce que Marylène fait à Daniel : elle le chasse de chez lui. Du fait que Marylène refuse de le laisser seul dans la maison, et n'est pas capable de prendre plaisir à sa présence à ses côtés, dans la même pièce, sans le harceler ou lui demander de parler, il n'a pas le choix, il lui faut trouver seul le chemin de la fuite. Finalement, il recherchera la suprême échappatoire : le divorce.

Apprendre à être seuls ensemble sera particulièrement important pour les couples qui vivent dans le petit appartement où l'on est les uns sur les autres, et où il est difficile d'être physiquement seul. Mais, même ceux qui ont assez de place pour avoir une pièce à eux, un refuge pour s'isoler, trouveront qu'être seuls ensemble procure des plaisirs particuliers ; la possibilité d'être à soi d'une façon qui, du même coup, renforce le sens de la communauté. Le vrai but du *tous-les-deux-ensemble* est assurément de créer ce sens de la communauté; pourtant, bien des couples qui affirment que communauté signifie attention constante de l'un à l'autre, détruisent précisément ce qu'ils tentent de réaliser.

L'époux qui se suffit à lui-même

Grégoire était psychothérapeute ; il était divorcé depuis deux ans, après vingt ans de mariage. La première fois que nous l'avons interrogé, il vivait en semi-concubinage avec Caroline, divorcée elle aussi. Ils pratiquaient ensemble la majorité de leurs activités, réceptions et congés compris. Pourtant, Grégoire ne voulait pas vivre avec elle. « Caroline est une nana terrible, dit-il, et nous faisons des masses de choses ensemble, presque tout notre temps libre. Mais vivre ensemble, c'est une autre affaire. Toute ma vie, j'ai été dépendant d'autres gens, et mon métier renforce ce sentiment. Je passe toute ma journée avec mes patients et leurs problèmes. J'aime à être seul de temps en temps, à m'occuper un peu de moi-même. Si je veux lire au lit, je peux. J'ai *besoin* d'être seul. Si je devais vivre avec Caroline, je la connais bien, elle prendrait ça pour une marche-arrière, ce qui est faux. La question est de savoir si elle est capable de comprendre que c'est de moi, et non de marche-arrière qu'il s'agit. Peut-être deux personnes liées de longue date pourraient parvenir à un tel concordat et accepter chacun la personnalité de l'autre, mais dans une relation récente, il faut quelqu'un de très solide psychiquement pour accepter cela. Je ne sais si Caroline possède cette solidité. Ma femme assurément ne l'avait pas. Maintenant que j'ai cette liberté, je n'ai pas l'intention de l'échanger pour retomber dans mon ancienne situation. »

La position de Grégoire, et son sentiment à ce sujet, soulignent à quel point les lignes directrices du mariage ouvert présentées ici sont dialectiquement liées. L'existence d'une vie privée est un point important dans le mariage ouvert. C'est d'abord un besoin réel que le mariage clos traditionnel ignore, et même tente de réprimer. De plus, c'est une condition nécessaire à la poursuite de la croissance individuelle, qui est l'un des buts capitaux du mariage ouvert. Mais, comme l'exprime Grégoire, il faut être solide pour garantir à l'autre la liberté d'avoir une vie privée. Cette sorte de solidité ne peut venir que de la force de la personnalité, et de la capacité de se suffire à soi-même qui en est le corollaire. L'identité, ou personnalité, est assurément une autre de nos lignes directrices. Et l'identité ne peut se réaliser sans qu'on dispose d'un temps de solitude suffisant, d'une vie privée où chercher cette auto-découverte dont parle le Dr. Moustakas.

Pour en revenir à Grégoire, et à son manque d'empressement à épouser cette Caroline dont il craint qu'elle ne sache se suffire à elle-même et qu'elle n'ait pas assez de personnalité pour lui laisser l'indépendance dont il a besoin, son histoire a une suite. Depuis cette conversation, Grégoire s'est remarié. Mais pas avec Caroline. Il a épousé une collègue, qui s'intéresse vivement à son métier, qui a un moi très fort et qui, non seulement, a compris le besoin d'indépendance de Grégoire, mais éprouve pour sa part le même besoin.

Ce besoin d'indépendance ne doit évidemment pas être confondu avec le refus systématique de contact. Le goût de l'isolement existe chez tous, il nous fait sentir notre moi ; il est bien différent de la solitude névrotique, fruit de la dépossession et de l'aliénation. Une femme interrogée se plaignait amèrement : son mari allait se coucher tous les soirs, immédiatement après le dîner. « Il dit qu'il est fatigué, mais cela veut dire qu'il ne voit jamais les enfants. En fait, c'est à peine si je le vois moi-même, car au moment où je m'apprête à me coucher, après avoir passé la soirée entière toute seule, il se relève et fait passer des vieux films pendant la moitié de la nuit. » Il est clair que ce mari ne recherche pas une indépendance normale, pour reconstituer son moi, mais qu'il se soustrait purement et simplement à sa famille et à ses responsabilités envers elle.

Le refus du contact, comme dans le cas de Daniel qui s'enfuit à son bureau ou au golf pour échapper aux exigences de sa femme Marylène, est souvent un symptôme de dérangement dans le vieux mariage clos. Celui qui a reçu de son conjoint la libre garantie de son indépendance momentanée, n'éprouve pas le besoin d'échapper. Le sens de la perspective et le sentiment d'indépendance, qui habitent les deux partenaires lorsque leur besoin mutuel de conserver une vie personnelle est reconnu, renforcent les personnalités et vivifient le couple. Certains auront du mal à garantir à leur compagnon ces moments de liberté. Ce sera une étape pénible, et le temps passé seul semble peser lourd. Mais ces difficultés à accepter sa propre solitude signifient généralement à quel point elle est nécessaire. La vie privée est essentielle dans un mariage sain, et si vous trouvez que vous êtes incapable de rester seul avec vous-même, il est probable que vous n'avez pas encore élaboré, par une confrontation avec vous-même, la forte identité qui vous mènera à l'accomplissement individuel avec votre conjoint. Si vous n'y arrivez pas seul, vous aurez des ennuis en essayant de le faire ensemble : tout aussi bien.

CHAPITRE VII

LIGNE DIRECTRICE III :

1. CONTACT OUVERT ET HONNETE, VERBAL ET NON VERBAL

« Allô, comment allez-vous ? — Très bien, merci. »

Votre père est à l'hôpital, votre fils de dix ans a perdu deux dents hier au cours d'une bagarre à l'école, vous souffrez d'une sinusite, mais si quelqu'un, au bureau, ou au marché, vous demande comment vous allez, vous dites probablement : « Très bien, merci. » Ce qui constitue une communication est purement rituel, et nos réponses sont souvent déterminées par un mécanisme de défense automatique. Dans la plupart des cas, cet échange superficiel n'entraîne rien de grave. Quand on vous demande comment vous vous sentez, il s'agit purement d'une expression de politesse. On n'attend pas que vous analysiez l'état de votre santé pendant une demi-heure. L'ennui est que, peu à peu, ces réponses frivoles et rituelles, ces faux-fuyants défensifs, ces petits mensonges sont tellement enracinés que nous trouvons difficile de communiquer directement, honnêtement et ouvertement, même avec les gens auxquels nous tenons beaucoup.

Depuis notre naissance, on nous a appris que l'imagination est plus importante que la réalité. Quand nous étions enfants, nous étions médusés d'entendre nos parents s'arrêter de crier furieusement l'un contre l'autre pour répondre calmement au téléphone quand un ami les appelait au milieu de la bataille. Nous entendions notre mère dire à notre père qu'elle avait passé une très bonne journée, alors qu'elle avait eu une syncope et avait pleuré devant nous une heure auparavant. Avec l'âge, les exemples sont devenus plus nombreux et nous avons appris à faire de même. Quand nous essayions d'être honnêtes, nous nous mettions dans de mauvaises situations ; personne n'était content quand nous disions que nous n'aimions pas faire une visite à la tante Martha parce que nous n'aimions pas l'odeur de sa maison. Nous avons appris à nous taire et à cacher nos sentiments. C'était la seule façon, nous semblait-il, de ne pas avoir d'ennuis. Et il est évident que ça contribue à mettre de l'huile dans les rouages de la vie quotidienne.

Nous continuons à nous dire toutefois que, quand il s'agira de quelque chose d'important, nous serons en mesure de revenir à la franchise. Malheureusement, ce n'est pas facile.

L'examen de la première semaine de vie conjugale de Jean et de Suzanne, dans les chapitres III et IV, démontre que nous avons tendance à voir tout en rose dans nos mariages, tout en cachant nos vrais sentiments. Nous agissons comme eux, parce que nous ne voulons pas faire de mal à notre compagnon ni le décevoir, en nous montrant autrement que parfaits. Avec l'âge, nous avons appris de nos parents et du monde environnant que, pour préserver ces images idéales, une aimable tromperie est parfois nécessaire et qu'il faut même faire preuve d'une certaine astuce. Afin de préserver les idéaux frauduleux du contrat de mariage, nous sommes poussés à mentir, ce qui nous empêchera par la suite de communiquer ouvertement et franchement avec notre compagnon.

La construction d'un mariage ouvert nécessite un contact honnête et sincère entre les parties. Mais comment passer à travers le mur d'autodéfense qui a été érigé durant tant d'années ? Comment échapper à l'enchevêtrement des mensonges ? Comment rétablir le contact avec votre compagnon ?

Cherchons, avant tout, à comprendre la signification du contact entre les hommes.

Contact non verbal

L'enquête nous a indiqué qu'environ 70 % de nos contacts avec les autres ont lieu par communications non verbales. La forme la plus intense de communication non verbale est naturellement l'amour. La façon de marcher de votre conjoint, sa manière de s'arrêter, de pencher la tête, de croiser les doigts, de sourire ou de froncer les sourcils, est un élément très important qui vous en dit plus que ne le pourraient les mots. Toute action produit un effet sensoriel pouvant être lu par les autres. Certains d'entre nous sont tellement sensibles à ces effets et à leurs réactions qu'ils sont fréquemment capables d'accroître les données sensibles et de s'élever intuitivement à un autre niveau de compréhension. C'est en ce sens qu'on dit que d'une personne émanent des ondes. Nous pouvons capter ces ondes provenant de gens que nous n'avons jamais rencontrés, ou à peine entrevus. Pourtant, dans nos rapports avec ceux qui nous sont les plus proches, nous voulons ignorer ces signaux. Il arrive aussi que nous soyons tellement habitués aux signaux non verbaux de notre compagnon que nous perdons conscience de leur existence. Parfois nous les chassons par impatience ou par refus de reconnaître le message qui nous est adressé.

Même si le langage physique est souvent ignoré ou faussement interprété, la communication non verbale est moins compliquée que la verbale. Il devrait donc être plus facile de corriger quelques-unes de nos erreurs. Il faudrait faire un effort sincère pour accueillir les signaux de son compagnon et agir conformément à la signification de leur message. Quand votre femme rentre de chez le dentiste, la joue enflée et les yeux larmoyants de douleur, il serait assez déplacé de lui rappeler qu'un tas de serviettes sales se trouve depuis hier au bas de l'escalier.

La notion de « minute psychologique » est fondamentale dans la vie : non seulement afin de choisir le moment propice pour saisir la bonne occasion, mais également afin d'apprendre à éviter une fausse manœuvre. Si vous persistez à accabler votre mari du récit de tous vos ennuis de la journée, quand il rentre de son bureau accablé par la chaleur et une mauvaise journée de travail, alors vous ignorez délibérément l'esprit des messages non verbaux et vous voulez la guerre.

Une partie de vous veut la guerre, et l'autre, bien sûr, désire l'éviter. Si, ouvrant les yeux, vous cherchez les signaux révélateurs et les messages cachés de votre compagnon, vous contrôlez bien plus aisément vos réponses quand vos sentiments seront en désaccord. Le mari dont nous venons de

parler pourrait, par exemple, se demander avec un certain
sadisme pourquoi il a épousé une femme ayant de si mauvaises dents, et qui l'obligent à aller si souvent chez le
dentiste, dont les honoraires lui sont insupportables. Puisque, consciemment, il veut la critiquer sur un point
qu'inconsciemment il sait parfaitement qu'elle ne peut éviter,
il prend les serviettes sales comme excuse. Mais si, par
contre, il s'ouvre aux signaux de sa femme et reconnaît
qu'elle souffre, il aura de la peine pour elle et son besoin
involontaire de lui faire du mal prendra fin.

Messages contradictoires

En apprenant à lire les messages non verbaux de votre
compagnon, vous apprendrez également à démêler les confusions dues à des messages contradictoires. Les messages
sont dits contradictoires quand les formes de communication
verbales et non verbales sont contradictoires. Guillaume peut
dire à sa femme : « Je t'écoute, je t'écoute », alors qu'il est
uniquement absorbé par la télévision. Arthur peut dire à sa
femme : « Je t'aime, je t'aime », mais sa femme peut avoir
une bonne raison de penser le contraire puisqu'il ne l'écoute
jamais, son attention se bornant à lui donner un petit baiser
et à être assez insouciant au lit.

Quoi qu'on puisse en penser, les messages non verbaux
sont ceux qui disent la vérité. Un mensonge verbal est
relativement facile. Mais contrôler son corps pour appuyer
un mensonge, c'est bien autre chose. Et c'est souvent que
nos corps réagissent différemment, même quand nous
croyons à nos messages verbaux.

La contradiction entre un message du corps et un message
verbal peut fort bien indiquer une zone de difficulté dans
le ménage. Les couples qui cherchent à développer une
nouvelle franchise et à se libérer des conditions restrictives
du mariage, peuvent trouver dans leurs messages contradictoires une méthode utile pour améliorer leur communication réciproque. La découverte des désaccords dans leurs
messages peut dévoiler des besoins, des sentiments, des désirs
inconnus.

Dans le mariage ouvert, par contre, il n'y a pas besoin
de dire ce que l'on ne veut pas dire. Guillaume n'a pas besoin
de répondre : « Je t'écoute, je t'écoute » quand il n'écoute

pas. S'il est plongé dans le programme de la télévision, il est clair pour Marie que ce n'est pas le moment de discuter ou de s'énerver pour des choses sans importance. Mais si son message verbal ou une discussion sont vraiment urgents, elle n'a pas à hésiter, et Guillaume doit fermer son poste de télévision et l'écouter. Sinon, il devrait dire ouvertement : « Est-ce que nous ne pouvons pas attendre plus tard ? » et Marie devrait respecter son désir de renvoyer la conversation à plus tard, puisqu'elle attendrait de lui, éventuellement, la même considération.

La capacité de reconnaître la contradiction entre leurs messages peut révéler au couple des solutions importantes pour résoudre les difficultés les plus assommantes du mariage. Cela ne veut pas dire que la femme de Guillaume devrait immédiatement crier : « Ah, je t'y prends, tu me racontes des histoires, tu ne m'écoutes pas du tout ! » Par contre, une discussion franche sur le message contradictoire peut leur faire comprendre le poids du contrat qui pèse sur eux. Le vrai message que Guillaume envoyait de son poste de télévision pouvait les amener à discuter sur la clause du mariage « quand tu voudras, chérie », et à trouver la formule du respect réciproque de leur intimité.

Création d'un message non verbal

La lecture des signaux non verbaux de votre compagnon peut vous aider à le comprendre mieux, et vous guider dans le choix du moment propice à la communication verbale. Mais mari et femme qui ont conscience de la grande importance de la communication non verbale peuvent l'employer comme un vrai langage. Mais puisque notre connaissance de communication visible n'en est qu'à ses balbutiements, la plupart d'entre nous ont été habitués à ne lire que les messages physiques des autres. Mais le langage du corps peut, avec sensibilité, exercice et habileté, être employé comme un moyen direct de communication. En se connaissant, avec le temps, de plus en plus, mari et femme peuvent apprendre de mieux en mieux à lire leurs signaux silencieux, à les interpréter et à y répondre. Ils peuvent établir un système de signalisation non verbale pour toute situation, comme la casquette de golf et le foulard dont nous avons déjà parlé, ou ces signaux qu'échangent les couples pour indiquer l'ennui, le silence sur certains points, ou encore : « Il est vraiment temps de s'en aller. » Ils peuvent même élaborer un langage silencieux qui leur soit propre, sorte de sténographie qui pourra, à la longue, devenir une aide importante pour améliorer la communication verbale.

Sensualité, moyen de communication

Une communication visuelle à l'aide de messages du corps n'est qu'une forme de langage non verbal. Une autre façon de communiquer sans paroles consiste à employer directement notre corps. Le besoin de s'approcher et de se « toucher », ne serait-ce qu'un instant, a créé un nouveau passe-temps. L'exercice de l'émotivité et les groupes de rencontre se sont développés partout. Pourquoi cette soudaine popularité ? Sans doute parce que nous avons un besoin impérieux de réveiller nos sens.

L'enfant commence à appréhender le monde à travers son sens du toucher. Ses impressions de confiance, de foi et de chaude intimité, il les a ressenties parce qu'il a été tenu, soutenu, touché, caressé et soigné physiquement. Mais, dans notre société, ce besoin profond d'intimité physique, le besoin de s'approcher, de toucher, de sentir, s'éloigne de nous avec l'âge. Les démonstrations physiques d'émotion sont désapprouvées. On nous apprend depuis l'enfance à contrôler nos réactions sensuelles et érotiques. Il ne faut pas s'étonner si les couples éprouvent de la difficulté à donner des signes palpables de la plus simple affection, compassion ou douleur, ou s'ils ne peuvent s'entendre physiquement. Il est incompatible d'habituer quelqu'un à ne pas être sensible pendant vingt-cinq ans puis de lui demander d'être sensible au lit.

Les couples ont besoin de réapprendre l'usage de l'expression physique comme moyen de communication intime propre à réveiller leur sensualité. Le dictionnaire définit le mot « sensuel » comme « voluptueux » ou « consacré aux plaisirs des sens et aux appétits » et il ajoute, comme caution finale : « parfois lubrique ». Ainsi, la désapprobation de la sensualité est entrée dans notre langage. Or, la sensualité, loin d'être lubrique, est absolument nécessaire à une bonne communication physique. Les échanges sensuels entre mari et femme sont l'expression physique de l'amour.

Nombreux sont les exercices qu'hommes et femmes emploient pour redécouvrir leur puissance physique et développer leur sensualité ; nous ne sommes pas là pour vous apprendre *la* bonne méthode puisque ce qui peut être apprécié par les uns peut sembler ridicule aux autres. Mais, sans vous embarquer dans un programme précis, vous pouvez, comme couple, augmenter votre capacité de participation sensuelle : premièrement, en devenant conscients du toucher, de l'odorat, de la vue, de l'ouïe. Nous ne parlons pas ici nécessairement d'expérience sexuelle, bien qu'elle soit évidemment le moyen le plus sûr d'entrer en contact avec le physique. Cet épanouissement sensuel, communiqué au sexe, sera des plus favorables à une meilleure correspondance sexuelle entre partenaires.

Pour comprendre l'importance des sensations sexuelles, voici ce que dit une jeune femme que nous avons interrogée :
« On pense généralement que l'orgasme est ce qu'il y a de mieux pour calmer la tension. Pas du tout. Il m'arrive d'être de mauvaise humeur, non pas tendue mais déprimée. Dans ces cas, l'amour ne marche pas. J'ai, par contre, besoin d'être câlinée, blottie contre Jim. Il me câline bien et me comprend à merveille. C'est comme si son énergie coulait dans mon être, et si je peux le presser contre moi, je me sens mieux. A ce moment-là, l'amour, ce n'est pas ce que je veux. Il est bon pour d'autres moments. »

Jim ajoute : « Je sens quand Hélène a besoin d'être câlinée et *je suis avec elle*, dans ces moments-là. Je ne suis pas très calé sur les philosophies orientales, mais je sens que nos corps émettent de l'énergie spirituelle et physique. D'autre part, quand je suis moi-même de mauvaise humeur ou préoccupé, elle le sait. Elle s'approche de moi, me calme, me transmet son énergie. » Ce genre de communication paraît simple et, en un certain sens, il l'est. Mais il nécessite une sensibilisation à l'état de votre partenaire et une réceptivité à ses messages non verbaux, supérieures à la moyenne. Et d'ailleurs, il ne suffit pas d'être capable de lire les signaux de votre compagnon, mais il faut encore accepter qu'il déchiffre les vôtres. Cela signifie non seulement de la tolérance, mais de la participation. La participation intime et physique qu'on peut avoir, si on est sincèrement ouvert, est un plaisir refusé à ceux qui restent sur leur garde ou n'acceptent pas de trahir leur « image », ne serait-ce que pendant le mince espace de temps qui suffirait à leurs compagnons pour découvrir ce qu'ils désirent. Mais, dans le mariage ouvert, la volonté d'être lu se développe naturellement, parallèlement à l'accomplissement des autres lignes directrices.

Tous ces mots

Posséder à fond les communications non verbales, apprendre à déchiffrer le langage du corps de votre partenaire et devenir un compagnon sensible et sensuel, capable d'exprimer ses sentiments physiquement, tout cela vous aidera à atteindre le mariage ouvert. Mais les 30 % de votre communication verbale sont plus importants que les 70 % restants. Ce qui rend possible aux deux partenaires de se connaître et de s'aimer dans l'intimité, en profondeur et dans le temps, c'est la communication verbale. En fin de compte, tous les rapports du mariage sont concentrés dans le creuset des mots.

Les rapports sexuels, par exemple, bien que forme de communication non verbale, n'ont jamais, tous seuls, réglé les différends entre partenaires, ni préservé un mariage chancelant. C'est le langage parlé — tous ces mots que vous échangez — qui doit représenter le moyen le plus efficace entre deux époux de se connaître à fond. Le degré d'ouverture auquel parvient un couple dans l'exploration verbale de leurs relations, est la mesure de la croissance individuelle et des vrais engagements de l'un envers l'autre. Le chapitre suivant traitera des bases psychologiques d'une bonne communication verbale et établira cinq principes, dont l'application vous aidera à atteindre une communication plus ouverte et plus honnête avec votre partenaire.

CHAPITRE VIII

LIGNE DIRECTRICE III :

2. COMMUNICATION : AUTO-REVELATION ET REPONSE

Devinettes...

Plusieurs couples croient se connaître beaucoup mieux qu'ils ne se connaissent en réalité. Cela a été prouvé par de nombreuses études récentes et par des travaux de recherche dont les résultats s'accordent à reconnaître la nécessité d'une meilleure communication entre époux. Il y a plusieurs années, au *Merrill-Palmer Institute,* le Docteur David Kahn, psychothérapeute, présenta des couples qui devaient répondre à des questionnaires tels que : « Celles de mes habitudes qui ennuient le plus mon partenaire sont.. » « Les décisions de mon partenaire sont trop influencées par... » « Les choses iraient mieux si elle (ou lui) me disait... » « Il n'y aurait pas eu de difficultés pour nous, si... » Chacun des époux devait remplir deux questionnaires, l'un représentant sa propre réponse, l'autre la réponse supposée de son partenaire. En comparant les formules, on a trouvé que les réponses réelles et les réponses supposées étaient parfois bien proches les unes des autres mais, qu'en général, il y avait de larges divergences, ce qui démontrait un défaut de compréhension et de connaissance réciproques.

Deviner ne sert à rien. A moins que vous ne disiez à votre partenaire comment vous vous sentez, il sera obligé de deviner, et il se trompera. Une communication ne peut se faire sur la base d'une supposition ; il vaut mieux laisser la lecture de la pensée aux fakirs. Malheureusement, dans cette époque de « freudisme pop », où tout le monde a des rudiments de psychanalyse, chacun pense connaître à fond son partenaire. Mais si vous traitez votre partenaire sur la base de ce que vous *croyez* être ses sentiments secrets, vous ne réussirez qu'à embourber encore plus profondément les eaux tourbillonnantes de la communication. L'analyse *mutuelle,* avec chaque partenaire ouvert, prêt à recevoir les messages de l'autre et à communiquer ses sentiments le plus honnêtement possible, sera récompensée, fournira des observations, une aide mutuelle et une plus grande compréhension au sein du couple. Deviner ne servira à rien.

Auto-communication

Si vous voulez que votre partenaire cesse de se livrer à des suppositions à propos de vos sentiments ou de vos mobiles, vous devez être préparé à vous révéler. Et, pour cela, vous devez vous connaître. Vous ne pouvez parler ouvertement et honnêtement avec votre partenaire si vous n'êtes, avant tout, honnête avec vous-même. Essayez de rester seul. Employez ce temps non seulement à une méditation passive, mais à un dialogue actif et intérieur avec vous-même, entre la personne que vous croyez être, et celle que vous êtes réellement. L'auto-communication nécessite auto-analyse et réévaluation. Autrement, il vous sera impossible de changer. Aucun architecte n'essaiera d'établir de nouveaux plans sans connaître le contexte ambiant. De même chacun de nous peut et doit faire une analyse de son actif et de son passif.

Misez sur vous-même. Enlevez votre masque intérieur et extérieur. Nous mettons toujours un masque quand nous affrontons les autres. Mais nous portons également un masque intérieur qui nous cache à nous-mêmes. Regardez-vous en face. Que pensez-vous, réellement, de vous-même et des autres ? Tâchez de vous voir objectivement ainsi que vos actions, sans éloge et sans blâme, simplement pour comprendre comment vous agissez. Analysez-vous comme si vous étiez un observateur extérieur et non celui qui agit. Quel sera le jugement impartial de cet observateur sur un de vos actes donné ?

Si vous êtes honnête vis-à-vis de vous-même, l'analyse objective de votre acte sera peu flatteuse. Vous commencerez alors à discuter avec vous-même, à expliquer vos actions, à chercher les causes extérieures qui vous ont empêché d'agir différemment. Votre chef de bureau vous a réprimandé, vous n'étiez pas en mesure de lui répondre et vous êtes rentré chez vous de très mauvaise humeur. Vous vous êtes mis à chercher noise à votre femme qui, à son tour, n'a rien trouvé de mieux que de gronder les enfants. Et ainsi de suite. Mais attention : cette tentative d'explication de vos actes n'est salutaire que si elle est incluse dans un débat avec l'autre partie objective de vous-même. Il ne s'agit pas de savoir quelle partie va gagner. Ce sont les débats en soi qui sont salutaires parce qu'ils vous donnent la chance de vous connaître mieux. Si vous avez tendance à être facilement déprimé et à rejeter tout le blâme sur vousmême, vous devez alors renverser la procédure, et employer la partie « objective » de vous-même à faire l'éloge de vos actions, en mettant en relief le côté compensatoire de votre conduite.

Certains ont l'habitude de s'analyser, ayant compris depuis longtemps qu'en agissant de cette façon, ils gagnaient en assurance. Les critiques extérieures n'auront, en effet, guère d'influence sur vous, si vous avez déjà fait le point vousmême. Si la critique est juste, vous admettrez plus facilement vos erreurs, et vous poursuivrez votre chemin sans vous vautrer dans l'auto-commisération ou la culpabilité. Par contre, si la critique est injuste, vous vous défendrez mieux, puisque vous connaîtrez bien tous les côtés de la question.

En cherchant de nouveaux moyens pour mieux vous connaître, vous pourrez établir la ligne de conduite qui vous conviendra le mieux. Les livres des analystes professionnels sur ce sujet pourront vous aider, mais ils se fondent généralement sur des situations qui peuvent être fort différentes des vôtres. Plus utile, puisque plus personnelle, est l'analyse de vos rêves. Une méthode d'analyse intéressante et efficace a été présentée par le Docteur Fritz Pearls dans *Gestalt Psychology Verbatim*. Ce livre a pour base les séances où le Docteur Pearls démontre la façon d'employer les rêves comme moyen d'auto-exploration. Il vous suffit d'un seul élément de votre rêve. Vous devez le rendre réel, lui donner corps et voix. Vous allez jouer le rôle du train, du papillon, de l'étranger menaçant, de n'importe quoi, chose ou personne, pourvu que ce soit un élément de votre rêve. Vous parviendrez ainsi à reconnaître vos propres conflits et à traduire votre symbolisme personnel dans des termes plus compréhensibles.

L'efficacité de ces moyens dépend évidemment de votre personnalité. Mais, qui que vous soyez, vous devez découvrir la façon de mieux communiquer avec vous-même. Comprendre les motifs profonds de votre acte est un pas important pour empêcher des excès futurs ou une mauvaise communication dans vos relations avec votre partenaire. Vos sentiments intérieurs deviendront une partie de vous-même, aussi bien les conscients que les autres, plus secrets, et mieux vous les connaîtrez, plus aisé sera pour vous le contact avec votre partenaire.

Auto-révélation

Toutes les découvertes que nous faisons en communiquant avec nous-mêmes — nos pensées, croyances et idées — restent seulement à l'état de formules jusqu'à ce que nous les ayons cristallisées et que nous leur ayons donné signification et substance à l'aide des mots. C'est ainsi que nous nous connaîtrons bien mieux dans la mesure où nous nous découvrirons à d'autres. « L'ouverture complète de soi-même à, au moins, un autre être humain de valeur, écrit le Docteur Sidney Jourard dans *Transparent Self*, constitue un moyen de découvrir non seulement la profondeur de ses propres besoins et sentiments, mais également la nature de sa personnalité. » Se découvrir ouvertement et honnêtement à d'autres est la meilleure manière de se connaître soi-même.

En outre, c'est la façon la plus simple de se faire connaître de nos partenaires. « En me découvrant moi-même, écrit Jourard, je permets aux autres de connaître mon âme. Ils ne peuvent la connaître réellement que si je la fais connaître. » Le développement d'une véritable intimité entre partenaires est fondé sur la capacité que l'on a à ouvrir et à partager ses émotions sans redouter le jugement de l'autre : vous devez savoir révéler non seulement ce que vous aimez, mais aussi ce que vous détestez, vos doutes comme vos espoirs. Nous ne serons réellement attachés à l'autre que si « nous savons faire le premier pas en renonçant à toute prétention, défenses ou duplicité ».

Or, nous hésitons fatalement. Nous craignons que la révélation n'expose nos points vulnérables à l'autre. Il va sans dire que la discrétion doit être exercée dans la communication ordinaire avec la plupart des gens, mais quelle est la censure ou quelles sont les limites à observer dans la communication avec la personne que nous aimons et qui vit avec nous ?

Il est facile d'arguer que nous retenons nos vrais sentiments en ce qui concerne notre partenaire, mais généralement cela nous concerne également nous-mêmes. Nous avons peur d'apparaître moins « bons » ou moins « forts » que notre partenaire ne l'attend de nous. Nous craignons sa désapprobation quant à la « beauté » de nos sentiments. Il s'agit donc d'un manque d'identité personnelle, et du sens d'insécurité qui en dérive. Cette insécurité nous mène à maintenir la façade du mari et de la femme idéaux. Mais les gens ne sont pas idéaux, ils sont simplement humains. En cachant ce que nous sentons réellement, nous ne faisons que rendre plus malaisée la connaissance réciproque, qui n'est possible qu'à travers l'auto-révélation.

Un des points négligés de communication entre deux partenaires, le plus important pour une relation amoureuse, est la révélation de sentiments positifs. Si l'on a été profondément intéressé par quelque chose, ou touché par une tendre observation propre à créer une correspondance de vues, il faut tenter de se le révéler et de capter l'instant précieux avant qu'il ne s'envole. Grâce à des révélations positives, c'est-à-dire par l'expression verbale des bonnes choses ressenties, deux époux ouvrent la voie à la confiance dans les zones les plus critiques des sentiments et de la connaissance réciproque.

L'honnêteté est-elle la meilleure politique ?

Il y a, évidemment, des gens pour penser que les partenaires ne doivent pas tout se dire ; que l'honnêteté est souvent cause de chagrin ; que nos révélations peuvent être, parfois, désastreuses et que la plupart des êtres ne supportent pas la vérité.

L'honnêteté, émoussée ou brutale, est pourtant la marque

d'une intimité. Elle facilite généralement une critique dans ce qu'elle aurait de destructif, de gratuit. La vérité, brutale ou émoussée, est souvent une exagération. Si Patrice, ayant attendu presque une heure que sa femme ait fini de s'habiller, lui dit, lorsqu'elle apparaît enfin : « Je ne comprends pas comment tu te débrouilles pour être tellement en retard, tu es, comme toujours, négligée... », ce n'est pas preuve de franchise totale, mais bien plutôt de cruauté. La même observation, faite différemment, peut être accueillie par un éclat de rire ou un baiser. Si au sortir d'une réception, à trois heures du matin, Richard et Suzanne se regardent dans un miroir, la mine défaite, ce sera vérité et non cruauté si Richard remarque : « Il est difficile de dire qui de nous deux est le plus délabré, ma chérie. Pour qui paries-tu ? » Tant il est vrai que tout est dans la manière de dire les choses...

Dans le mariage ouvert, ou dans tout autre rapport de bonne qualité, il n'entre point de place pour les vérités cruelles. Mais l'honnêteté de vos sentiments, partagés avec votre égal en honnêteté, est la meilleure garantie, sinon la seule, de sincérité et de confiance réciproques, à condition que le respect de l'autre soit maintenu. Dans un tel rapport, la vérité première peut changer de forme selon les réponses apportées par votre partenaire à votre auto-révélation honnête. Aucun des deux ne connaîtra la vérité existant dans vos rapports, avant que chacun ait communiqué à l'autre sa propre perception de la vérité. Chacun de nous croit qu'il perçoit les choses dans leur seule réalité et s'attend à ce que les autres voient les choses de la même façon.

Voici une anecdote concernant la nature réelle de la « vérité » et la manière de la percevoir : Un journaliste demanda à trois arbitres comment ils pouvaient distinguer un penalty d'un coup franc. Le premier répondit : « Il y a des penalties et il y a des coups francs et je les appelle comme je les vois. » Le deuxième répondit : « Il y a des penalties et il y a des coups francs et je les appelle comme ils sont. » Mais le troisième arbitre répondit : « Il y a des penalties et il y a des coups francs, mais ils ne sont rien du tout jusqu'à ce que je les aie appelés. »

Cette histoire peut s'appliquer aux époux qui se réfèrent chacun à une « vérité » différente. Ce qui fait que les penalties et les coups francs de la vie sont déterminés, en somme, bien subjectivement. Il faut noter que le troisième arbitre est celui qui sait que la réalité existe comme il la perçoit. De même, la vérité est, bien souvent, ce que vous voulez qu'elle soit. Si un mari pense que toutes les femmes dépensent trop d'argent, il pensera, même si la sienne est en réalité très économe, que les trente francs qu'elle a dépensés sont une dépense extravagante. Elle, en revanche, sera persuadée du contraire et se réjouira de sa bonne affaire.

Vous êtes donc, tous les deux, les arbitres des événements de votre vie. Si vous appelez un pénalty ce que votre femme appelle coup franc, et si vous ne vous le confiez pas ouvertement, alors vous permettrez qu'un malentendu s'installe entre vous et vous vous mettrez dans l'impossibilité de vous connaître mutuellement par une approche réciproque *honnête*. Vous vous souvenez que Jean et Suzanne donnaient une interprétation divergente de la conversation de Jean avec la jeune architecte. La révélation de vos opinions, de vos croyances, de vos sentiments, même si elle entraîne une confrontation, est indispensable à l'intimité et à l'honnêteté que vous attendez d'une relation ouverte.

L'importance de l'honnêteté entre mari et femme a été clairement démontrée au cours de notre entretien avec Martin, dont les remarques sur son besoin de rester parfois seul, sont rapportées au chapitre sur l'intimité. La femme de Martin, Gloria, était présente à cet entretien et y prit part. Après avoir longuement parlé, Martin se mit subitement à se plaindre du mode de vie qui avait été le sien tout au long de ses vingt-trois années de mariage. Et ce fut l'illumination : d'un seul coup Gloria et lui découvraient que tous les deux avaient toujours désiré la même chose sans jamais s'en apercevoir. Voici ce qu'ils se sont dit :

MARTIN : — Quand j'y pense ! Ma vie a été une course folle ! J'ai voyagé par monts et par vaux, de jour et de nuit, pendant les week-ends, hanté par une seule idée : faire de l'argent. Pas une seule soirée chez moi ! Mais maintenant, tout a changé. Je suis plus souvent à la maison et je préfère nettement ça. Je suis devenu très difficile dans le choix des contrats que j'accepte.

L'INTERVIEWER (à Gloria) : — Et comment vous sentiez-vous pendant toutes ces années, quand il voyageait presque toutes les nuits ?

GLORIA : — Comment je me sentais ?... Très seule.

L'INTERVIEWER : — Etiez-vous préoccupée, anxieuse ?

GLORIA : — Oui. Tout ce qu'il y a de plus seule et préoccupée.

MARTIN : — Mais, enfin, Gloria, pourquoi tu ne m'en as pas parlé ?

GLORIA : — Tu ne me l'as jamais demandé. Les choses étaient... Tu étais absent, tu travaillais. Je restais à la maison. Qu'est-ce que j'aurais dû faire ? Te crier : « Reste à la maison, Martin, je t'en prie ! Tu me manques. » ?

MARTIN : — Mais tu ne m'as jamais parlé de ce que tu ressentais. Comment pouvais-je deviner ? Je pensais qu'il me fallait accepter n'importe quel contrat... Que si je n'acceptais pas, c'était un peu comme si je ne m'étais pas occupé de ma famille. Si j'avais pu me douter, j'aurais agi tout à fait autrement. Je n'avais aucune envie de voyager tout le temps, de sacrifier mes nuits. Je croyais simplement que je devais faire ainsi, c'est-à-dire travailler pour faire rentrer le fric. Bon sang, je me serais débrouillé tout autrement si j'avais su ! Mais, tu ne m'as rien dit.

Quelle perte de temps, d'énergie, de bonheur en puissance, durant toutes ces années de vie conjugale entre Martin et Gloria, alors que tout ce qu'ils voulaient, l'un et l'autre, était finalement si semblable. C'est vraiment dramatique, surtout si l'on songe que la même perte de temps touche plus ou moins des millions de ménages occidentaux. Et cela, uniquement parce que maris et femmes ne se disent pas avec honnêteté leurs besoins et leurs désirs respectifs et parce qu'il n'existe pas, entre eux, de communication.

Le contrat de mariage ne vous donne pas le droit de vous livrer à des confessions puériles sur vos erreurs passées ou de rejeter votre partenaire à cause de vos propres fautes. Ce n'est pas de l'honnêteté, c'est de l'angoisse névrotique. Mais le mariage ouvert requiert la plus grande franchise sur vos sentiments *actuels*, pour ce qui touche à la vie que

vous menez avec votre partenaire. Sans cette honnêteté, vous
éprouverez beaucoup de difficulté à éviter les clauses restrictives du mariage traditionnel et serez dans l'impossibilité
d'établir un nouveau contrat, conforme à vos besoins spécifiques. On ne peut essayer de satisfaire à des besoins dont
on a peur d'admettre l'existence. Sans honnêteté, on risque
de passer à côté du bonheur comme Martin et Gloria.

L'auto-connaissance, l'auto-révélation et l'honnêteté sont
les solides fondements psychologiques d'une bonne communication entre deux partenaires. Si vous voulez construire
votre union sur ces fondements, nous vous conseillons
d'appliquer les cinq principes d'une communication effective.
Les voici :

1 — Intelligence du contexte.
2 — « Minute psychologique. »
3 — « Ce qui se conçoit bien s'énonce *clairement.* »
4 — Savoir écouter.
5 — Alimenter.

Nous traiterons successivement de chacun de ces principes.

Intelligence du contexte

Chaque échange communicatif est inclus dans un ensemble
de circonstances déterminant la signification de ce qui est
dit. Nous avons vu comment des critiques similaires portant
sur l'allure d'une femme peuvent être chargées de significations différentes, selon la différence des contextes — dans
un cas, cruelle injure, dans l'autre, plaisanterie.

Un autre exemple réside dans l'emploi du mot « tête de
linotte ». Quand Henri s'écrie : « Viens ici, tête de linotte ! »,
et entraîne Paméla sur le canapé, le terme employé est un
mot de tendresse. Mais s'il l'emploie quand elle rentre du
marché sans les cigarettes qu'il lui avait demandé d'acheter,
elle pourrait fort bien s'en trouver offensée.

Rose adore faire des farces. C'est celle de ses qualités
que Benjamin, son mari, apprécie le plus. Mais il faudrait
qu'elle sache l'exercer à bon escient. Or, même lorsque
Benjamin est vraiment préoccupé — un problème de bureau
ou le montant des traites à payer — elle continue ses
facéties. Elle essaie probablement de l'égayer mais, étant
donné les circonstances, il a surtout l'impression qu'elle se
moque de la façon qu'il a de prendre tellement ses problèmes

au sérieux. Ce qui était fait dans le dessein d'aider est alors ressenti comme une critique.

Les exemples peuvent paraître insignifiants, mais la plupart des relations conjugales résident justement dans ce qu'on appelle des banalités, et si vous ne pouvez vivre avec votre partenaire au niveau des banalités, vous vous acheminez, à coup sûr, vers de graves problèmes. Vous pouvez éviter bien des équivoques et des désagréments en vous pliant à cette simple gymnastique de tenir compte du contexte, de prendre, en quelque sorte, la température ambiante avant de communiquer. Parfois, le contexte est évident, comme quand Paméla oublie les cigarettes, mais il peut arriver que le contexte ne devienne apparent que si vous lisez les signaux non verbaux de votre partenaire.

Au début, vous pourrez vous sentir embarrassé, voire ridicule, en essayant de déchiffrer le contexte. Mais, si vous faites vraiment un effort pour améliorer la promptitude de votre esprit, cela deviendra, chez vous, une seconde nature et vous n'aurez même plus besoin de faire intervenir votre attention consciente. Nous avons tous des habitudes blâmables à cet égard : en général, nous nous désintéressons totalement du contexte quand nous parlons aux gens et, en particulier, à nos partenaires. En renonçant à nos mauvaises habitudes — trop fumer ou trop parler au petit déjeuner, par exemple, alors que notre partenaire désirerait que nous lisions notre journal en silence — il est bien certain que nous passerons par une période d'adaptation un peu gênante, mais, à la longue, nous nous apercevrons que cela en valait la peine.

« *Minute psychologique* »

Elle est liée au contexte. Ayant acquis plus d'agilité dans la reconnaissance du contexte et dans votre adaptation aux signaux non verbaux de votre partenaire, vous êtes en mesure de diriger vos communications verbales sur des problèmes difficiles. Au lieu de vous engager dans des discussions vaines et déplaisantes, vous pouvez vous permettre d'attendre la « minute psychologique » pour parler. Le bon moment pour dire à votre femme qu'elle vous ruine avec ses dépenses vestimentaires, est-ce bien lorsqu'elle rentre à la maison, tout heureuse de ses achats ? Puisqu'il va lui falloir, désormais, renoncer à ces plaisirs, il est inutile de gâcher sa joie présente. Ce serait ajouter la brimade à la déception.

L'art de choisir la minute psychologique est vraiment des plus simples. Les enfants l'emploient couramment, quoique de façon négative. Le gosse intelligent surveille l'humeur de ses parents et choisit, pour avouer une bêtise ou pour demander de l'argent supplémentaire, le moment où les circonstances lui semblent favorables. Il attaque lorsqu'il vous voit tourmenté, sachant parfaitement que vous lui direz « oui », pour vous débarrasser de lui ; et, s'il a perdu une nouvelle paire de gants, il vous l'annonce quand il y a du monde chez vous, sûr de ne pas être sévèrement réprimandé en public.

Cette manipulation purement négative est, malheureusement, souvent utilisée par les adultes lorsque la découverte des clauses restrictives du mariage les pousse à manipuler leurs partenaires comme, naguère, leurs parents. Le mariage ouvert, en revanche, rend cette manœuvre sans objet. S'il est possible, en effet, de communiquer ouvertement et honnêtement avec votre partenaire, quel besoin de le tromper pour qu'il vous donne raison ? Si vous ne restreignez pas sa liberté, c'est en toute liberté qu'il vous donnera raison. La minute psychologique reste cependant valable comme technique positive. Vous lisez les signaux non verbaux de votre partenaire, non pas dans le but de déterminer le moment propice pour le manipuler, mais bien dans celui de discuter avec lui, à fond et franchement, du problème qui vous préoccupe. Dans le mariage bourgeois traditionnel, c'est trop souvent que l'art de choisir le moment propice est employé pour camoufler des désirs réels ; dans le mariage ouvert, il est utilisé *positivement* dans le but de multiplier les chances d'une honnête communication entre les conjoints.

Ce qui se conçoit bien s'énonce clairement

La communication verbale est très complexe. Nous accroissons grandement sa complexité et les risques de désaccord lorsque nous ne sommes pas clairs dans ce que nous disons. Parfois, nous disons une chose quand nous voulons en dire une autre. « As-tu pris le linge aujourd'hui ? » demande Marie à Robert. Puisque ce dernier est rentré sans le linge, la demande de Marie n'a aucune raison d'être. Ce qu'elle veut dire, en réalité, c'est : « Pourquoi rentres-tu si tard ? Naturellement, tu n'as pas pris le linge. » En rentrant de chez des amis où ils ont dîné, Robert peut, à son tour, dire à Marie d'un ton négligent : « Alice a toujours le chic pour découvrir des recettes merveilleuses, ne trouves-tu pas ? » Il entend par là : « Pourquoi n'es-tu pas capable de cuisiner des plats plus intéressants ? »

Certaines épouses sont tout à fait capables de saisir l'allusion mais, dans ce cas, elles réagissent, probablement, avec hostilité. Il est, en effet, à peu près assuré que lorsque quelqu'un dit autre chose que ce qu'il veut dire, c'est, en général, pour adresser une critique. Essayez de réfléchir avant de parler et sachez ce que vous voulez dire exactement. Si vous pensez que ce que vous désirez exprimer est grossier ou déplaisant, n'est-il pas préférable de vous taire ? Cependant si, après mûre réflexion, vous jugez que les choses doivent être dites, même si elles sont déplaisantes, alors retenez-vous pendant quelque temps, puis amenez la discussion le moment opportun venu.

Il y a, malheureusement, des moments où furieux ou préoccupé, il faut que vous vidiez votre sac sur-le-champ. Qu'à cela ne tienne, mais au lieu de faire des allusions sournoises et perfides, ou d'accuser à tort, dites exactement ce qui se passe : « Je suis furieux. » Si vous êtes bouleversé, vous êtes moins que jamais en mesure de vous exprimer clairement. Les risques de faire inutilement du mal à votre partenaire ou de compliquer les choses en sont d'autant plus grands. S'il faut, absolument, qu'à ce moment-là, vous disiez quelque chose, commencez donc par dire dans quel état vous êtes, au lieu d'accabler votre conjoint de reproches injustifiés.

Il comprendre immédiatement ce qui vous a bouleversé, et reconnaîtra ses torts. Si vous commencez par l'attaquer, probablement en l'offensant, sa réaction naturelle sera de se défendre, même s'il sait qu'il a tort, ou d'attaquer à son tour.

Telle est la technique tirée des principes que le Dr. Haim Ginott a indiqués dans son célèbre livre *Between Parent and Child* (Entre père et fils). Bien que ses idées aient plutôt été utilisées à l'usage des enfants, elles sont applicables à un certain genre de communication ouverte entre époux. Les principes qu'il pose sont des conseils sérieux et peuvent aider à une bonne communication entre deux individus, quels que soient leurs âges. Les instructions du Dr. Ginott (*dites ce que vous voyez, dites ce que vous sentez, mais ne critiquez pas*) sont fondées sur le respect d'autrui, la considération, et ce qu'il appelle l'*hospitalité affective*. Parmi les nombreux aspects de la communication abordés dans son livre, nous choisirons quelques exemples, pour les notions de *clarté* et de *considération* qu'ils évoquent.

Si vous trouvez que votre mari donne trop d'eau aux plantes, et vous, que votre femme mélange trop les Martinis, ne dites pas : « Mon ange, c'est ainsi qu'il faut faire. » Votre réponse paraît claire, courtoise même, mais en fait, cela veut dire que ce que vous faites est bien, et mal ce que fait votre époux. Chaque fois qu'il y a message caché, vous n'êtes pas aussi clair qu'il le faudrait. Et chaque fois qu'il y a message caché, il y a risque de dispute. En effet, vous pouvez vous tromper — cela arrive... — et votre critique serait mal venue. Evitez-la et dites : « D'habitude, je donne un demi-verre d'eau à cette plante. Crois-tu qu'il faille lui en donner plus ? » Cela donnera à votre mari la chance de dire : « Elle en avait besoin ce matin », s'il a eu raison d'avoir fait ce qu'il a fait ; et celle de reconnaître son tort, dans le cas contraire.

La technique du « *dites ce que vous voyez, dites ce que vous sentez sans critiquer les autres* », vous donne la possibilité d'émettre votre point de vue quand il est différent de celui de votre partenaire. L'idée maîtresse est d'éviter une critique destructrice. Si vous attaquez directement votre partenaire, en lui déniant tout jugement ou goût valables, vous empiétez sur son territoire : attendez-vous alors à une contre-attaque. L'emploi de ces principes vous garantira deux résultats appréciables : en spécifiant clairement ce que vous pensez, vous délimitez les frontières de votre propre territoire ; en évitant l'attaque directe, vous fixez celles du territoire de votre partenaire. Il vous faudra patience, habileté et pratique, mais si vous parvenez à perdre l'habitude de critiquer et d'attaquer, le nombre des affrontements domestiques s'en trouvera considérablement réduit. Et par la même occasion, vous ferez un grand pas dans la reconnaissance du plein droit de votre conjoint à son identité.

Le principe du « *dites ce que vous ressentez* » trouvera une application différente dans la communication de vos sentiments et émotions profonds. En nous pliant au code des bonnes manières et aux embarras chichiteux du « savoir-vivre » conventionnel, nous avons perdu le langage intime de nos sentiments. Nous avons laissé, une fois pour toutes, aux poètes et faiseurs de chansons, la tâche d'exprimer notre joie ou notre déception, notre désespoir ou notre exaltation. Evidemment, chacun de nous, selon sa race ou sa personnalité propre, est plus ou moins expressif mais, de toute façon, le langage de l'émotion, après avoir été sacrifié sur l'autel du conformisme, gît désormais sous le catafalque de la confusion la plus pure.

Les sentiments sont là, sous la surface, mais pour qu'ils apparaissent, il faut un mouvement de fureur qui nous fasse perdre le contrôle de nous-mêmes. C'est surtout aux hommes que l'on enseigne à cacher leurs sentiments (ce serait indigne d'un homme, etc.). En fait, c'est le contraire qui est vrai : quoi de plus vil que de redouter d'admettre ce que l'on sent le plus profondément ? Comme il serait important de combattre la gêne qui nous empêche de dire ce que nous ressentons ! A moins que nous ne le leur communiquions clairement, nos partenaires connaîtront-ils jamais nos sentiments ? Or, les ignorant, comment les respecteraient-ils ?

Savoir écouter

L'expression ouverte et sincère de nos sentiments est donc le principe vital d'une bonne relation entre époux. Mais elle est encore peu de chose si elle n'est pas accompagnée d'une bonne écoute. Bien rares sont les conjoints qui savent s'écouter. Ils font ce que le philosophe Abraham Kaplan a appelé un « duologue ». Tout le monde sait comment ces conversations entre mari et femme se déroulent. Suzanne et Marc parlent de leur journée respective, Suzanne dit que leur fils voudrait un tambour ; Marc relate les bruits qui courent sur la fusion de sa société avec une autre. Chacun s'écoute plutôt qu'il n'écoute l'autre. Suzanne se demande combien va coûter le tambour, objet bien inutile à son avis. Marc s'inquiète des conséquences que peut avoir pour lui la fusion des deux sociétés. Puisque Marc devra payer le tambour et que Suzanne risque d'être touchée personnellement par un éventuel changement dans la situation de son mari, ils devront bien arrêter leur soliloque et se répéter ce qu'ils se sont déjà dit. Nous sommes tous passés par là un millier de fois.

Dans le mariage ouvert, si vraiment vous ne voulez pas écouter, il vous est loisible de le faire savoir à votre partenaire et vous pouvez prétendre que votre désir soit respecté. Mais c'est à charge de revanche. Vous devez donc être préparé à entrer dans un « dialogue » plutôt que dans un « duologue ». Kaplan nous dit qu'un vrai dialogue, lorsque les deux partenaires s'écoutent et se répondent, est une communion plutôt qu'une communication. Dans un vrai dialogue, chaque partenaire communique naturellement avec l'autre, mais puisqu'en même temps il écoute et répond à ce qu'il a entendu, le résultat devient une forme de communion.

Bien écouter veut dire que vous devenez, en effet, transparent, permettant ainsi à l'autre de voir à travers vous. Vous ne pouvez pas répondre correctement si vous ne vous ouvrez pas complètement à ce qu'on vous dit. Si vous ne faites pas attention, vous ne pouvez entendre. Si vous ne pouvez entendre, vous ne pouvez entrer dans un dialogue. Il n'y a pas d'union véritable entre mari et femme s'ils n'entrent pas sincèrement dans ce dialogue.

Alimenter

Votre réponse au désir de quelqu'un de communiquer avec vous peut tout simplement n'être qu'un signe de tête. Parfois cela suffit. Mais trop souvent, lorsqu'une réponse plus complète est nécessaire, nous nous en tirons avec un « oui, oui, mon chéri ». Pour créer un dialogue avec votre partenaire, il faut fournir comme appoint beaucoup plus que quelques grognements.

L' « alimentation » est un terme employé dans la nouvelle technologie de l'ordinateur. Techniquement, il peut être décrit comme la fourniture automatique d'informations à un système de contrôle de la machine pour corriger les erreurs. Ainsi un système d'alimentation se corrige automatiquement. En termes humains, lorsqu'un homme pose un verre sur une table, son système nerveux lui fournit l'alimentation visuelle et sensorielle nécessaires pour guider sa main. Il s'agit ici du système d'alimentation — main, œil, cerveau — en plein travail. Si l'homme est ivre, l'alimentation peut être défectueuse et l'homme peut laisser tomber le verre par terre. Ce principe peut être appliqué aux communications entre les hommes. Vous pouvez fournir à votre partenaire une alimentation en paraphrasant ce qu'il ou elle dit pour vous assurer que vous avez compris, en posant des questions, ou en présentant vos réponses qui indiqueront ce que vous pensez du sujet.

Vous avez besoin d'une alimentation ouverte et honnête de la part de votre partenaire, afin de savoir s'il vous a compris, découvrir ce qu'il sent et adapter vos sentiments aux siens. Nombreux sont les époux qui détraquent le cycle d'alimentation par fraude (critique publique ou refus de réponse). Un silence boudeur peut être assimilé à une alimentation négative : un système d'alerte détraqué ou un missile sur la lune vous diront que quelque chose ne marche pas, mais non pas quelle chose. A moins que vous n'indiquiez ce qui ne va pas par une alimentation positive, votre partenaire ne saura pas comment se comporter.

Les couples qui désirent apprendre le principe de l'alimentation à un niveau élémentaire n'ont qu'à se plier à un simple exercice appelé « compléter la communication », décrit par Lederer et Jackson dans *Mirages of Marriage* (Mirages du mariage). Même si, au début, il apparaît superficiel et même plutôt simplet, il vous donnera l'habitude de fournir une alimentation en répondant à votre partenaire. Cet exercice se compose de trois parties : la personne n° 1 fait une déclaration ; la personne n° 2 accuse réception de la déclaration ; la personne n° 1 confirme la réception.

Par exemple :
MARIE : — As-tu le linge ?
ROBERT : — Non, je n'ai pas pu me garer.
MARIE : — Alors je le prendrai demain.
Ou bien :
ROBERT : — J'ai rencontré Untel aujourd'hui.
MARIE : — Comment va-t-il maintenant ?
ROBERT : — Il me semble que ça va.

Les propositions de Mary et Robert ci-dessus requièrent des mots. D'autres propositions (comme « Quel merveilleux coucher de soleil ! ») requerront un signe de tête, un grognement ou un murmure. Mais chacun de vous, quand vous vous mettrez à ces exercices, devra être accepté et obtenir confirmation de l'acceptation. Donner une réponse pleine de signification à ces propositions sans importance, est un moyen d'améliorer votre habileté à fournir une alimentation pour d'autres problèmes plus importants. Cela vous aidera aussi à stimuler votre écoute. Une écoute ouverte est naturellement essentielle pour fournir une bonne alimentation.

Ayant fourni cette alimentation, vous pouvez vous approcher d'une auto-révélation totale qui complètera votre progrès. Nous nous transformons et nous développons en *recréant* nos conceptions de nous-mêmes et de l'autre à travers notre auto-révélation et l'alimentation de notre partenaire à notre égard.

Les cinq principes dont nous avons traité dans ce chapitre — Comprendre le contexte — Minute psychologique — Ce qui se conçoit bien s'énonce clairement — Savoir écouter — Alimenter — sont essentiels à une communication ouverte et honnête. Nous l'avons vu, chacun d'eux renforce les autres. Votre « minute psychologique » ne peut être améliorée si vous ne comprenez pas le contexte. Toute la clarté du monde ne sert à rien si votre partenaire n'est pas décidé à écouter ouvertement. Une bonne alimentation dépend du bon maniement des quatre autres exercices. Armés de ces principes interdépendants, nous pourrons parler, dans notre troisième et dernier chapitre sur la communication, de quelques techniques supplémentaires capables de vous aider à parvenir à un véritable échange ouvert verbal et non verbal.

CHAPITRE IX

LIGNE DIRECTRICE III :

3. COMMUNICATION : DISPUTE PRODUCTIVE ET PARTICIPATION A L'IMAGINATION

Dispute productive

Les couples sains, qui, à l'occasion, quand ils sont à bout, ne communiquent pas en se disputant, sont très peu nombreux. Malheureusement, c'est la seule méthode que certains couples employent pour atteindre un échange intime. Les couples qui ne se disputent pas sont ceux qui, rares parmi les peu nombreux, ont atteint le paradis promis d'une compréhension et d'une synchronisation complètes. Mais cela peut également provenir de ce qu'ils ont perdu tout intérêt et renoncé à toute lutte, en acceptant toutes les clauses du mariage et en se soumettant à l'homogénéisation. L'harmonie conjugale constante et totale est un mythe. Nous pensons que le mariage ouvert peut vous amener vers cette harmonie à condition que vous essayiez de suivre les Règles. Il y a toutefois des moments où notre besoin de lutter, ou, au moins, de discuter, est plus fort que nous. Explorons ce champ de bataille.

Lutter dans le mariage peut être un moyen de communication très sain, si la lutte est honnête. La lutte peut réduire la tension et éclaircir l'atmosphère en oxygénant les sentiments contenus. La lutte est un moyen de vous mesurer à votre partenaire, de faire mieux comprendre votre opinion et peut marquer une nouvelle phase dans le développement de votre union. Mais elle peut être également ruineuse, comme manifestation d'une agression mutuelle et d'une hostilité personnelle qui ne peuvent amener que destruction. La différence entre ces deux résultats, l'un positif, l'autre négatif, réside dans la façon de lutter honnêtement et d'une manière constructive.

Dans le livre *The Intimate Enemy* (l'ennemi intime), le Docteur George R. Bach, assisté de Peter Wyden, explore à fond le phénomène et décrit un système de règles pour une lutte constructive, qu'il a développé dans sa clinique pour couples mariés. Nous indiquons ci-dessous quelques-unes de ses règles accompagnées d'exemples donnés par nous :

1) *Choisissez votre temps et lieu d'un commun accord.* — Le contexte et la minute psychologique, comme nous l'avons expliqué au chapitre précédent, sont aussi importants, sinon plus, quand vous voulez discuter, que lorsque vous commencez une conversation plus anodine. C'est sans doute difficile, parfois impossible, mais vous devriez pouvoir négocier l'heure de vos grognements.

2) *Concentrez votre colère sur des problèmes actuels, sur le moment présent et non sur le passé.* — Les couples sont souvent de mauvaise foi. Ils remâchent les souvenirs du passé, en employant les erreurs d'hier comme munitions pour aujourd'hui. Les hommes, en particulier, accusent les femmes de cette tactique. Mais tout comme les femmes, ils sont coupables d'entretenir le souvenir des injustices passées afin de les ressusciter en pleine bataille. La femme peut user de cette tactique plus souvent parce qu'elle peut avoir, en effet, davantage de raison de le faire. Le mariage, de par son inégalité fondamentale, donne le plus souvent à la femme le rôle secondaire dans les rapports conjugaux ; dans un match inégal, elle reçoit des invectives et des critiques injustes. Mais le mari en reçoit également, fondées sur les vieilles idées du rôle féminin de l'épouse et sur la « nature féminine » de sa femme. En fait, l'agression et l'hostilité sont les résultats d'un mariage classique et de ses clauses. S'ils veulent que leur lutte soit constructive, les partenaires doivent oublier les luttes passées et les critiques et se concentrer sur les problèmes actuels.

3) *Savoir pour quelle raison on lutte.* — Des conclusions

insignifiantes peuvent être tirées d'ennuis sans importance, et s'ils sont reconnus tels, les luttes peuvent devenir ridicules. Mais parfois les conclusions insignifiantes peuvent se transformer en amorce vous permettant de fuir le vrai problème et peut-être de laisser indécis des problèmes plus importants. En tant que mari en colère, par exemple, vous contestez les méthodes d'éducation de votre femme ou bien vous êtes furieux qu'elle ne soit pas suffisamment empressée à votre égard, qu'elle n'ait pas assez d'attentions pour vous. Et vous, en tant que femme en colère, ce qui vous met hors de vous c'est que votre mari soit négligé, ne prenne pas soin de lui ; ou bien vous vous méfiez de ses heures de travail supplémentaires. Vos disputes doivent porter sur ce qui vous préoccupe réellement ; autrement, elles ne sont qu'une perte de temps et d'énergie !

4) *Soyez le plus franc possible.* — Les auteurs appellent cela « niveler » : « On doit être transparent quand on communique où l'on est, et candide quand on signale où l'on veut aller. » Tout ce qui a été dit dans le chapitre précédent sur l'honnêteté peut être appliqué ici.

5) *N'essayez surtout pas de gagner, jamais.* — Si l'un de vous doit gagner, naturellement l'autre doit perdre. Et si l'un de vous perd, vous perdrez tous les deux à cause de la rancune et de la tension qui s'installeront dans vos relations. « La seule façon de gagner des relations intimes est de gagner tous les deux », écrit le Dr. Bach.

Ce que les partenaires gagneront dans ces luttes conjugales, en suivant ces règles, c'est une plus grande compréhension, une nouvelle information, et de nouvelles méthodes pour résoudre les conflits futurs. On oublie facilement qu'il y a plus d'une réponse à chaque problème ; un conflit peut avoir plus d'une solution. Nous pensons que si les partenaires sont identiques et égaux, l'agression n'a aucune place... Avec votre progrès à venir dans la voie de la réalisation d'un vrai mariage ouvert, il vous sera de plus en plus loisible, par accord mutuel, de résoudre les différends entre vous. L'essence du mariage libre réside dans la découverte d'une réponse qui sera utile aux deux partenaires, sans porter tort à aucun. La lutte devient, dans cette optique, une méthode de communication légitime, éducative, et fortifiante même, à condition que vous luttiez ouvertement et honnêtement,

que vous vous concentriez sur l'heure actuelle, et que vous
essayiez de développer vos capacités, résoudre les problèmes
grâce à votre expérience.

Partager vos rêves et vos fantasmes

Dans le chapitre précédent, nous avons envisagé la possibilité d'employer vos rêves pour atteindre une meilleure
compréhension de vous-même. Les rêves et les fantasmes
peuvent être également employés pour accroître la communication entre mari et femme. Il y a des couples qui partagent leurs rêves — les rêves de la journée et ceux du futur.
C'est parfait, à condition que les rêves soient raisonnables,
réalistes, et n'entravent pas la vie de tous les jours. Mais,
les rêves du sommeil ?

Les couples peuvent approfondir considérablement leur
intimité en se communiquant leurs rêves. Après tout, les
rêves nous révèlent une part de notre inconscient qu'autrement nous ne connaîtrions jamais. N'accordez aucune importance aux livres « spécialisés » qui tentent de définir une
symbolique du rêve, en vous racontant que les échelles sont
sexuelles et les ustensiles de jardin agressifs. Vous apprendrez beaucoup plus en interprétant vous-même vos rêves,
et vous vous amuserez bien davantage... C'est *votre* rêve, et
personne n'en a eu de semblable. On peut trouver quelques
analogies avec les rêves d'autrui, mais votre histoire passée
et vos conflits présents vous montreront la différence.

Dites à votre partenaire quel est le sujet de votre rêve et
expliquez-lui ce qu'il signifie pour vous. Puis laissez-le
donner sa propre interprétation. En partageant vos rêves, en
les expliquant et en les concrétisant, vous vous les rendrez
plus clairs. En même temps, vous gagnerez en compréhension de votre partenaire. Son interprétation peut être
différente. Non seulement vous saurez comment il vous voit,
mais vous aurez une idée plus claire de la façon dont il
vous comprend ; et de votre côté, vous apprendrez à mieux
connaître le pourquoi de ses attitudes et de ses opinions.
Ainsi chacun de vous apprendra beaucoup sur l'autre.

Partager ses fantasmes avec son partenaire est la plus
drastique des formes d'auto-révélation. On partage rarement ses fantasmes avec un autre, sinon sur le canapé de
l'analyste. Peut-être n'avons-nous pas besoin d'un théra-

peute, mais chacun de nous a besoin de quelqu'un à qui dire n'importe quoi. Alors, pourquoi pas à votre conjoint ? Cette révélation n'aura pas lieu dans un mariage dont les clauses restrictives limitent de façon draconienne toute communication. Mais dans un mariage ouvert réussi les partenaires devraient être assurés de ne pas être menacés par le monde imaginatif de l'autre.

Parfois les fantasmes sont des désirs « interdits. » Le fait que votre mari imagine faire partie d'un groupe d'amour libre, ou que votre femme puisse rêver à ce qu'elle ressentirait, en couleurs, dans les bras de Belmondo, pourrait être très embêtant si vous n'êtes pas sûr de vous-même et de votre relation avec votre partenaire. Même le désir de votre mari d'avoir un avion personnel et celui de votre femme de posséder un manteau de vison, peuvent se révéler dangereux puisque, d'une part, vous ne pouvez pas y satisfaire, et que, d'autre part, ils révèlent le désir non exaucé de votre partenaire. Qu'un jeune homme rêve de posséder une voiture de sport, puisque ce désir n'est pas fondé sur la réalité, c'est bon, mais un adulte ! C'est beaucoup moins bon. Si vous êtes sûr de vous-même, vous pouvez donner en imagination ce que vous ne pouvez pas donner en réalité, et vous et votre partenaire pouvez vous amuser en pensant aux désirs extravagants de l'autre, tout en acquérant une plus profonde connaissance de l'autre. Mais si cette forme d'auto-révélation vous gêne, abstenez-vous. Ce partage est intensément privé et doit être considéré comme facultatif.

La discussion de vos fantasmes, à part ce que chacun apprendra de l'autre, fera disparaître leur valeur de choc. Nous avons tous des fantasmes, et souvent ils nous culpabilisent. Comme pour les rêves, l'aspect inquiétant des fantasmes disparaît avec la lumière du jour, c'est-à-dire quand vous les discutez sur la base de la réalité. Si vous partagez les rêves et les fantasmes avant d'être mûrs pour le faire, ou si vous ressentez une gêne en vous ouvrant ainsi, vous risquez de vous créer à vous-même de graves problèmes. Si donc vous vous sentez capable de procéder à ce partage en toute sécurité, vous ouvrirez une nouvelle zone de communication avec votre partenaire qui enrichira votre connaissance mutuelle. Faites donc ce qui vous convient, vous connaissez votre situation mieux que quiconque.

Les enregistrements ne raisonnent pas

Les enregistrements magnétiques ne peuvent raisonner ni vous tromper. Ils ne font qu'enregistrer. Pas question de les substituer à une communication face à face, mais ils peuvent vous fournir des informations valables sur la façon de communiquer. Si vous êtes en train d'apprendre à communiquer ouvertement, ils vous seront d'excellents moyens d'enseignement.

Avant tout, enregistrez votre voix. Tension, irritabilité, somnolence, joie, amour, et doute, tout cela se reflète dans le ton, la qualité et la vitesse de votre discours. Aimez-vous vous écouter ? Si non, c'est que votre discours aura sans doute le même effet négatif sur les autres. Attention, nous ne parlons ici ni de votre accent ni de votre prononciation — ils font partie de vous-même et doivent être acceptés par vous. Mais les voix monotones peuvent devenir ennuyeuses. Les voix aiguës peuvent devenir irritantes. Contrôlez votre ton *en général,* et non dans les détails.

Cela fait, s'il y a quelque chose que vous ne puissiez dire à votre partenaire, parce que vous êtes trop timide ou trop furieux, ou parce que ce sujet a le don de le mettre hors de lui, alors, essayez d'enregistrer ce que vous voulez lui dire sur magnétophone. Puis demandez-lui d'écouter en secret. L'enregistrement sur magnétophone nous empêche naturellement d'observer les réactions du corps, les attitudes physiques de la personne avec laquelle nous voulons communiquer. Mais au début de votre tentative pour l'amélioration de vos rapports, cela peut être un grand avantage. Dans une communication face à face, les réactions non verbales que vous recevez de votre partenaire peuvent vous empêcher de communiquer, modifiant grandement ce que vous vouliez dire. En employant le magnétophone, vous enverrez votre message sans interférence de réactions corporelles — mouvements et gestes que, inévitablement, produit celui qui écoute. Lorsque vous aurez atteint une communication plus honnête et plus reposante, alors vous pourrez faire bon usage du langage corporel de votre partenaire. Mais laissez le magnétophone agir comme intermédiaire en votre faveur sur les sujets délicats que vous n'avez pas encore eu le courage de traiter dans une conversation directe.

Enregistrez vos discussions avec votre partenaire sur tous les points brûlants de votre union. Répétez un argument ou une séance de décision. Puis asseyez-vous, soit ensemble, ou séparément de préférence, et écoutez l'enregistrement lorsque vous vous serez apaisé. Si vous êtes attentif à ce qui a été enregistré, vous ferez de nouvelles découvertes. L'enregistrement dévide le temps et nous permet d'observer objectivement nos réactions et celles de l'autre. Vous pouvez maintenant, pour la première fois, écouter l'argumentation comme si vous étiez un tiers, étranger à toute réaction passionnelle.

Quand votre mari essayait de vous dire ce qu'il pensait de l'absence de votre fille, demeurée chez un ami tard dans la soirée, écoutiez-vous réellement ? Vous n'aviez pas conscience probablement de ce qu'il disait. Vous prépariez votre ligne de défense dans un duologue plutôt que dans un dialogue. Quand nous entamons une discussion, nous traduisons et filtrons les paroles de l'autre à travers nos émotions du moment. C'est trop souvent que nous répondons non pas à ce qui se dit, mais à la façon dont se répercute en nous ce qui est dit, en anticipant même parfois sur les déclarations de l'autre. Le magnétophone nous permet d'écouter, sans le risque d'une réponse émotionnelle immédiate qui obscurcirait le déroulement de l'argumentation.

Un couple que nous avons interrogé a récemment commencé à faire usage d'un magnétophone. Le mari a admis qu'il n'avait jamais réalisé, en écoutant la bande, combien de fois il avait interrompu sa femme sans comprendre exactement ce qu'elle voulait dire, jusqu'à ce qu'il décide de fermer le magnétophone pendant quelques moments. D'autre part sa femme put constater, pour la première fois, qu'elle avait pleurniché, qu'elle était restée sur la défensive, et que ses arguments étaient peu logiques. Tous les deux déclarèrent que leur communication réciproque s'était de beaucoup améliorée depuis l'usage du magnétophone.

L'enregistrement fournira à votre relation une alimentation non censurée, mécaniquement objective. Vous pouvez vous écouter. Vous pouvez écouter votre partenaire. Vous pourrez, tous les deux, apprécier l'importance de s'écouter,

et vous pourrez en faire usage la prochaine fois que vous
aurez une discussion.

Aucun des principes, règles ou techniques de communication que nous avons énoncés dans les trois derniers chapitres, ne peuvent être assimilés en un jour. Il faut du temps
pour les mettre en pratique. Mais puisque vous essayez de
les développer, permettez à votre magnétophone d'être votre
arbitre, votre conseiller. Il vous dira quels sont vos sentiments, vos réactions, si vous attaquez, reculez, vous défen-
dez, éludez ou bloquez les questions. Il sera le témoin de
votre progrès vers une discussion ouverte et une auto-révélation honnête.

CHAPITRE X

LIGNE DIRECTRICE IV :
1. PLASTICITE DES ROLES :
MASCULINITE ET FEMINITE
COMMENT LES DEFINIR ?

Où allons-nous ?

Les hommes sont devenus des marmitons — quelques-uns, quelquefois. Aujourd'hui ils font la vaisselle, passent l'aspirateur, langent le bébé et apprennent le tricot. Les femmes — la plupart d'entre elles tout au moins — s'adonnent au travail avec agressivité, font les réparations dans la maison, et apprennent le karaté. Elles se font jockeys, déménageurs et P.D.G. Célibataires ou divorcées, elles n'ont pas de scrupules à proposer un rendez-vous à un homme ou à lui payer son repas. Chez les jeunes, la mode des cheveux longs et des vêtements indifférenciés rend parfois difficile la distinction entre garçons et filles.

Comment tout cela finira-t-il ? demandent certains alarmistes. Par le désastre, répondent quelques sociologues nerveux, qui voient dans le renversement des rôles et dans la confusion des caractères sexuels secondaires le début d'une morne évolution qui mène à une race asexuée. Le mélange des rôles sexuels traditionnels conduit, selon toute apparence, à une diminution de l'intérêt porté à la sexualité même — c'est leur raisonnement. De telles prédictions sont évidemment insensées. Remarque intéressante : ceux qui raisonnent ainsi sont invariablement des hommes, et il est facile de subodorer que leurs conceptions hargneuses sont liées à la crainte qu'ils ont, si les choses se dérangent un peu plus, qu'on leur demande à eux de faire la vaisselle.

Pour répondre à ces alarmistes, il convient d'affirmer hautement que la pulsion biologique tendant à l'accouplement n'a rien à faire — ou pas grand-chose — avec les rôles qu'une société donnée assigne à l'homme et à la femme. Les stéréotypes éculés de notre société (l'homme agressif et dominateur, la femme passive et soumise) empêchent véritablement les hommes et les femmes d'exprimer, dans toute son amplitude, le plaisir que, suivant les lois de la nature, le sexe et les sens procurent aux humains. Les rôles traditionnels ne sont plus que des structures désuètes qui bloquent notre capacité de réaliser une plénitude psychologique et sexuelle. Ils existent, non comme une force sociale positive, mais simplement comme des pierres d'achoppement qui font trébucher nos efforts d'adaptation à un monde changé et changeant. La vérité, c'est que nous n'avons pas encore assez progressé dans la voie de la fusion des rôles masculin et féminin traditionnels.

Assigner à l'homme et à la femme des caractères et des occupations qui s'excluent réciproquement, c'est diviser maris et femmes en des camps séparés et inévitablement opposés. Si les hommes ne doivent être que des êtres durs et forts, des pourvoyeurs, des lutteurs, des spécialistes de l'abstraction, et les femmes des êtres doux et souples, des ménagères, des soutiens moraux et des spécialistes de l'intuition, alors il est à jamais impossible aux maris et aux femmes de se connaître réellement — car on ne peut connaître quelqu'un qu'on ne peut comprendre. Il nous faut répartir ces qualités prétendument masculines ou féminines, au lieu de les diviser, de telle sorte que chacun d'entre nous puisse être au moment opportun fort ou souple, combattant ou soutien moral, discursif ou intuitif, sans qu'intervienne la différence de sexe. Il y aura guerre entre les sexes aussi longtemps que nous serons divisés en deux camps. Ce n'est que par le développement de l'humanité commune qui transcende notre masculinité et notre féminité que nous pourrons finalement apprendre à nous connaître en harmonie.

La crise du mariage

Le mariage est ce que les anthropologues appellent un rite de passage, marquant la transition d'un statut à un autre. Comme le passage de l'adolescence à l'âge adulte (tant pour les garçons que pour les filles), la cérémonie du mariage signifie qu'on a accepté de nouveaux rôles. On n'est plus un homme et une femme seulement, mais un époux et une épouse. Certains couples entrent facilement dans ces nouveaux rôles, au moins au début, jusqu'à ce que le caractère restrictif du contrat clos se soit clairement manifesté. D'autres ont des difficultés dès le début. Parfois, l'un des partenaires acceptera son rôle beaucoup plus vite que l'autre. Pour certains, le mariage est une crise si grave qu'il détruit la relation entre homme et femme.

La nature exacte de la crise est souvent mal comprise. Ce qu'il y a de sûr, c'est que nous avons tendance à embrouiller les choses en exagérant l'importance des aspects sexuels de l'événement. Car, même si l'homme et la femme sont tous les deux bien rodés (et peut-être couchent-ils ensemble depuis des mois et même des années), il existe une autre sorte de crise. Voyons par exemple le mariage de Pierrot et de Monique. Ils avaient vécu ensemble six ans avant de se marier, réussissant dans l'entreprise de construire une union qui ressemblait à un mariage à tous égards, signature de contrat mise à part. Après six ans de vie commune, ils décident de légaliser. Et un an plus tard ils divorcèrent. Nous avons tous entendu parler d'histoires de ce genre, nous connaissons des couples à qui c'est arrivé. Mais pourquoi cela arrive-t-il ?

Il est clair que la signature de cet acte officiel constitue par soi-même une crise. Il n'existe pas d'étude approfondie sur cette espèce particulière de relation, mais il est possible de faire quelques hypothèses sur ce qui se produit. Du moment où un tel couple se marie légalement, les clauses restrictives de l'ancien contrat, comprenant toutes les clauses subsidiaires qui régissent le choix des rôles, sont mises en jeu. C'en est fait de l'engagement non contraignant de rester ensemble seulement parce qu'on le désire ; c'en est fait de cette organisation souple, acceptable de part et d'autre, qui reflète l'engagement volontaire. A leur place, il y a un contrat, une convention spécifique et contraignante qui porte en elle toute une tradition de droits, d'obligations et de prétentions a priori.

Une malheureuse victime de la crise du mariage, dont l'union avait été détériorée par la légalisation, exprime les choses en ces termes : « Avant le mariage, tout était libre, facile et merveilleux. Là-dessus on se marie, et aussitôt elle se met à considérer qu'elle a sur moi des droits acquis. Maintenant je suis un mari, et je dois vider la poubelle. Au lieu de nous débrouiller, comme avant, il est tout à coup posé comme allant de soi que c'est moi qui fais ceci ou cela. J'aurai pu croire qu'elle me connaîtrait mieux, n'est-ce pas, après tout ce temps vécu ensemble ? »

La femme, de son côté, se plaignait de la même façon. Ce qui s'était produit, c'est qu'ils avaient cessé d'être les individus qu'ils étaient précédemment, et qu'ils s'étaient mis à jouer les rôles de mari et de femme. L'acceptation de ces rôles détruisit leur plasticité, et leur imposa une série de règles rigides qu'ils avaient su éviter en tant que couple non marié. De tels résultats démontrent clairement l'effet écrasant des rôles matrimoniaux. Effet si puissant qu'un couple qui était demeuré solide pendant trente ans, et avait élevé deux enfants pendant ce laps de temps, fut incapable de résister une année entière au mariage légal. Les époux se séparèrent et divorcèrent.

Quand des amis divorcent, ou qu'on fait soi-même l'expérience de ces problèmes matrimoniaux, il y a toujours une tendance à ramener les difficultés à des problèmes de personnalité. « Madeleine a toujours été névrosée », disons-nous. « Si seulement André n'était pas aussi tyrannique, je pense que tout irait bien », dira peut-être de son mari notre meilleure amie. Assurément les problèmes de personnalité brisent bien des ménages. Mais l'expérience des couples, dont les rapports ont été pendant longtemps excellents avant le mariage et qui ne connaissent que des difficultés après le mariage, suggère forcément l'idée qu'il y a un autre coupable à nommer ici. Nous pensons, en fait, que les rôles traditionnels du mari et de la femme sont souvent destructeurs du lien matrimonial. Et bien que ces rôles aient pu convenir à une autre société plus ancienne, ils ne reflètent pas la réalité du monde actuel. Nous persistons à penser que leur pouvoir est tel qu'ils aggravent souvent des problèmes de caractère existant déjà chez tels ou tels individus. En vérité, ils peuvent faire surgir à découvert, pour la première fois, une tendance névrotique qui était restée latente pendant des années. Combien de fois avez-vous entendu la phrase : « Il n'est plus le même, ce n'est plus celui que j'ai épousé. » La raison pour laquelle il n'est plus le même est qu'il se conforme à un rôle préétabli. Il n'est plus *lui-même,* mais il appartient à son rôle.

Ces deux chapitres sur la plasticité des rôles sont consacrés à trouver des moyens de vous aider à rester vous-même après le mariage, à échapper à l'esclavage des préjugés surannés concernant les rôles. Commençons par examiner quelques-unes des raisons qui font que les rôles rigides du mariage clos ont une telle prise sur les gens. Il y a trois explications principales : 1) nous sommes dressés à ces rôles ; 2) un statut différent est attaché aux rôles masculin et féminin ; 3) époux et épouse, homme et femme, sont égarés par les définitions du masculin et du féminin. Nous examinerons chacun de ces trois points l'un après l'autre.

Période de dressage

Depuis l'heure de notre naissance, du moment où l'on nous a enveloppés de bleu (pour les garçons) ou de rose (pour les filles), nous sommes dressés à nos rôles futurs. Aux petits garçons, on apprend l'agressivité, on leur donne des meccanos ; aux petites filles, on enseigne la passivité et on leur donne des poupées. Inutile d'insister sur ce point — nous savons tous combien sont rigides les distinctions entre ce qui convient à un garçon et ce qui convient à une fille. Nous savons tous combien s'exercent de pressions pour qu'ils se conforment à ce qu'on attend d'eux. La fille qui désire jouer au football est raillée sans pitié, et le garçon qui ne veut pas y jouer (Dieu nous en préserve !) est tenu dans un total mépris. Nous reconnaissons ces distinctions mais, souvent, nous ne comprenons pas toutes les conséquences qu'elles entraînent pour nos vies futures. Ce qu'on apprend aux enfants, ce n'est pas simplement ce que notre société considère comme les traits masculins et féminins. On leur enseigne les rôles d'homme et de femme ; on les forme à des types de rapports masculins et féminins. Quand un petit garçon et une petite fille jouent au papa et à la maman, le garçon apprend aussitôt qu'il n'est pas dans ses attributions de bercer la poupée, mais d'entrer majestueusement par la porte imaginaire et de dire : « Où est mon dîner ? » S'ils jouent au docteur, le garçon prend le stéthoscope et la fille les pansements. Et pendant que le garçon construit des modèles réduits, la fille aide sa mère à faire des gâteaux.

Toutes ces activités contribuent à modeler les attitudes que garçon et fille apporteront éventuellement dans leurs mariages. On le voit bien, on met bien plus fortement l'accent sur le dressage de la fille à son rôle d'épouse qu'à celui du garçon à son rôle d'époux. En fait, on apprend à la fille à être une *épouse,* au garçon à être un *homme.* L'inégalité de statut, ainsi, est implicite dès le départ ; même dans notre langage un couple signifie « un homme et une femme », plus volontiers que « un mari et une femme ». C'est qu'il est infiniment moins nécessaire d'apprendre au garçon à devenir époux qu'à la fille à devenir épouse et mère alternativement. Le mari ne passera dans la maison que le tiers du temps qu'y passera la femme. Son rôle de mari et de père est un rôle partiel ; celui d'épouse et de mère est, cela va de soi, un rôle à plein temps.

Aujourd'hui pourtant, un grand nombre de femmes ne sont plus volontaires pour ce rôle à plein temps. Elles veulent un changement dans la répartition, un nouvel équilibre et, en le cherchant, elles forcent leurs maris à essayer aussi d'ajuster leurs rôles. De plus en plus les femmes, lasses d'être confinées sans but à la maison, cherchent un emploi. La femme qui travaille porte une double charge, puisque bien souvent elle continue à assumer l'essentiel du travail ménager en plus de son métier. Les maris doivent souvent aider au ménage, mais ils trouvent les tabliers dégradants et le ménage aussi monotone que leurs femmes l'ont toujours trouvé. Pourquoi devrait-il, lui, échanger son indépendance et son ambition sociale contre une lavette ou une balayette ? Qui peut le blâmer de s'y refuser ? Mais, d'autre part, qui peut blâmer la femme de chercher elle aussi à réaliser des ambitions au-dehors ?

Le monde a changé suffisamment pour que le dressage des petites filles ait perdu son efficacité, comme une vaccination qui ne prend pas. Cependant, l'endoctrinement du garçon reste presque aussi efficace qu'il a toujours été. Il s'ensuit naturellement une disparité dans les rapports adultes entre les hommes et les femmes. Leur dressage n'est plus complémentaire. La femme demande une part de plus en plus grande de ce monde dont les hommes ont appris qu'il leur appartenait, mais il n'y a pas encore, dans le dressage des hommes, ce changement qui leur ferait accepter leurs responsabilités dans le domaine qu'ils considèrent comme « le monde de la femme ». Après tout, les hommes ont toujours su que « le monde de la femme » était moins intéressant que le monde extérieur. Au cours des cinquante dernières années, où les femmes ont vu croître régulièrement les possibilités de s'instruire, elles aussi en sont venues à reconnaître la différence entre les deux mondes. Et elles ne veulent plus subir le statut inférieur qui leur fut réservé à cause de ce monde dans lequel elles ont été longtemps obligées de vivre.

Le statut va avec le métier

La question du statut est d'une importance cruciale. Que nous l'admettions ou non, le mari a un statut supérieur à celui de la femme. L'attribution d'un tel statut n'a rien à voir avec les individus concernés, mais dépend tout simplement des activités qui vont avec leurs rôles. Simone peut bien être beaucoup plus intelligente que Donald et, par-dessus le marché, plus aimable, son statut est pourtant inférieur parce qu'elle est ménagère et qu'il apporte l'argent. Assurément, sur le plan personnel, le statut de la femme peut être semblable à celui du mari. Il est certain que les femmes sont les égales des hommes, protestera le sexe masculin. Mais néanmoins les activités propres à la femme, dans son rôle typique de ménagère, ne méritent pas le même statut que celles de son époux. S'il en était autrement, il ne serait pas aussi réfractaire à l'idée d'échanger avec elle ses activités, et ne ferait pas tant d'histoire sur la répartition des tâches ménagères.

Et les hommes ont raison, bien sûr. Si industrieux que l'on soit, si nombreux les appareils électriques qui vous aident, il y a une limite à l'intérêt et au plaisir qu'on peut tirer du travail ménager. Ce travail doit être mis à sa place, et considéré simplement comme une activité nécessaire au confort domestique plutôt que comme un « travail de femme ». Ce n'est qu'un travail, que ce soit une femme ou un homme qui le fasse. Dans le prochain chapitre nous examinerons quelques moyens de dégager le travail domestique de son ancienne association avec le rôle de la femme. Jusqu'à ce que cette séparation soit achevée, il continuera à être source de frictions.

Quelques-uns prétendront, sans aucun doute, que l'infériorité du statut de la ménagère est compensée par le haut niveau de considération attaché à la maternité. En fait, l'importance de la maternité a été gonflée hors de proportion, au point qu'on commence à la soupçonner de ressembler à un os à ronger jeté aux femmes pour leur faire oublier toutes les autres humiliations. De plus, prétendre que la maternité est partie intégrante du rôle féminin, aspect absolument essentiel de la féminité, est fort utile pour maintenir les femmes dans le cadre de la maison auquel il est d'usage de dire. qu'elles appartiennent. A propos de l'importance accordée au rôle maternel, le Dr Alice Rossi, sociologue, a noté que « pour la première fois dans l'histoire d'une société connue, la maternité est devenue une occupation de plein temps pour femmes adultes ». L'idée que cela est « tout naturel » est réfutée par des exemples tirés de l'histoire et par l'étude des sociétés primitives, dans lesquelles la maternité n'est que l'une des nombreuses activités parallèles parmi toutes les tâches du maintien de la vie assurées par les femmes. Le soin des enfants (l'aspect le plus long et le plus laborieux de la maternité) constitue une responsabilité *partagée* avec la parentèle, les maris et les autres enfants. Dans beaucoup de sociétés, l'homme est étroitement impliqué dans les soins et l'éducation de l'enfant, même dans ses toutes premières années.

En dehors de la gestation proprement dite (et encore que, selon les biologistes, l'enfant puisse être mené à terme hors du corps maternel, d'ici quelque dix ans), élever les enfants doit absolument donner lieu à une responsabilité partagée, même dans notre société. Maternité et paternité doivent constituer les deux parts égales de la parenté, et non consister en tâches inégales assignées aux *rôles* de la femme et du mari. Il faut dégager la maternité du rôle féminin. Tout en étant une expérience extrêmement importante, essentielle, enrichissante, dans une vie de femme, elle ne doit assurément pas être faussement vantée comme son seul rôle signifiant dans la vie. La glorifier serait frustrer les trente ou quarante dernières années de sa vie de leur signification et de leur valeur propres ; la frustrer elle-même de devenir une personne de plein droit en d'autres domaines ; et priver son mari de jouir pleinement de sa paternité et de la partager en compagnon avec elle durant les années d'éducation.

Par bonheur, il y a déjà du changement dans ce domaine. De plus en plus, les jeunes couples choisissent de n'avoir pas d'enfants. Les femmes ne sont plus faites pour se sentir « incomplètes » si elles ne portent pas d'enfants. Maternité et paternité sont devenues facultatives, comme du reste elles doivent l'être dans un monde déjà surpeuplé.

Quant aux couples qui ont des enfants, il semble de plus en plus qu'ils reconnaissent qu'une paternité et une maternité assumées valent mieux pour les enfants comme pour les parents.

Masculin-féminin : comment les définir ?

La principale cause d'incompréhension et de ressentiment au sujet des rôles qui reviennent au mari et à la femme proviennent de la façon dont ils sont liés aux conceptions culturelles occidentales du masculin et du féminin. Ce que nous regardons comme masculin, nous l'admettons comme naturel pour tous les mâles. Comme nous le verrons, c'est trop admettre. De plus, nous admettons que ce qui est mâle est propriété exclusive du mari. Ainsi lorsqu'une femme intervient avec une énergie particulière dans la discussion, ou prend sur elle une décision (en en informant son mari), il lui rabat son caquet par une remarque dans le genre de : « Qu'est-ce que tu cherches ? A porter la culotte dans le ménage ? » Elle a manifesté des qualités de décision, de compétence, d'autorité qui sont censées être masculines, selon notre société. Et le mari réagit en rappelant à sa femme les droits exclusifs du mâle à ces qualités masculines. Inversement, si un mari aime à faire la cuisine, ou laisse sa femme maîtresse du budget familial, on pensera tout à coup que c'est un faible, et même qu'il manque de virilité.

Etre féminine, c'est être passive, souple, émotive, fantasque, aimante, douce, réceptive et nourricière. Etre masculin, c'est être dur, combatif, brave, calme, ferme, fort et dominateur. Ou plutôt telle est la mythologie. Nous connaissons tous des hommes qui sont doux et des femmes qui sont dures, assurément, mais nous avons tendance à les regarder avec soupçon, comme s'ils n'étaient pas tout à fait normaux. Y a-t-il, en fait, un critère biologique ou psychologique qui permette de dire ce qui appartient normalement à l'homme et normalement à la femme ? Les réponses à cette question ne font qu'embrouiller les choses. Il y a des différences physiques fondamentales dans le corps, gabarit et musculature, et des différences physiologiques dont nous avons tous quelque idée. Il y a le fait que les hommes sont généralement plus forts, en ce sens qu'ils peuvent soulever et traîner des poids plus lourds, mais que les femmes ont le dessus si l'on considère la durée de la vie. Les savants sont loin d'avoir établi que de telles différences physiologiques, ou même des différences hormonales plus complexes entre les hommes et les femmes, aient un effet quelconque en matière de caractère, par exemple, sur le courage ou la douceur. La recherche psychologique est encore moins concluante, pour la simple raison que la plupart des différences qu'on trouve sont, au premier chef, celles que la société a dressé hommes et femmes à adopter.

Si nous nous tournons vers le domaine de l'anthropologie, cependant, nous y trouverons un ensemble d'observations beaucoup plus concrètes et convaincantes, démontrant que le comportement que nous appelons masculin ou féminin est grandement déterminé par la culture. C'est-à-dire que ces différences sont beaucoup plus un résultat du dressage, conformément aux traditions de la société à laquelle il se trouve que vous appartenez, qu'elles ne sont un produit du fond biologique ou psychologique. Les documents les plus impressionnants en l'espèce ont été réunis par le Dr Margaret Mead, il y a des années déjà, dans son ouvrage : *Sexualité et caractère dans trois tribus de Nouvelle-Guinée*. Les résultats de cette étude, publiée en 1935, restent ignorés de beaucoup, à en juger par les débats en cours sur la question. Aussi semble-t-il opportun de rappeler ici quelques aspects de ce tableau.

Parmi les montagnards Arapesh, selon les observations du Dr Mead, les hommes, aussi bien que les femmes, sont doux, complaisants, sensibles et coopératifs. Formant un vif contraste avec eux, la tribu des Mondugumors dresse ses femmes à être aussi violentes et aussi rudes que les hommes : « Hommes et femmes, les uns comme les autres, se révèlent des individus impitoyables, agressifs, les aspects tendres et maternels étant réduits au minimum. » Il est donc clair que d'autres sociétés peuvent imposer au comportement des deux sexes des prescriptions qui, tout en étant aussi rigides que les nôtres, sont très différentes dans la forme.

Tandis que, selon nos normes, les hommes Arapesh agissent comme des femmes, et que les femmes Mundugumors agissent comme des hommes, la troisième société qu'a étudiée le Dr Mead a complètement inversé ce que nous considérons comme rôles masculin et féminin. Chez les Tchambulis, en effet, la femme est le partenaire dominateur, impersonnel, organisateur, l'homme, moins responsable, reste dans une dépendance affective. Si vous trouvez, dans cette description, un son familier, c'est qu'elle est exactement l'inverse de ce que les magazines féminins ont répété à leurs lectrices pendant toutes les années d'après-guerre.

Les femmes Tchambulis pourvoient à la nourriture grâce à la pêche et fabriquent aussi les précieux sacs de couchage antimoustiques dont le commerce s'étend dans toute la région de la rivière Sepik en Nouvelle-Guinée. Le mari va au marché pour y échanger les sacs à moustiques contre de la monnaie de coquillages. A son retour au logis, il lui faut marchander avec sa femme pour obtenir une part du gain. Les femmes Tchambulis sont dures, brusques, pratiques, capricieuses et grossières. Le mari Tchambuli, d'autre part, marche « à pas menus d'un air emprunté ». Il est mauvais, querelleur, versatile dans ses rapports avec les autres hommes, mais charmant avec les femmes. Il accomplit les fonctions cérémonielles de la tribu sous forme de danses rituelles avec masques et passe des heures sans fin à sa toilette personnelle, arborant l'arrangement délicat de ses boucles et un élégant cache-sexe en peau de roussette rehaussée de coquillages.

Que deviennent dans ce contexte les notions de « masculin » et de « féminin » ? Elles sont assurément très différentes de notre façon de les comprendre. Quels que puissent être les facteurs biologiques, ils ont été obnubilés par le dressage culturel. Voici la conclusion du Dr Mead : « Si ces traits de caractère que, traditionnellement, nous regardons comme féminins — telles la passivité, la sensibilité et la propension à dorloter les enfants — peuvent être aussi facilement posés comme constitutifs du type masculin dans une tribu (les Arapesh), et, dans une autre, être mis hors la loi pour la majorité des femmes aussi bien que pour la majorité des hommes (les Mundugomors), nous ne sommes plus fondés à considérer de tels comportements comme liés au sexe. »

Ainsi la rigidité de nos propres rôles matrimoniaux ne peut se justifier par des arguments faisant appel à ce qui est « naturellement » féminin ou masculin. Si les hommes peuvent être aptes aux soins des enfants, à la cuisine et au tissage dans d'autres cultures, si les femmes peuvent porter des fardeaux, bâtir des maisons et ramener l'essentiel de l'approvisionnement, rien ne doit empêcher une plus grande plasticité des rôles de mari et de femme dans notre propre culture. En fait, notre société devient de jour en jour plus mécanisée et tributaire de l'ordinateur, la répartition des tâches selon le sexe paraît de plus en plus insensée : le bouton électrique ne se soucie vraiment pas du sexe auquel appartient le doigt qui le pousse.

Les catégories de « masculinité » et « féminité » sont arbitraires et restrictives en un sens psychologique autant qu'en un sens purement pratique. C'est précisément dans la mesure où hommes et femmes sont capables d'accomplir leurs tâches réciproques qu'ils peuvent tirer un bénéfice énorme du partage leur permettant de déployer les qualités admirables que chacun des sexes est censé posséder séparément. Par bonheur, le processus est en marche. Nos jeunes refusent d'être parqués en catégories rigides et acceptent une définition plus large de l'affectivité masculine et féminine. Un article récent note que les familles dans lesquelles le mari et la femme travaillent tous deux favorisent cette évolution. Dans ces familles, les enfants des deux sexes ont une image d'eux-mêmes qui comporte à la fois les qualités masculines et féminines, bien plus que les enfants dont les mères sont ménagères à plein temps. Voyant une plus grande égalité entre leurs parents, les enfants sont capables de développer à la fois leur assurance et leur tendresse, au lieu que ces qualités soient réservées l'une au garçon, l'autre à la fille.

Si ce mouvement se poursuit, ce seront les hommes, chose curieuse, qui y gagneront le plus, du fait que notre idée de la masculinité est beaucoup plus restrictive que celle que nous avons de la féminité. Les femmes peuvent, si j'ose dire passer la ligne qui sépare le masculin du féminin bien plus aisément que les hommes ne peuvent faire l'inverse. La fille, qui est un garçon manqué, a sans doute à subir des taquineries, mais rien qui ressemble au trauma qu'éprouve le garçon qu'on traite de poule mouillée. Du fait que la masculinité doit être protégée par un arsenal de défenses du moi, l'éventail des affects et des sentiments permis à l'homme est beaucoup plus circonscrit que pour la femme. En échappant aux rôles stéréotypés, les maris pourraient être plus que des chefs de famille, des pourvoyeurs dévoués et des bricoleurs obligeants, ils pourraient être aussi des amoureux et des poètes.

Si maris et femmes pouvaient apprendre à voir, dans la féminité et la masculinité prises ensemble, la totalité des qualités intellectuelles et affectives de l'être humain, alors les contraintes culturelles surannées qui nous attachent à des rôles étriqués pourraient être mises au rancart. Le chapitre suivant traite des méthodes à employer pour réaliser ce dessein plus ouvert. En obtenant et en pratiquant une plus grande plasticité des rôles, le mari et la femme pourraient *tous deux* être sentimentaux et débrouillards, nourriciers et courageux, forts et sensibles. Ainsi ces qualités, que nous estimons tous les plus précieuses de l'humanité, appartiendraient aux deux.

CHAPITRE XI

LIGNE DIRECTRICE IV :
2. PLASTICITE DES ROLES :
INVERSION ET ECHANGE DES ROLES

Comportement sans rôle

Dans la recherche de la liberté, de la possibilité de s'exprimer, de l'intimité des relations, certains psychologues présentent comme but ultime ce qu'ils nomment comportement sans rôle. Malheureusement, c'est un terme confus. Aucun de nous ne peut être *totalement* sans rôle — le laisser complètement de côté serait tourner le dos à la vie. Mais quoique le mot puisse égarer, bien des idées qui lui sont associées sont importantes et utiles. Le premier objectif doit être d'éviter d'être esclave du rôle. Il est clair qu'on ne peut y arriver qu'en abattant les cloisons qui séparent les rôles masculin et féminin. Si nous disons : « Non, je ne veux pas faire ça, parce que les maris (ou les femmes) ne font pas ça », nous sommes esclaves de notre rôle. Ce que nous faisons ou ne faisons pas, dans notre relation avec notre mari ou notre femme, devrait être déterminé par ce que nous éprouvons en tant qu'être humain, non par un ensemble prédéterminé de codes restrictifs.

En échappant aux rigidités artificielles des rôles de mari et de femme, on ne peut s'attendre à obtenir une véritable plasticité du jour au lendemain. Mais il y a un certain nombre de techniques qui peuvent aider à se rapprocher de cette plasticité, et le reste de ce chapitre leur sera consacré. Certaines de ces techniques sont destinées à vous aider à considérer d'un œil nouveau vos rôles de mari et de femme, en mettant en lumière comment vous êtes liés par ces rôles et dans quelle mesure vous en êtes esclaves. Grâce à cette meilleure compréhension, vous serez en mesure d'utiliser les suggestions suivantes pour élaborer des façons nouvelles d'aborder votre rôle, en parvenant à une plus grande plasticité par un processus graduel de redéfinition.

Imiter l'autre

L'imitation est l'un des moyens les moins pénibles de l'apprentissage. Dans une large mesure, nous modelons notre comportement depuis l'enfance par l'observation et l'imitation des habitudes, des attitudes et des actes d'autrui, qui graduellement deviennent une partie de notre répertoire inconscient. Nous prenons de la sorte de mauvaises habitudes aussi facilement que de bonnes, assurément, y compris un grand nombre de règles implicites concernant le rôle que nous avons à jouer. Mais, en usant consciemment de l'imitation, on peut attirer l'attention de l'autre sur ses propres habitudes inconscientes. Si c'est fait sans méchanceté, avec bonne humeur, cette sorte de *jeu* peut, dans un ménage, donner aux deux partenaires un sentiment tout neuf de ce qu'ils sont.

Elisabeth et Philippe sont assis à la table de cuisine, le cœur léger, en train de blaguer. Elisabeth commence à imiter la façon dont Phil se comporte quand elle lui sert un plat qu'il n'aime pas spécialement. « Eh bien ! ces radis sont superbes ! » dit-elle, en attrapant exactement l'intonation de son mari en proie à un enthousiasme de commande. Puis elle s'amuse avec sa fourchette, retourne ses radis, les fourre sous sa salade. Phil dit en riant : « Parfait ! Regarde à ton tour, c'est toi préparant le repas. » Il tourne dans la cuisine, en faisant autant de bruit que possible, heurtant les pots et les casseroles, claquant la porte du réfrigérateur et, finalement, tandis que l'eau qui coule fait dans l'évier autant de bruit que le saut du Doubs, il l'appelle à la cantonade : « Où es-tu, Phil ? Je te parle, m'entends-tu ? »

Comme on peut s'y attendre, la réaction normale à cette sorte d'imitation est : « Est-ce que je fais vraiment comme ça ? » L'humour du procédé, l'atmosphère ludique vous permettent de dire à l'autre ce que vous ne pourriez évoquer autrement. C'est certainement une manière bien plus plaisante et efficace de dire à Elisabeth combien elle est bruyante, que de le lui jeter méchamment à la figure. Votre conjoint peut répondre ou non à vos critiques pleines d'humour en changeant d'habitudes. Certaines habitudes après tout sont bien plus difficiles à changer que d'autres. Mais la plupart des gens veulent bien essayer de se corriger, quand on leur montre leurs défauts d'une manière assez détendue pour qu'ils n'aient pas l'impression d'être attaqués. C'est pourquoi il est si important que les deux partenaires s'engagent en même temps dans ce jeu d'imitation, quand tous deux sont en humeur de le faire. Ça ne va pas du tout si l'un se met à imiter l'autre, aiguillonné par la circonstance, en y voyant un moyen d' « avoir » son conjoint. Ce n'est alors qu'une façon plus subtile d'engager le combat.

S'il y a des enfants dans la famille, et particulièrement des adolescents, le jeu de l'imitation peut devenir encore plus instructif, et même plus amusant. Car alors, un membre de la famille peut s'asseoir à l'écart et assister au spectacle : un autre prend sa place et mime ses rapports avec tous les autres. Une mère, par exemple, pourrait regarder son fils jouer son rôle dans une scène de repas avec le père et le fils. Pourquoi la fille ne représente-t-elle pas la mère ? En effet, il n'y a pas de raisons qu'elle ne le fasse pas, mais souvenez-vous qu'il n'y a pas de raisons non plus pour que ce ne soit pas le fils. Ne vous laissez pas inhiber par les confusions habituelles qui obscurcissent la définition de la masculinité, dont il a été traité dans le chapitre précédent ; ce qu'il y a de sûr, c'est que, quand l'imitation du rôle est effectuée par une personne de sexe opposé, elle est capable de faire ressortir les habitudes liées au rôle avec plus de précision que ne saurait faire une personne du même sexe.

Inversion des rôles

L'inversion complète des rôles requiert plus d'ingéniosité et de spontanéité que la simple imitation. Au lieu d'imiter simplement votre conjoint, vous essayez de devenir lui, par la pensée, les sentiments, le comportement. Luce devient Paul, et Paul devient Luce simultanément. Du moment que vous êtes en interaction et que vous devez être à la fois acteur et public, vous pouvez éviter de vous y perdre en choisissant un thème qui soit comme le point focal de votre expérimentation. Par exemple, vous pouvez choisir pour la discussion un domaine conflictuel : si la femme doit continuer à travailler ou non ; si oui ou non vous devez faire abandonner le football à votre fils jusqu'à ce qu'il ait de meilleurs résultats scolaires ; si vous devez acheter une nouvelle voiture. Quel que soit le thème central, chaque partenaire expose avec sentiment et conviction ce qu'il pense être le point de vue de l'autre sur la question, comme s'il était réellement l'autre.

Peut-être est-il encore plus efficace de prendre une situation réelle comme base de l'inversion. Par exemple, disons que Bernard rentre chez lui après une journée épuisante, trois heures supplémentaires, et le voilà qui trouve sa femme Sophie devant la télévision, mangeant du chocolat bien que l'évier soit plein de vaisselle à faire. Naturellement, Bernard ne peut s'empêcher de faire des réflexions désagréables. Et Sophie, qui a passé, elle aussi, une mauvaise journée, et n'a pas eu envie de faire la vaisselle, lui répond en criant. Certains couples sont peut-être capables d'arrêter la dispute en plein milieu, de changer de rôles, et d'acquérir ainsi, sur le coup, une connaissance plus exacte des sentiments de l'autre. Mais si vous n'avez pas une maîtrise suffisante pour y arriver, gardez au moins le sujet en réserve et servez-vous-en, plus tard, comme thème d'une expérience d'inversion.

Il n'y a guère de technique aussi efficace que l'inversion des rôles pour ébranler des façons d'être invétérées, mettre en lumière les habitudes d'égoïsme, ou apprendre à tenir compte des points de vue d'autrui. Vous ne pouvez comprendre vraiment la psychologie de l'autre tant que vous n'avez pas essayé de défendre sa position. Le mari qui joue le rôle de sa femme fait, en somme, beaucoup plus que de débiter une tirade préparée, comme un acteur. Il lui faut tirer du plus profond de lui-même la réplique que sa femme dirait. Et ce faisant, il rencontrera la nécessité de justifier ses paroles et ses actes à elle. Les études de psychologie sociale démontrent qu'un changement d'attitude appréciable intervient quand des sujets doivent défendre des points de vue opposés au leur. Ainsi l'inversion des rôles non seulement vous aide à comprendre le point de vue de l'autre, elle vous révèle aussi vos propres manières d'être et va même jusqu'à les transformer.

Echange des rôles

Des couples vraiment aventureux pourraient désirer faire l'échange de leurs rôles essentiels dans le domaine des occupations, non pas comme un simple exercice, mais de façon effective. Le mari deviendrait un « maître de maison », ce que les Suédois appellent un *hemmaman*, tandis que la femme serait « soutien de famille ». La plupart des époux ont un avant-goût de cette sorte d'échange quand ils remplacent l'époux malade ou absent. La plupart des maris ont fait l'expérience d'assumer les tâches ménagères, quoique sans enthousiasme, pendant quelques jours. Mais à moins que le mari soit gravement malade ou perde son travail, il est rare que la femme sans métier ait la chance d'avoir la responsabilité de fournir à sa famille les revenus de base, et seule une minorité de femmes serait en mesure de le faire. Mais si des couples plus nombreux étaient préparés à assumer les rôles réciproques, on pourrait faire face aux crises de façon bien plus satisfaisante. Avec l'instabilité du marché du travail qui est continuelle (et qui semble devoir probablement empirer avec le développement technologique, qui ne cesse de croître à un rythme toujours accéléré), une plasticité nouvelle à l'égard des occupations primaires commence à ressortir au simple bon sens.

Un couple, il y a quelque temps, a précisément réalisé un tel échange, par libre choix. Le mari, Samuel C. Brown Jr., l'a décrit ainsi dans le revue *Redbook* : « Pendant deux ans, mon esprit et mon corps enseignaient à l'école, mais mon cœur restait à la maison. J'étais nerveux, je répugnais à laisser chaque matin sa chaleur familière et simple, et tellement, tellement content de rentrer chaque soir. » Il abandonna son poste d'enseignant pour s'occuper des tâches ménagères et écrire pendant le temps qui lui restait. Sa femme, qui avait littéralement « besoin de sortir » de chez elle, prit un poste de professeur de danse dans un collège. Tous deux sont heureux. Même avec deux jeunes enfants et les devoirs domestiques à remplir, le mari a plus de temps pour écrire qu'il n'en avait quand il enseignait. La femme, d'autre part, jouit d'un sentiment de plénitude qui provient de ce qu'elle travaille à sa propre carrière.

Le couple décrit ici peut ne pas poursuivre toujours cet échange des rôles de base ; et il n'y a pas de raison pour qu'ils y soient obligés. Mais, pour le moment, chacun d'eux fait l'expérience d'échapper à l'ennui, chacun entre en contact avec des situations nouvelles, chacun développe ses facultés personnelles. Ils font ce qu'ils ont envie de faire pour eux-mêmes, tout en restant pourtant de bons parents.

Tout mari qui a vu sa femme, naguère lasse du ménage, se ranimer quand une carrière ou un métier personnels lui ont donné le sentiment de la réussite, peut témoigner des avantages que l'on trouve à sortir de son rôle typique. Un tel époux découvre que sa femme est plus attrayante et plus vivante, que sa conversation est plus stimulante. Du fait que le mari et la femme ont tous deux consacré du temps à gagner leur « croûte » et aussi au travail de la maison, il n'y a pas lieu à rivalité sur la question du statut du travail ménager par rapport au travail professionnel, et ils peuvent mettre en commun leurs expériences, atteignant ainsi un autre niveau de réussite et d'émulation. De plus, les femmes qui travaillent au-dehors ont moins l'occasion d'une relation trop passionnelle avec leurs enfants, pour le bénéfice de chacun. L'enfant gagne son indépendance plus rapidement quand sa mère se met à vivre sa propre vie au lieu de vivre seulement à travers ses enfants.

En même temps, le mari qui reste au foyer a une occasion de connaître ses enfants plus intimement, grâce à un nouveau genre de paternité. Comme le disait le jeune mari qui avait abandonné l'enseignement : « Qu'y a-t-il de plus touchant que le baiser spontané d'un enfant quand son papa « n'est pas bien » ? Combien d'autres pères connaissent réellement la confiance exubérante — et la crainte véritable — avec lesquelles leurs enfants vont au-devant de la vie ? »

Les maris évidemment ne peuvent pas tous avoir l'impression qu'ils auraient plaisir à essayer le rôle domestique, mais d'autres peuvent se trouver merveilleusement faits pour lui. Comme un *hemmaman* suédois le proclamait : « J'aime jouer avec les enfants. Ma femme trouve difficile d'avoir six ans, je le trouve facile. » Ni ce mari, ni le professeur de l'exemple précédent n'ont vu de contradictions entre le rôle de « maître de maison » et leur masculinité ; car, sûrs qu'ils étaient de leur virilité au premier chef, ils n'avaient nul besoin de rôles extérieurs, étiquetés masculins, pour prouver cette virilité. Les rôles où nous trouvons le plus de confort sont ceux que nous choisirions pour nous-mêmes, si c'était possible, plutôt que d'accepter l'obligation d'entrer dans des rôles où nous ne nous sentons pas à l'aise. Toutes les femmes ne sont pas de nature douées pour la maternité. Tous les hommes ne sont pas taillés pour la bataille implacable qui se livre dans la jungle de la concur-rence.

Il y a une autre raison pour que maris et femmes acquiè-rent une polyvalence des rôles. Dans la plupart des cas, le rôle de pourvoyeur familial et les postes de direction dans notre société sont occupés par les hommes. Ce sont des situations génératrices de grandes tensions psychiques, et l'augmentation des maladies psycho-physiologiques, causées par la tension nerveuse chez les détenteurs de ces postes, démontre le prix qu'ils leur coûtent : coronarites, ulcères, colites, allergies, hypertension artérielle... Ces dépenses d'énergie pourraient être également réparties entre hommes et femmes. Cette répartition procurera le double avantage de donner aux femmes l'occasion de réaliser ce dont elles sont capables, et d'améliorer la santé et la longévité des hommes. Notre séparation traditionnelle des rôles masculin et féminin n'a plus de sens dans un monde technologique complexe. Il est temps de cesser de surcharger nos hommes tout en privant et en sous-utilisant nos femmes. Alors que chacun de nous peut, à sa façon, modifier les rôles pour les adapter à ses besoins, le succès de la répartition de la fonction parentale et de l'échange des rôles entre époux dépend de la création de nouveaux types de travail et d'organisation familiale qui offriront, à la participation et à l'entraide, une base plus large que la famille « cellule ».

Echange des corvées

L'échange complet des occupations appartenant à chaque rôle devient de plus en plus courant, pourtant il semble à bien des couples constituer un saut sévère, et même, à première vue, inconcevable. Mais il n'y a pas de raisons qu'un couple trouve trop de difficultés à un échange des corvées, peut-être simplement pendant une journée, ou une semaine, ou selon une rotation régulière. Henry, par exemple, peut faire la vaisselle et balayer, tandis que Jane répare la porte grillagée et veille à l'équilibre du compte en banque. Toute tâche normalement entreprise par l'un des conjoints peut être reprise par l'autre. Aucune n'est, à coup sûr, enchanteresse, mais toutes sont nécessaires, et en changeant fréquemment de corvées, les deux partenaires peuvent alléger l'ennui, apprendre du nouveau dans tous les domaines et éprouver plus de respect pour les efforts de l'autre.

Il est important, malgré tout, d'effectuer ces échanges de façon détendue. L'un des couples que nous avons interviewés a porté à l'extrême ce simple échange de rôles. Ils établissaient un inventaire de tous les détails de leur routine quotidienne, du nettoyage du réfrigérateur au remplacement des ampoules. A partir de cet inventaire, ils préparaient une liste détaillée pour la répartition des corvées, s'assurant bien que tous deux avaient leur tour pour chaque tâche. Cloué sur le panneau aide-mémoire, ce programme dont la complexité aurait défié les calculs d'un chronométreur spécialisé finit par régler leur vie de façon aussi rigide que leurs rôles antérieurs. De tels programmes peuvent sans doute être une aide, mais gardez à l'esprit que l'idée centrale est la *plasticité*, l'art de nager dans le sens du courant, en évitant les modèles rigides. Ce n'est pas merveille que d'inventer la corvée de suivre attentivement la piste des corvées.

Les avantages de l'échange des corvées ont tout spécialement été mis en lumière par un couple de notre connaissance. Georges s'était chargé des achats pour trois semaines. D'abord il acheta seulement ce qui se trouvait sur sa liste, faisant nonchalamment dans les deux sens les allées du magasin jusqu'à ce qu'il eût trouvé tous les articles. « Puis je pensais, dit-il, après avoir fait la queue et m'être bien ennuyé : pourquoi diable n'achèterais-je que ce qu'elle veut ? Aussi je me mis à chercher ce que j'aimais moi. La première fois ce fut des champignons pour l'omelette, un plat que Marguerite ne fait jamais. Puis des spaghetti à l'italienne. » Georges apprit à marquer ses achats de sa propre personnalité, au lieu de se borner à faire les commissions de sa femme. Il est devenu très compétent pour choisir les avocats mûrs, la viande bien tendre, etc., et sa femme, qui pensait qu'il n'était qu'un éléphant dans un magasin de porcelaines, le regarde avec un respect étonné. Le plaisir qu'éveillait en lui sa nouvelle tâche signifiait que non seulement le travail se faisait avec efficacité, mais qu'il avait des conséquences culinaires inédites où tous deux, lui et sa femme, avaient leur part.

De telles réalisations peuvent sembler secondaires, mais rappelez-vous comme les heurts sont fréquents à propos de points de détails domestiques. Les corvées ménagères doivent être accomplies ; en les répartissant et en les échangeant en souplesse, on peut les rendre plus légères. De plus, cette sorte d'échange aide à abattre nos préjugés sur les catégories de « masculin » et « féminin ». Chacun des partenaires sent sa compétence s'accroître tout en gagnant le respect de son conjoint. En faisant l'expérience de certains aspects du rôle de l'autre, chacun en apprend davantage sur les responsabilités et les devoirs de l'autre, et lui, lui-même, étend et développe ses propres capacités en entrant en émulation dans un domaine nouveau.

Naturellement, il y a des tâches qui arrivent bonnes dernières sur les listes de préférences individuelles, tâches qu'on ne veut ou, tout simplement, qu'on ne peut faire. Mais on peut arriver à une plasticité suffisante pour permettre plus de compréhension des rôles réciproques, et pour qu'aucun des deux ne reste absolument esclave du rôle qui lui a été, selon la tradition, assigné par le contrat de mariage clos.

Nouvelles perspectives dans les tâches ménagères

Echanger les corvées est une manière de découvrir du nouveau dans le domaine que tous nous appelons « travail ». Il y a d'autres moyens encore, une fois que les devoirs ménagers ont été séparés de leurs anciennes implications de rôle, et que mari et femme se les répartissent.

Nous avons tous tenté un jour ou l'autre de trouver des façons de varier nos tâches quotidiennes et de pallier leur monotonie. La plupart d'entre elles sont accessibles à la variété : soit qu'on change d'emploi du temps, qu'on utilise une technique différente, ou simplement qu'on les aborde avec un point de vue différent.

L'un de ces points de vue consiste dans le plaisir esthétique procuré par l'accomplissement de la tâche. L'évier étincelant, la pièce rangée procurent dans une certaine mesure, le plaisir et la satisfaction, bien que le lendemain tout soit à recommencer. Même le travail ménager peut toucher les sens, si vous acceptez de vous laisser aller et de le regarder sous cet angle — savonner les assiettes, tirer les draps, passer de grosses éponges dégoulinantes sur la voiture, respirer l'odeur piquante de l'encaustique à l'essence de citron, cirer le bois chaud et satiné du plateau de la table, voilà qui peut être aussi voluptueux que le plaisir de toucher le velours ou le satin, ou de sentir un parfum capiteux ou frais. Le plaisir des sens, c'est sans doute celui qui vient du toucher, de l'odorat, de l'ouïe et de la vue, mais il peut venir aussi de l'expérience que vous faites des mouvements de votre corps, si vous vous plongez d'une manière absolument physique dans votre tâche. Nous sommes tous des êtres physiques autant qu'affectifs, et le plaisir du corps et des sens peut naître dans toutes les occasions de la vie : dans le travail de la maison aussi bien que dans la sexualité, etc. Le « ménage sensoriel » peut ne pas vous emballer, mais comment le sauriez-vous sans avoir accepté d'essayer ? C'est, au minimum, un autre moyen de revenir au *hic et nunc*, et de faire l'expérience de vivre pleinement le moment tel qu'il est, ici et maintenant.

Le plus grand plaisir qu'on puisse tirer du travail ménager est peut-être de mettre son ingéniosité à le réduire au minimum, en imaginant des moyens de le rendre plus efficace et de libérer ainsi une quantité non négligeable d'énergie vitale et de temps pour des activités plus intelligentes et plus productives. Pour quelques tâches, comme le nettoyage hebdomadaire, vous et votre conjoint pouvez faire équipe, établir un tableau de service, en finir en moitié moins de temps, et bien vous amuser par la même occasion.

En nous limitant à une liste étroite de tâches traditionnellement masculines ou féminines, nous nous dépouillons nous-mêmes de ces plaisirs. La répétition incessante doit nécessairement émousser notre réaction. La femme, qui a préparé trois repas par jour pendant cinq ans, devient naturellement aveugle à la beauté d'un entassement de légumes — poivrons verts, tomates bien rouges, champignons fermes et blancs, aubergines brillantes — posés sur la planche à découper. De même, le mari n'éprouve plus de délices, après les samedis sans fin, à sentir l'herbe fraîchement coupée et la brûlure du soleil sur son dos. Les plaisirs qu'on peut prendre aux tâches ordinaires sont nombreux, pourvu que nous nous ouvrions à eux. Mais aussi longtemps que nous nous laisserons enchaîner par un rôle qui nous demande d'entreprendre perpétuellement, sans fin, les mêmes corvées, nous perdrons inévitablement toute perspective, en ne voyant que la peine et non le plaisir.

Jeu et créativité

En échangeant les rôles, même de façon limitée, nous nous donnons une chance de réintroduire le sens du jeu dans notre vie quotidienne. L'enfant qui grandit vit dans un monde d'émerveillement perpétuel, car il découvre sans cesse du nouveau. Desmond Morris, l'auteur du *Zoo humain*, l'exprime ainsi : « Chaque jeu est un voyage de découverte : découverte de lui-même (l'enfant), de ses capacités et de ses possibilités, et du monde qui l'entoure. » Le développement de l'inventivité peut n'être pas le but spécifique du jeu, mais il est néanmoins son trait dominant et son avantage le plus précieux.

En mariage ouvert, il est possible, pour un couple, de faire l'un sur l'autre découverte après découverte et, grâce à cela, de renouveler constamment le mariage. En se libérant des restrictions impliquées par les rôles coutumiers, ils auront plus de chances de réveiller le sens ludique qui reste enfoui sous les responsabilités adultes, pour retrouver, tels des enfants, le sens de l'émerveillement et de la curiosité, le besoin pressant de chercher, de trouver et d'expérimenter, dont parle Morris. Le mariage ouvert dépend de ces qualités : avoir l'esprit ouvert à la recherche de nouvelles formes de relations, le besoin d'éprouver son propre engagement, en acceptant de l'ancien contrat les aspects favorables au couple intéressé et en rejetant ceux qui ne le sont pas, pour trouver les voies nouvelles qui permettront de faire de chaque mariage une union créatrice et vivante plutôt qu'une forme statique, ou même stagnante, d'esclavage.

La créativité, Morris nous le rappelle, n'est rien de plus que l'extension à la vie adulte de ces qualités enfantines. L'enfant pose des questions nouvelles, l'adulte répond à de vieilles questions ; l'adulte enfantin trouve des réponses aux questions nouvelles. L'enfant est inventif ; l'adulte est productif ; l'adulte enfantin est inventivement productif.

L'enfant explore son environnement, l'adulte l'organise ;
l'adulte enfantin organise ses explorations et, en y apportant
l'ordre, les renforce. Il crée.

Oui, non et terrible !

Le psychologue Eric Berne, auteur de *Jeux auxquels on
joue*, a quelque part cité trois mots qui sont autant de façons
de vivre : « Oui, non et terrible ! » La capacité de dire
oui ou non signifie que l'on sait ce que l'on veut et ce
que l'on ne veut pas. Les lignes directrices du mariage
ouvert présentées ici, qu'il s'agisse de la communication ou
de la vie dans le présent ou de la flexibilité des rôles, ont
pour but de vous mettre en possession de techniques spécia-
les ou de procédés nouveaux par lesquels vous puissiez déterminer exactement ce que vous voulez et ne voulez pas, en
tant que couple et en tant qu'individus. Cela fait, après
avoir mis en pratique les méthodes de changement adéquates,
vous devez considérer comme une chose réalisable d'avoir,
dans l'existence, des réactions de plus en plus ouvertes,
grâce à la rénovation permanente qu'exprime le simple
mot : « Terrible ! ».

Nous vivons dans un monde où les choix se multiplient.
La technologie nous a amené un rythme de changement
parfois étourdissant, mais, et c'est le côté positif, elle nous
a apporté aussi une diversité de choix accrue. Mais vous
ne pouvez découvrir ni la nature ni l'étendue de ces droits
si vous vous bornez à accepter le modèle de rôle pour mari
et femme que vous prescrit la tradition. Peut-être ne vous
sentez-vous pas prêt à aller si loin que d'opérer avec votre
conjoint l'échange intégral des occupations. Peut-être ne le
voudrez-vous jamais, en vérité. Parfait ! Comme partout dans
cet ouvrage, nous ne faisons que proposer des moyens qui
vous permettent d'ouvrir votre mariage. Il n'y faut pas de
méthode particulière. Mais si vous désirez un mariage ouvert,
il est absolument nécessaire de faire un essai, petit ou grand,
pour arriver à voir d'un œil nouveau les rôles que vous
jouez. Sans un peu de curiosité, sans aucune plasticité, il
est totalement impossible de découvrir ce qui vaut le mieux
pour vous, personnes ou couples. Et si vous ne pouvez
répondre oui ou non, si la réponse est impossible a priori,

ne vous laissant pas le choix, alors, c'est sûr, vous ne direz pas souvent « Terrible ! » dans votre vie.

Quand les maris et les femmes adhèrent étroitement à des rôles séparés, complètement distincts, une véritable compréhension devient virtuellement impossible. En partageant et en échangeant les rôles, cette compréhension peut se réaliser, et avec elle, une nouvelle forme d'intimité. Le docteur Jack R. Gibb, psychologue consultant, écrit : « Ni le personnage, ni l'acteur ne peuvent tomber amoureux, communiquer profondément avec l'autre, ni être dans une interdépendance créatrice. » Mais se libérer du rôle ou, à tout le moins, parvenir à la plasticité, cela signifie que pour la première fois peut-être vous êtes capable de dépouiller vos rôles, dans l'intimité des rapports conjugaux, et de vous montrer à votre conjoint comme la *personne* que vous êtes. Quand le rôle disparaît, dit Gibb, « la personne apparaît... Des personnes qui s'éprouvent comme personnes, peuvent être libres, créatrices et profondément *avec* une autre personne ». Et c'est précisément à quoi tend le mariage ouvert : être avec l'autre, et non simplement à côté de lui.

CHAPITRE XII

LIGNE DIRECTRICE V :
LA CAMARADERIE

Le jeu des couples

Juliette venait d'obtenir un poste à l'université de Paris. Venant de province et ne possédant pas de renseignement sur le milieu universitaire parisien, elle décide de téléphoner à Philippe, un ancien collègue de l'université de Lyon. C'est la femme de Philippe qui prit la communication, et Juliette lui dit qui elle était. « Mais, nous dit-elle, savez-vous ce qui s'est passé quand nous nous sommes enfin retrouvés pour déjeuner, Phil et moi ? Il m'a dit : « Ecoute, Juliette, ne m'appelle pas chez moi, je ne veux pas d'histoires avec ma femme. » La jeune femme fut surprise et irritée d'être considérée comme une menace pour la femme d'un collègue ; elle-même avait divorcé récemment, et n'était pas encore habituée aux réactions qu'elle provoquait chez les femmes mariées. « C'est absolument préhistorique, gémissait-elle. Comment ! Maintenant que je suis seule, je ne peux même pas parler un peu trop longtemps à un homme marié, au cours d'une soirée ; on vient à sa recherche, on me transperce du regard. C'est inimaginable ! Enfin, il vaut mieux en rire qu'en pleurer ! »

Divorcée, Juliette découvrait quelque chose qui ne l'avait pas frappée aussi vivement quand elle était mariée, le front uni des couples dans le mariage clos. Ce front uni des couples est la manifestation extérieure de la clause du contrat de mariage clos qui stipule aux conjoints d'être tout l'un pour l'autre et de satisfaire réciproquement à tous leurs besoins :

affectifs, psychiques, intellectuels et physiques. Cette « idée fantastique », selon l'expression de l'anthropologue Ray Birdwhistell, est grossièrement irréaliste, c'est un rêve impossible ! Pendant toute notre vie, enfants, adolescents, jeunes adultes, on nous enseigne qu'il faut nous tourner vers les autres, afin d'apprendre, de grandir, de nous enrichir et de varier notre existence. Nous sommes ouverts au monde qui nous entoure. Soudain, avec le mariage, c'en est fini de tout cela. La servitude du mariage clos oblige le mari et la femme à se détourner du monde extérieur pour ne plus se tourner que l'un vers l'autre. Il leur faut restreindre leurs contacts avec les autres, non seulement avec ceux du sexe opposé, mais aussi avec tous les amis du même sexe qui n'ont pas l'agrément de leur conjoint. Cette vie circonscrite est-elle nécessaire au mariage ? Est-elle inévitable ?

Ecoutons un couple que nous avons interrogé, François et Jeannette. François est ingénieur chimiste ; c'est un chercheur, un inventeur estimé dans sa partie. Jeannette, encore jolie femme à trente-neuf ans, est une ancienne danseuse ; aujourd'hui, elle s'occupe activement de formation de professeurs pour assistantes sociales. Les goûts du couple embrassent de nombreux domaines. Certains se recouvrent, d'autres sont différents. Grand, sec, les cheveux gris, François nous explique sa relation ouverte avec sa femme. « Pour rester ensemble, mariés, il faut que l'un et l'autre soyons bien vivants — des êtres humains qui vivent, qui fonctionnent. Nous avons des goûts communs, d'autres qui sont propres à chacun. Dans ces conditions, comment pourrions-nous vivre constamment attachés l'un à l'autre ! Elle à moi, moi à elle ? Faut-il que je sois pour elle la source de tout ce qui l'amuse, l'émeut, l'intéresse ? Doux Jésus, c'est trop me demander. Je suis intelligent, mais, convenons-en, je ne suis pas Dieu. Maintenant, que je ne sois pas tout pour elle, qu'est-ce que cela signifie exactement ? Cela signifie qu'elle doit aussi vivre parmi les autres. Donc si elle rencontre quelqu'un, disons un autre homme, qui s'intéresse à la musique, qu'elle ait des intérêts intellectuels communs avec un ami musicien, il est parfaitement normal qu'elle aille dîner avec lui. Est-il normal qu'elle aille à un spectacle de danse ou à un concert avec lui ? Certainement. Parfois nous y allons aussi ensemble. Mais il n'est pas possible que ma compagnie, à un ballet ou à un concert, offre le même intérêt pour elle que celle d'un musicien. »

« Moi non plus, je ne peux être tout pour lui, dit Jeannette. François aime certaines choses, comme parler philosophie et résoudre des problèmes mathématiques, pour lesquels je ne partage pas son enthousiasme. Récemment, il a fait la connaissance d'une amie qui adore cela autant que lui, et entre eux, c'est à qui, à chaque problème, trouvera la solution le premier. Quelquefois, ils se retrouvent ici dans notre appartement, parfois ailleurs. Pourquoi lui refuserais-je le plaisir de partager ces distractions avec quelqu'un qui les apprécie ? De temps en temps, je me prends au jeu et j'essaie de faire les problèmes avec eux mais, parfois, je prends d'autres dispositions pour la soirée et je sors. »

C'est très bien, pensez-vous sans doute. Mais ne sont-ils jamais jaloux l'un de l'autre ? Ne se demandent-ils jamais ce que l'autre fait vraiment quand il est en compagnie ? François et Jeannette ont discuté franchement de ces questions, mais avant de voir comment ils parviennent à éviter craintes et jalousies, examinons de plus près le besoin qu'ils éprouvent de cette forme de liberté réciproquement reconnue. Si ce besoin n'est pas pleinement compris, si le pourquoi de cette camaraderie ouverte n'est pas clair, le « comment » ne peut être correctement assimilé.

Vos atomes crochus

Chacun de nous est unique en son genre. Il n'y a personne d'autre au monde qui ait exactement la même combinaison de souvenirs, les mêmes caractéristiques personnelles, les mêmes aptitudes, aptitudes déjà connues ou encore à découvrir. Ainsi, chacun de nous est un être humain pourvu d'une multitude de facettes ; goûts, aversions, expériences, talents, que sais-je ? Et chacun d'entre nous est unique, par l'organisation, le nombre et l'espèce des facettes qu'il possède.

Mais rendons cette idée plus concrète. Imaginez chaque personne comme un organisme couvert de plusieurs milliers de facettes qui font saillie comme de multiples antennes. Chacune de ces facettes ou antennes constitue un atome crochu qui vous donne la possibilité d'atteindre d'autres êtres humains et d'établir le contact avec eux. Ce sont nos points de contact, de validation, de confirmation, de participation, qui rendent possibles les relations entre personnes. Si vous n'avez pas d'atomes crochus communs avec quelqu'un, vous ne sauriez établir le contact. Et il faut avoir en commun un grand nombre d'atomes crochus pour établir une relation qui tourne rond.

Ainsi vous voilà vous, une personne, un individu particulier, avec sa singularité propre, et sa combinaison unique d'atomes crochus. Et voilà, à côté de vous, votre conjoint, avec sa singularité individuelle, et sa combinaison unique d'atomes crochus. Vous vous épousez parce que vous trouvez qu'un grand nombre, peut-être même la plupart de vos atomes crochus correspondent. Vous avez grandi ensemble, vous parlez le même langage, vous avez la même échelle de valeurs, vous aimez tous deux les pots de fleurs, les concertos pour piano de Mozart et les oranges amères confites. Certains de vos atomes crochus peuvent appartenir à des zones de sentiments profonds, la sexualité par exemple ; d'autres, peut-être, sont tout à fait superficiels. Mais si nombreux que soient vos atomes communs, il y en a d'autres qui ne le sont pas, tout simplement parce que vous êtes des individus uniques. Qu'advient-il alors des atomes crochus que votre conjoint et vous-même ne pouvez ajuster ? Qu'il s'agisse de besoins réels auxquels l'autre ne peut répondre, ou de possibilités latentes dont il ne peut favoriser le développement, tout cela fait partie de nous-mêmes. Si vous n'en faites aucun usage, si vous ne les mettez pas en valeur, si vous les refoulez, l'inutilisation entraînera leur désagrégation. Enfin, pour poursuivre la comparaison de ces atomes crochus avec des antennes, ils s'atrophieront jusqu'à se détacher purement et simplement, vous laissant diminué, vos points de contact étant moins nombreux. Ces atomes perdus font de vous quelqu'un de moins unique, vous laissant amoindri en comparaison de ce que vous avez été ou auriez pu devenir. Si l'un de ces atomes crochus a des racines profondément implantées dans votre personnalité, provenant d'un besoin majeur, peut-être sera-t-il impossible de vous en débarrasser simplement, comme un porc-épic d'un de ses piquants. Il deviendra alors un foyer d'infection. S'il est suffisamment important pour vous, un besoin insatisfait peut devenir comme une plaie ouverte dans votre être. Voici ce qu'en dit le psychologue Abraham Maslow : « Les aptitudes réclament d'être utilisées, et ne s'apaisent que lorsqu'elles sont *bien* utilisées, c'est-à-dire que les aptitudes sont aussi des besoins. Il est non seulement agréable d'utiliser une aptitude, mais il le faut, si l'on veut se développer. Le talent, l'aptitude, l'organe dont on ne se sert pas peuvent devenir un foyer de maladie, s'atrophier ou disparaître, mutilant ainsi la personne. »

Cependant, dans nos mariages clos, nous ne satisfaisons que les atomes crochus qui correspondent à ceux du conjoint. Seules les facettes de la personnalité de Suzanne qui répondent à celles de Jean sont utilisées et Jean est limité dans la profondeur, l'étendue et la portée de ses possibilités aux expériences que Suzanne peut partager avec lui. Jean, de par son métier, sera peut-être capable d'utiliser quelques-uns, en petit nombre, de ces atomes qui ne lui sont pas communs avec sa femme ; mais elle, prisonnière de la maison, aura encore moins d'occasions d'exercer les atomes qu'elle a et que Jean ne possède pas. L'importance des directives concernant l'intimité et la plasticité devient ici évidente. Mais si l'application convenable de ces deux directives (plasticité des rôles en particulier) peut vous aider à faire un meilleur usage de vos atomes crochus, quelque chose d'autre est nécessaire.

Le besoin des autres

Nous éprouvons tous, profondément, le besoin d'un plus large espace de relations interpersonnelles et d'une plus grande variété de rapports que n'en permet le mariage clos. Le mariage, en combinant les ressources de deux individus, *doit* multiplier les occasions de découvrir de nouveaux plaisirs dans les rapports avec des personnes nouvelles, mais en fait il aboutit précisément à l'inverse. Le contrat de mariage clos exige que tous les amis soient acceptables pour les deux partenaires. C'est évidemment une exécution parfaitement logique de la clause selon laquelle toutes les fonctions sociales doivent être accomplies de concert — ce qui n'entraîne qu'une difficulté, à savoir que l'exigence de conjonction fonctionnelle est restrictive et irréaliste au premier chef.

Chacun des partenaires du mariage est ainsi obligé d'abandonner tous les amis antérieurs que son nouveau compagnon n'aime pas, ou alors à s'esquiver pour les voir hors de chez soi, en les rencontrant au bowling ou chez le coiffeur. Encore ne peut-on s'en sortir que si l'ami est de même sexe. Quant aux anciens amis de l'autre sexe, ce que vous avez de mieux à faire c'est de les oublier. En réalité, si vous tenez vraiment à conserver un ami d'avant votre mariage, non seulement il faut qu'il soit de même sexe que vous, mais de plus qu'il se marie à peu près en même temps que vous, ainsi pourrez-vous tenir ensemble le « front-des-couples » comme une fine équipe de double mixte. Pendant les deux ou trois premières années de mariage, un jeune couple pourra inviter occasionnellement à dîner deux amis qui ne sont pas mariés, une amie d'enfance de la femme, un vieux copain du mari, mais avec le temps, la plupart des couples de mariage clos ne fréquentent plus que des couples. Dans une soirée, les gens non mariés rendent les couples nerveux ; les femmes, particulièrement, lancent des regards méfiants sur toute jeune fille qui ébauche une conversation avec leur mari. Il est plus facile d'oublier ses anciens amis, à moins qu'ils ne tardent pas à convoler aussi et que votre conjoint aime non seulement votre ami, mais encore le conjoint de votre ami.

Dans le mariage clos, même la question de savoir quels couples seront admis, entraîne des discussions interminables, car le cercle des amis est limité aux couples que les deux partenaires trouvent mutuellement compatibles. Naturellement, peu de couples trouvent les membres d'un autre couple également agréables, ainsi éliminent-ils impitoyablement. Du moment que les couples arrivent, comme autant de paquets ficelés (Antoine et Colette, Benoît et Aline, etc.), si Benoît est indésirable, Aline doit aussi être rayée de la liste. Quand la liste homogène et définitive des couples agréés est au point, il se trouve que même alors la plupart des conjoints ne sont pas d'accord sur le cas qu'ils font des amis maintenus sur la liste. Dans une étude récente, faite par le sociologue Nicolas Babchuk, 116 couples mariés ont été priés, séparément, de faire la liste de leurs meilleurs amis. Résultat étonnant : quand on compare les listes, six couples seulement avaient fourni des énumérations identiques. Et ceci nous amène à une question cruciale. S'ils ne peuvent être d'accord sur la question de savoir qui sont leurs amis intimes, ont-ils en réalité des amis intimes ?

Le couple marié traditionnel a peu de chances de partager

une relation profondément personnelle avec un autre couple : en préservant le « front-du-couple », les conjoints abandonnent leur individualité. Quand l'individualité est perdue ou bâillonnée, la communication devient très difficile dès qu'on quitte le plan le plus superficiel. (Une des raisons de la popularité des « groupes de rencontre » réside probablement dans la pauvreté qui caractérise les rapports impersonnels des couples mariés entre eux.) Les couples, sans doute, sont ensemble socialement, mais peu d'entre eux partagent les sentiments les plus profonds ou même se découvrent l'un à l'autre leur personnalité dans toute son étendue. Les problèmes et les succès qu'ils ont en commun ne constituent que les plus extérieurs et les plus superficiels de leurs intérêts : les classes surpeuplées, l'enlèvement des ordures de moins en moins assuré, les miracles de l'électronique dans le domaine culinaire, l'achat d'une nouvelle voiture de sport. Mais qu'en attendre de mieux ? Entraînés à une attitude exclusive, gouvernés par la jalousie, qu'accompagne inévitablement cette appropriation réciproque, comment pourraient-ils oser s'ouvrir et avoir une intimité commune ?

Du moment que deux personnes ne peuvent faire correspondre tous leurs atomes crochus, et que, des deux côtés, les amitiés prématrimoniales et les rapports avec d'autres couples sont soumis au veto de chaque partenaire, il est inévitable que le mari et la femme du mariage clos deviennent, selon la formule de Maslow, des personnes diminuées. Le Dr Jane Pearce, de l'Institut Sullivan, a, dans des travaux récents, formalisé notre continuel besoin des autres. Dès les premiers instants de notre enfance, nous avons un besoin constant, qui se poursuit toute notre vie, d'approbation, de partage de nos expériences avec autrui. Et tous ces sentiments, ces observations, ces capacités qui ne reçoivent pas validation ou confirmation de la part des autres se rassemblent pour former ce que le Dr Pearce nomme « paranoïa centrale ». La paranoïa centrale est comme un énorme réservoir contenant la somme de nos pertes individuelles au cours des ans, pertes dues au fait que nous n'avons pas partagé nos expériences, grâce à des relations interpersonnelles enrichissantes.

Comme le Dr Pearce l'écrit, plus ce réservoir d'expériences non partagées est grand, plus faible est notre aptitude à partager l'intimité et la tendresse. Considérant le mariage à la lumière de cette idée, nous croyons que, dans la mesure où un mariage limite le développement d'un couple et sa valorisation par l'intermédiaire des autres, il limite la relation matrimoniale elle-même en étendue et en profondeur d'intimité. Assurément deux personnes peuvent être beaucoup l'une pour l'autre, et même presque tout pendant un certain temps. Le goût de l'exclusivité propre aux mariés de fraîche date n'a rien d'étonnant, car ils en sont encore à apprendre à se connaître. Le processus de découverte, dans le cas d'une relation nouvelle, prend du temps. Mais si l'exclusivité de ces relations dépasse une certaine durée et se maintient après que chacun est parvenu à une connaissance complète de l'autre, la croissance en sera inévitablement entravée.

« C'est par un enchaînement naturel et constructif qu'une relation, lorsqu'elle a donné tout ce qu'elle pouvait donner et qu'elle ne contribue plus à la croissance mutuelle, se termine en tant que phénomène évolutif », affirme le Dr Pearce, en collaboration avec le Dr Saul Newton. En termes de relation matrimoniale, le but est de préserver ce caractère évolutif et, en clair, le meilleur moyen d'y parvenir est de promouvoir la croissance continue des deux partenaires.

Si chacun d'eux a licence de croître individuellement, dans des directions qu'il peut trouver intéressantes et enrichissantes, mais que l'autre n'apprécie pas, s'il a licence de chercher chez autrui, en dehors du mariage, les atomes crochus qui répondent aux siens et qu'il ne trouve pas chez son conjoint, alors tous deux continueront à croître et à se renouveler, de sorte qu'il y aura toujours pour l'autre du nouveau à découvrir en lui. Si la découverte est entre eux continuelle, si chacun grandit toujours, leur relation ne cessera pas d'être enrichissante. Mais les couples qui ne tiennent qu'à l'exclusivité, qui continuent à croire que, dans n'importe quel couple, on peut être tout l'un pour l'autre, aboutiront immanquablement à la disparition finale de tout enrichissement réciproque. Risquer cette aventure en acceptant le traditionnel contrat clos, avant même d'avoir commencé, semble une erreur tragique, surtout si l'on songe à son inutilité.

Et les risques ?

Quand bien même vous seriez maintenant convaincu du
besoin d'une camaraderie ouverte, qui permette à votre
conjoint des relations masculines ou féminines dont vous
puissiez vous-même être exclu, même ayant admis ce besoin,
il se peut que vous fassiez encore de sérieuses réserves
sur l'octroi d'une telle liberté d'action. Revenons-en donc à
notre couple ouvert, François et Jeannette, et écoutons ce
qu'ils ont à dire sur les risques encourus.

« Cette liberté, dit Jeannette, est très importante pour
nous deux. Le vrai problème que j'ai découvert dans le
mariage est que nous nions certaines parties de nous-mêmes.
La plupart des gens essaient de se glisser dans un moule,
car ils craignent, s'ils en sortaient, de se désunir ou de tomber
sur quelqu'un de mieux qu'ils aimeraient davantage. »

François intervint alors. « Bien sûr, dit-il, cette liberté
comporte le risque qu'un jour Jeannette ou moi nous rencon-
trions quelqu'un de beaucoup plus beau, plus intelligent, plus
riche, plus stimulant intellectuellement et alors, peut-être,
c'en sera fait de notre mariage. Mais de toutes façons c'est
la vie. Dans la vie, on ne peut être sûr de rien. Si je vivais
dans la peur, redoutant que ma femme voie n'importe qui
d'autre, ou parle à un homme en l'absence de tiers — eh
bien, ce serait de la faiblesse ! Cela viendrait de la peur de
la concurrence, n'est-ce pas ? Mais je n'ai pas peur de la
concurrence. Je ne peux être ni plus ni autrement que je
suis. Et je ne peux pas non plus attacher Jeannette. Je
sais ce que je peux lui donner et l'amour qui nous unit.

— Vous savez, ajouta Jeannette, souvent les gens en font
toute une histoire, de cette peur qu'on trouve quelqu'un de
mieux, quelqu'un de plus beau, et tout et tout, mais alors
c'est le moule dont je parlais, les gens ont peur de leurs
propres rapports. S'ils n'ont pas confiance en eux-mêmes,
comment peuvent-ils se fier aux autres ? La crainte de
trouver mieux vient de leur incertitude sur leurs propres
rapports ; nous avons édifié une relation solide et honnête,
c'est dur d'y parvenir, mais une fois fait, la liberté dont
vous jouissez constitue vraiment un lien très fort entre vous.
**Notre honnête liberté est un véritable lien qui nous main-
tient ensemble.** »

Ce dernier point nous semble extrêmement important. Le lien d'honnête liberté est un lien positif. Le lien possessif et jaloux est négatif. Et un lien positif est toujours plus durable. Dans le mariage clos, la restriction coercitive due à la clause d'exclusivité est le terrain de prédilection de la dépendance et de l'insécurité et même, inévitablement, du soupçon et de la jalousie. En enfermant, dans une ligne de démarcation possessive, le comportement du conjoint — ce qui implique sur l'autre un droit de propriété — le mariage clos crée les conditions favorables de la jalousie. Si je te possède et que tu sois à moi, je suis nécessairement jaloux de ce qui t'intéresse en dehors de moi et de toute attention que tu portes aux autres ou que les autres te portent. Tu te conduis d'une façon qui m'exclut, et tu me prives de quelque chose. En vérité, personne, bien sûr, ne peut posséder quelqu'un d'autre : on ne peut être responsable que de soi-même et de ses propres sentiments. Mais le mariage clos crée un faux-semblant de propriété, et la jalousie suit inévitablement.

« La jalousie, dit Jeannette, est pour les autres gens le point le plus difficile à comprendre. On m'a accusé de n'être pas amoureuse parce que je ne suis pas jalouse de François. Ces gens prétendent que le conjoint qui possède son conjoint et le garde sous clef est celui qui aime le plus. Eh bien, c'est absurde. Comment serais-je possessive et jalouse, quand je sais tout ce que François et moi avons en commun parce que nous ne sommes pas ainsi ? Ce qu'il a en commun avec quelqu'un d'autre est différent. Cela ne va pas diminuer les valeurs de ce que nous possédons, nous. »

A ceux que tracasse la crainte que leur conjoint ne trouve l'herbe plus verte de l'autre côté de la clôture, Jeannette dit, en effet, que la relation ouverte apporte une nouvelle sorte de lien, qui représente ce qu'il y a de plus vert dans le secteur. En fait, si on analyse le vieux cliché de l'herbe plus verte, on remarquera que le point essentiel est la clôture. Assurément l'herbe va paraître plus verte de l'autre côté au cheval qu'on a enfermé. Et s'il saute la clôture, il est quasiment nécessaire, oui, qu'il trouve l'herbe de par-delà plus verte, précisément parce qu'il a osé franchir la frontière et passer en territoire interdit. S'il ne la trouvait pas plus verte, c'est alors que son aspiration, son effort pour sauter la clôture seraient de nature à paraître insensés. De même si ceux qui, dans le mariage clos, se sentant pris au piège par ses clauses restrictives, trouvent très désirable une relation illicite, qu'elle soit sociale ou sexuelle, c'est précisément parce qu'elle leur a été interdite. Les clôtures supprimées, on découvre que l'herbe n'est pas plus verte, après tout, de l'autre côté, mais qu'elle est simplement différente. Nous croyons avec Jeannette que la vraie relation ouverte crée une sorte de lien qui rend l'autre herbe moins verte en comparaison.

Ce n'est pas dire qu'il n'y a *pas* de risques dans la camaraderie ouverte. Ce n'est pas dire que les relations extra-matrimoniales, dans le mariage ouvert, ne seront *jamais* sexuelles. Cette objection serait aussi mal fondée que celle qu'opposent les défenseurs de l'exclusivité en mariage clos, selon laquelle toute relation externe mènerait invariablement à l'infidélité. Ces deux extrêmes sont faux. Et il faut rappeler ici que notre *vie* est pleine de risques, comme le signalait François. Nous croyons que le risque d'échec, dans la relation matrimoniale, est bien plus grand dans le mariage clos, avec son exclusivisme obligé qui nie l'individualité et l'épanouissement, que dans le mariage ouvert avec sa camaraderie ouverte. De plus, il y a des moyens pour minimiser les risques inhérents à la camaraderie ouverte.

Minimiser les risques

La camaraderie ouverte est favorable au mari et à la femme qui ont atteint déjà le degré de sécurité affective, d'indépendance et d'autonomie que nous avons exposé tout au long de cet ouvrage. Sans une forte personnalité et l'assurance de notre valeur, à la fois pour nous-même et pour notre conjoint, la camaraderie ouverte ferait sans aucun doute peser une menace et susciterait la jalousie. Si vous êtes dans l'insécurité et dépendez l'un de l'autre pour la satisfaction de tous vos besoins, vous éprouverez un sentiment de frustration quand vous verrez votre conjoint *partager* avec quelqu'un d'autre et, même, consacrer une bonne part de son temps à sa carrière ou à une activité annexe.

Quand un mari et une femme ont édifié une relation ouverte fondée sur l'égalité, la communication franche, la confiance, quand leur goût, leur respect et leur amour réciproques se définissent par une compréhension mutuelle plutôt que par les structures préétablies, le lien qu'ils nouent entre eux sera le centre de leur vie. Leur ménage sera pour eux la relation fondamentale. Précisément parce que ce lien est profond, sûr, central, ils peuvent se permettre d'ouvrir et de faire entrer les autres.

François et Jeannette, par exemple, n'ont pas mis au point les dispositions de la camaraderie ouverte du jour au lendemain. Tous deux étaient divorcés. Tous deux avaient de grands enfants de leurs précédents mariages, et ils ont maintenant un autre enfant. Comme le dit Jeannette : « Nous avons tous les deux, après nos divorces, vécu agréablement en célibataires, et, en somme, nous savions ce que nous cherchions, mais nous avons pris le temps de nous connaître assez avant de tenter la chance. » Et Frank ajouta : « Nous n'avons pas établi de conventions formelles sur notre « camaraderie ouverte » à l'extérieur de notre mariage, en fait pendant les deux ou trois premières années de notre mariage nous ne pensions qu'à régler les problèmes de nos divorces, mais plus tard, une fois le train-train établi, quand nous eûmes une maison, et trouvé pour ainsi dire une vitesse de croisière, nous en avons parlé, et voilà ! »

Un autre couple, qui vivait en mariage ouvert depuis plusieurs années, indiqua certaines conditions comme essentielles pour tirer de la camaraderie ouverte tous ses avantages. La première condition était, selon eux, l'établissement de priorités. La priorité des priorités était donnée évidemment à la relation conjugale, à la fois en termes de considération et en termes d'emploi du temps. Dévouement, sollicitude, respect pour le conjoint absent étaient fondamentaux quand l'un ou l'autre passait son temps avec un tiers. Comme le disait Samuel, le mari : « Après tout, il n'y a que vingt-quatre heures dans un jour et, de ces vingt-quatre heures, il n'y a que telle ou telle quantité de temps libre. La plus grande partie de la journée se passe à travailler, à vivre avec Jane, à nous livrer à des activités communes, à nous occuper de notre famille et à assumer nos responsabilités réciproques. Notre première responsabilité nous concerne nous-mêmes, et nous prenons grand soin que nos rapports subsidiaires et complémentaires ne nous privent pas de ce temps-là. Seul le temps libre est consacré aux rapports extraconjugaux. »

Une seconde condition qu'ils trouvaient essentielle était

que la tierce personne avec laquelle ils avaient une relation (du même sexe ou de l'autre) soit au courant de leur relation principale. En d'autres termes, l'ouverture et la franchise qui régnaient dans leur mariage étaient étendues à tous leurs compagnons extérieurs. Jane fit sur ce point un commentaire très pertinent : « Vraiment c'est ridicule ! Penser qu'un homme ne peut me croire quand je lui dis : « Oui, je suis libre de sortir avec vous, mon mari est au courant, il me laisse libre, il a confiance en moi. » Mais alors, si l'homme réagit ainsi, il est clair qu'il n'a rien de l'homme libre et ouvert que je désire pour ami, et la question se trouve réglée immédiatement. »

Une troisième considération était qu'il fallait se soucier du bien-être des tiers, être sûr qu'ils s'en trouvaient aussi bien, sinon mieux, qu'avant. « Cela demande, comme le dit Samuel, que vous vous intéressiez à ceux avec qui vous êtes en relation, que vous les respectiez. »

A cette condition s'en ajoute une quatrième : ils cherchaient des gens qui fussent eux-mêmes stables et indépendants. Cette condition, expliquait Sammuel, signifiait qu'ils évitaient soigneusement de nouer des relations avec des personnes mal mariées par exemple. « Bien sûr, nous pourrions les aider ou les conseiller, mais il serait impossible, et de plus nuisible à leur bien-être, de laisser se développer une relation étroite avec eux, car alors ils risqueraient de dépendre trop étroitement de notre aide, de trouver en nous un succédané de leur relation principale, ou encore un baume pour la plaie que leur mariage leur inflige. En d'autres termes, pour nouer une amitié, nous essayons de trouver des pairs, des gens qui vivent à notre niveau de maturité affective. Nous avons trouvé que, de la sorte, nous exercions les responsabilités que nous pensions avoir à l'égard des autres, et c'est essentiel pour nous-mêmes. Le plus drôle, c'est qu'au début nous voulions des amitiés séparées.

— Je n'aimais pas certains amis de Jane, ajoute Samuel, et elle n'aimait pas certains des miens. Mais, maintenant, nous trouvons qu'en général nous finissons par être tous amis ; comme ça les avantages de notre camaraderie ouverte ne sont pas doubles, mais quadruples. »

Les relations de Jane et de Samuel traduisent l'expansion rendue possible par la camaraderie ouverte. Avec cette liberté et cette confiance, ils peuvent élargir le réseau de leurs amis mutuels, tout en ayant leurs amis personnels.

Ainsi la camaraderie ouverte doit être un *complément* de votre relation fondamentale avec votre conjoint. Ce ne doit pas être une façon d'échapper à cette relation primordiale ou de la remplacer. Si la relation est nouvelle, les partenaires, très vraisemblablement, ne se connaissent pas encore assez bien pour avoir besoin ou pour être capables de bénéficier de camaraderies extérieures. Si la relation est fragile, comme dans un mariage qui va mal, la camaraderie ouverte constituerait, naturellement, un grand risque, pour la simple raison qu'une relation extérieure pourrait, non seulement sembler mais peut réellement être, plus excitante que la relation matrimoniale.

Dans les deux cas précédents, il est important d'établir pleinement votre relation avec votre conjoint avant d'essayer les relations externes de quelque profondeur. Si votre mariage tourne à l'échec, et que vous désiriez le sauver, appliquez d'abord les autres directives du mariage ouvert, en mettant en pratique celles qui vous paraissent les plus faciles à manier, pour commencer. Petit à petit, si les deux partenaires coopèrent dans l'effort, ils doivent être capables de consolider leur relation principale, et alors en avant pour la camaraderie ouverte. La même chose s'applique à une relation nouvelle. Si, comme le font de plus en plus les jeunes couples aujourd'hui, vous commencez par établir des conventions contractuelles pour vous laisser la liberté réciproque d'avoir des rapports extérieurs, vous devez pourtant donner à la relation principale, celle qui vous lie à votre conjoint, la priorité, sur le plan de confiance et sur celui de l'emploi du temps, afin de développer cette intimité qui est au cœur du mariage ouvert. Comme le pensaient les deux couples cités dans ce chapitre, la camaraderie ouverte ne présente ni risques ni menaces si l'ouverture véritable a été d'abord établie entre les conjoints eux-mêmes. Quand la relation principale est ouverte, elle a une force à laquelle viennent ajouter les relations externes, plutôt qu'elles ne s'y opposent.

C'est parce que François et Jeannette, par exemple, communiquent franchement, ouvertement, et poursuivent un dialogue véritable qu'ils ont tant à faire ensemble, en pleine communion, et assurés qu'aucune relation extérieure ne peut menacer leur union. La valeur et l'intensité de leur relation principale sont si fortes que les attachements extérieurs ne peuvent leur porter atteinte. Même la *somme* des relations secondaires ou externes n'a aucune chance d'être assez importante pour ôter quelque chose à leur relation principale, car elle se développe à un rythme tellement plus rapide qu'elles, qu'en termes de croissance, ils ne peuvent la rattraper.

Quelques avantages supplémentaires

L'avantage principal de la camaderie ouverte est assurément la stimulation qu'elle apporte à l'épanouissement des conjoints, épanouissement qui est essentiel, selon beaucoup de psychologues, pour la stabilité à long terme d'une relation intime. François résume admirablement : « Si Jeannette sort un soir, je désire qu'elle passe un bon moment, qu'elle ne s'ennuie pas. Elle partage avec moi ce qu'elle en a tiré et j'enrichis ma vie du même coup. Si je fais quelque chose d'intéressant, je l'en fais profiter. Plus riche est sa vie, plus riche est la mienne. »

Mais il y a aussi d'autres avantages secondaires. Par exemple, quand on a des relations extérieures enrichissantes et valables, il ne faut pas que l'autre devienne le dépotoir de vos problèmes. Nous avons tous tendance à nous décharger de nos problèmes sur le dos de nos proches. Quelquefois nous le faisons sans ambages, en exposant la question ; d'autres fois, particulièrement dans le ménage clos, nous le faisons de manière détournée, en étant désagréable ou morose sans dire réellement ce qui nous tracasse. Dans les deux cas, nous prenons sur les réserves d'énergie de notre conjoint, soit en faisant appel à sa sympathie, soit en nous débarrassant de nos frustrations sur lui. Quand les partenaires sont contraints par les liens de l'exclusivité, les exigences de cette sorte tendent à grandir et à s'intensifier. De plus, l'ennui qui, souvent, accompagne l'exclusivité forcée est atténué par la camaraderie ouverte, et les gens ont moins de sujets de se plaindre. Ils sont trop occupés à répondre à des stimulations nouvelles, trop absorbés par leur propre croissance pour nourrir les petits griefs qui s'accumulent dans le lien étroit du mariage clos.

Et quand nous avons des problèmes, de nouvelles façons

de les considérer, de nouvelles solutions seront trouvées si l'on en fait part à d'autres qu'au conjoint. Un autre point de vue, venant d'un ami affectueux, peut n'avoir pas moins d'utilité qu'une visite au psychologue, au conseiller matrimonial ou au « groupe de rencontre ». Dans le mariage clos, le front du couple n'admet pas de tels rapports, et l'avis d'un professionnel reste le seul recours. Les bénéfices thérapeutiques de la camaraderie multiple ont été reconnus sous forme de propositions en vue de constituer des réseaux intimes de couples et de familles qui puissent mettre leurs problèmes en commun, ouvertement, et s'apporter une aide réciproque.

Un autre avantage de la camaraderie est une meilleure compréhension du sexe opposé et, ainsi, de nos conjoints. A l'intérieur du mariage clos, la femme ne peut avoir que des amies, et l'homme que des amis. Ces limitations perpétuent la séparation des sexes, accentue nos différences sexuelles, et nous empêchent de nous comprendre les uns les autres plus complètement, en tant qu'individus membres de la même humanité. Suzanne, qui ne partage rien qu'avec des femmes, s'éloigne de plus en plus de son mari, au lieu de s'en rapprocher, s'enfonce de plus en plus dans la féminité. Jean, qui n'a rien en commun qu'avec des hommes, accentue les aspects de sa nature qu'il partage avec des hommes seulement. Chacun se retranche de plus en plus dans son camp, masculin ou féminin. Ainsi nous limitons-nous nous-mêmes, dans le mariage clos, non seulement à une seule personne qui doit satisfaire à tous nos besoins affectifs ou autres, mais à une personne qui, avec le temps, devient de plus en plus limitée, sous l'effet de ces restrictions mêmes. La camaraderie ouverte brise ces barrières et, nous permettant les relations intersexuelles, accroît notre capacité de communiquer avec nos propres conjoints.

Généalogie de l'amitié

En fin de compte, il y a dans la vie un sens très simple de la joie, qui vient des possibilités inhérentes à la camaraderie ouverte. Vous pouvez vous démontrer graphiquement l'importance des amis dans votre vie en dessinant une généalogie de l'amitié, une sorte d'arbre généalogique des amis que vous avez eus au long de votre existence. Prenez quelqu'un qui ait eu pour vous de l'importance, et qui ait eu une influence sur votre vie. Demandez-vous comment vous l'avez rencontré (e). Remontez aussi loin que vous pouvez dans la formation de cette relation qui vous a fait connaître un moment décisif. Si vous essayez de faire tenir la généalogie de l'amitié sur une feuille de papier, vous découvrirez l'impossibilité de l'entreprise, car les connexions sont en nombre infini, et l'importance des relations, même dues au hasard, est d'une évidence frappante. Très probablement vous trouverez aussi que l'incidence des amitiés décroît brusquement avec le mariage, qu'en acquérant un conjoint vous avez fermé la porte aux relations nouvelles, et ainsi aux expériences nouvelles que les autres nous amènent à partager. Prenez le temps de réfléchir à la somme de plaisirs, d'intérêts, d'enrichissements que vous vous êtes refusés en fermant la porte à ces amitiés, en opposant le « front-du-couple » à tout venant. Ce sera une réflexion salutaire.

Elargissement des horizons

La vie moderne est si remuante que les occasions de rencontres des gens nouveaux sont nombreuses. Pourquoi faudrait-il les ignorer, et nous claquemurer en nous rappelant que nous sommes mariés, que nous « appartenons » à quelqu'un d'autre ? Un mari que nous avons interrogé exprime sa joie d'échapper à ces interdictions : « Notre mariage ouvert, si c'est ainsi que vous le nommez, a signifié une forme de vie tout à fait nouvelle, une espèce tout à fait nouvelle de liberté, intérieure et extérieure, pour tous deux. Quel plaisir de marcher dans la rue, de se trouver n'importe où, en sachant que si on rencontre quelqu'un, homme ou femme, qu'on veuille connaître, on le peut sans ressentir de culpabilité ; on peut prendre un verre, profiter naïvement du moment qui passe ; pas de souci à se faire pour expliquer la chose, une fois rentré à la maison. Si avec Gaby nous n'avons pas de projets particuliers, je lui donne un coup de fil, je lui dis que j'ai rencontré quelqu'un d'intéressant, et elle comprend. Nous sommes dévoués l'un à l'autre — mais cela ne signifie pas que nous nous possédions l'un l'autre. Elle a ses amis, elle aussi, et la même liberté. Autre chose que j'ai découvert : quand vous savez que vous pouvez nouer ouvertement de nouvelles amitiés, sans avoir à mentir et à tromper, vous devenez bien plus difficile sur le choix des gens à fréquenter dans vos moments de liberté. Non seulement vous avez plus d'amis, mais de meilleurs amis. »

Un autre mari nous a dit : « Cette forme de mariage nous a ouvert des horizons, à ma femme et à moi — oh ! ce n'est pas tellement les nouveaux amis que nous pouvons nous faire, c'est surtout l'impression qu'on ressent. C'est comme un nouveau désir de vivre, car je ne sens plus de limites, plus d'interdits qui m'empêchent d'être moi-même, de communiquer, de sentir et de répondre sans avoir à serrer la bride ou à me mettre des œillères. Votre spontanéité est *toujours* présente, elle peut s'épancher, vous n'avez pas à vous tracasser sur la direction qu'elle va prendre, ni sur la quantité qui s'en est gaspillée, sur ce qu'il faut dire et ce qu'il ne faut pas dire, ce que vous devez faire et ne pas faire. Je pense que vous pouvez être vraiment vous-même, être vraiment un homme, après tout, n'est-ce pas cela ? Ce n'est quand même pas normal, pourquoi ne peut-on pas être tout simplement soi-même ? Et quand vous voyez quelque chose que vous aimez — ou quelqu'un — eh bien, qu'on le sache ! C'est ce qui fait la beauté et la valeur de la vie. »

Il y a un dicton espagnol : « La vida es corta, pero ancha », qui signifie : « Bien que la vie soit trop courte, elle peut être vaste. » La clause d'exclusivité du mariage clos, le besoin de maintenir le « front-du-couple », rendent la vie courte, et de plus, étroite. La triste exiguïté où étouffent tant de couples n'est pas nécessaire. En construisant un mariage ouvert, en créant entre vous une relation fondée sur l'égalité et la confiance, vous pouvez forger un lien qui permette, et même favorise, l'ouverture à d'autres relations, qui à leur tour vous aideront à développer votre relation principale. De cette façon, bien que la vie soit courte, vous y trouverez un champ d'expérience toujours plus vaste.

CHAPITRE XIII

LIGNE DIRECTRICE VI :
L'EGALITE

Différents, mais égaux

La bataille pour l'égalité des droits des hommes et des femmes, aussi bien dans le mariage qu'en dehors de lui, est au centre de la scène contemporaine. C'est une bataille, car il y en a qui refusent cette égalité, consciemment ou inconsciemment. Ceux qui plaident contre elle élèvent souvent une objection : c'est que l'unicité des individus rend impossible l'égalité biologique et psychologique entre deux êtres humains différents. Cette affirmation est, bien sûr, parfaitement exacte, mais ce n'est pas une objection valable à la recherche de l'égalité, car elle méconnaît la nature et le sens de l'enjeu. Le principe fondamental du mariage ouvert est l'idée que, dans la rédaction de votre contrat particulier, soient prises en considération les différences individuelles entre les partenaires conjugaux, ainsi que l'unicité de chaque conjoint, au lieu de les soumettre à l'ancien contrat clos, qui contraint les couples à l'identité. L'égalité du mariage ouvert ne signifie ni l'identité ni la similitude. Elle tient pleinement compte du fait que personne ne peut être absolument égal à un autre, sous le rapport des aptitudes, des capacités, des talents, des besoins ou des désirs.

Mais si les époux ne doivent pas être considérés comme des égaux au sens de la similitude ou de l'identité, que signifie alors l'égalité du mariage ouvert ? Elle renvoie tout simplement à l'égalité des personnes en tant que personnes, mari et femme, l'égalité dans la responsabilité individuelle, et l'égalité dans la considération, l'intérêt, les égards réciproques, ce qui constitue du même coup la description d'un amour parvenu à maturité. « Personne » signifie aussi pour nous intégrité et même intégralité du moi. Cette égalité des personnes signifie que chaque partenaire a droit à sa propre individualité, aux différences qui font de lui un être unique. L'égalité dans la responsabilité individuelle signifie que tous deux ont un droit égal à poursuivre leurs buts, à satisfaire les besoins et désirs personnels qui conditionnent réussite et développement. Et l'égalité dans les égards signifie que tous deux s'efforceront de garantir à l'autre la liberté et le respect nécessaires à la recherche de la plénitude.

En s'accordant l'un à l'autre cette égalité, mari et femme peuvent devenir des pairs. Ils n'ont pas de crainte au sujet de leur statut relatif dans le mariage. Ayant appris à se débarrasser des prescriptions inégales du mariage clos, ils peuvent donner libre cours à leur amour ; ils peuvent se comporter comme des personnes à part entière plutôt que comme des incarnations du « mari » et de la « femme ». La création de l'égalité, dans le mariage ouvert, est alors la création d'une forme de sensibilité entre les partenaires plutôt que l'établissement de règles spécifiques qui ne peuvent servir qu'à imposer de force une apparence artificielle d'identité à deux êtres uniques.

Ce chapitre est donc consacré à une discussion sur les moyens qui permettent de créer ce sentiment d'égalité grâce auquel le mari et la femme deviennent véritablement des pairs.

Fifty-fifty : fausse équation

Bien des couples, qui recherchent l'égalité dans le mariage, ont admis à tort qu'une identification conçue artificiellement arrangerait leurs affaires.

« Parfait, parfait ! dit le mari, qui cède de mauvaise grâce, désormais nous sommes égaux.

— Absolument, répond sa femme, le mariage c'est fifty-fifty, moitié pour toi, moitié pour moi. »

Parce que l'équation matrimoniale était déséquilibrée autrefois, que l'essentiel de l'autorité, des droits et des ressources appartenaient au mari, les époux sont amenés à penser qu'ils peuvent à présent équilibrer l'équation en réalisant l'égalité sur une base impérative. Mais ce n'est pas là une mise en commun le moins du monde, ce n'est qu'un marchandage. Même les extrémistes des mouvements de libération de la femme, qui proposent que les maris paient un salaire à leur femme pour tenir la maison, jouent inconsciemment le jeu du mercantilisme. Ces partisans du fifty-fifty pensent qu'en divisant par moitié leurs possessions, droits et devoirs, ils pourront corriger l'ancien déséquilibre. Mais tout cet embarras se ramène à compter les points, et à les répartir en s'assurant que les jeux sont égaux. Comme le note Virginia Satir, conseillère familiale, « le contrat de mariage courant en Occident provient de l'économie bourgeoise, qui met l'accent sur la propriété. Fréquemment celle-ci se transforme en devoirs, en structures affectives, jusqu'à constituer parfois un véritable chantage moral. La joie perd de sa qualité quand on joue à marquer des points. »

Dans ces conditions, la spontanéité et l'enthousiasme du mariage sont sacrifiés à la règle du jeu. Les époux sont amenés à dire : « J'en ai autant que toi, et tu ne peux en avoir plus que moi. » Ou, quand l'un des deux a fait quelque chose qui lui donne quelques points d'avance : « Tout ce que tu peux avoir, je peux l'avoir aussi ! » Ce type de relation est fondé sur le principe « œil pour œil ». La femme crie au mari : « Si tu peux avoir une aventure, moi aussi. Attends un peu, et nous verrons ce qui arrivera quand j'irai à Courchevel en janvier ! » Si elle donne suite à son intention, dans un esprit de revanche, non seulement elle et son mari, mais aussi le troisième larron pourront en souffrir. Tel est le tarif du talion : on se renvoie sans fin les coups, et tous ceux qui passent à portée sont touchés.

Équilibrer l'équation dans l'esprit de la revanche, cela ne se limite pas au cas d'infractions sérieuses, comme les infidélités. Cette technique est utilisée aussi à l'occasion de petites querelles domestiques. Un des couples interrogés avait depuis peu déménagé de la ville pour la banlieue. « J'ai toujours aimé les chats, nous dit Gilles, le mari, mais Mary ne les aimait pas, et nous avons vécu dans des appartements, sans toutou ni minet, conformément à une décision prise depuis longtemps. Eh bien, figurez-vous qu'à peine emménagés, Mary s'en va acheter un chien. » Gilles fut révolté par cet acte, immédiatement il rapporta un chat. Chien et chat se battirent, le bébé lui-même fut griffé et Mary bouda pendant des jours.

Cette méthode d'équilibrage de l'équation matrimoniale pourrait être nommée l'égalité des coups, or tout ce qu'elle arrive à faire est de vérifier que tous deux sont également malheureux. L'égalité des coups a ses racines profondes, assurément, dans le vieux ménage patriarcal, avec son inégalité foncière. L'autorité de l'homme décroissant graduellement au cours de la première moitié de ce siècle, le mariage est devenu de plus en plus une bataille pour le pouvoir, la femme s'efforçant d'améliorer son statut, tandis que l'homme tentait de garder ses privilèges. Chacun nécessairement engage la bataille avec toutes les armes utilisables. Par une ironie du sort, souvent ces armes sont le produit de ces mêmes rôles contraignants qui ont provoqué en premier lieu l'inégalité des statuts matrimoniaux. Ainsi la femme se sert des larmes tandis que le mari tape du poing sur la table. Il lui refuse l'argent, elle lui refuse son corps. Le mariage devient un champ de bataille, et les deux partis sont engagés dans une guerre où ni l'un ni l'autre ne peut obtenir la victoire ; car celui qui gagne au jeu du pouvoir perd inévitablement le respect et l'amour de l'autre.

Bien des conseillers matrimoniaux recommandent le partage fifty-fifty comme le meilleur moyen de conclure une trêve, dans cette guerre entre époux. En tant que partie prenante, chacun des partenaires se doit de rencontrer l'autre à mi-chemin, en cédant une partie de ce qu'il veut pour obtenir l'autre partie. A première vue, cela semble un procédé civilisé, réaliste. Mais, en fait, il est destructeur et fallacieux. Le système du fifty-fifty ne s'attaque pas au cœur des problèmes du statut inégal, il essaie seulement d'en détourner les conséquences. Les deux intéressés sont censés aboutir à un *compromis*, le mot-clef des manuels matrimoniaux, et parvenir à ce compromis par un marchandage. Voyons de plus près ce qu'il en est.

Tout d'abord pour réaliser ce marchandage, il faut vous préparer à abandonner ceci ou cela. Notez ce mot : abandonner. Abandonner. Non donner, mais abandonner. Il y a une différence très nette et très importante entre donner et abandonner. Le mariage clos réclame constamment à l'un ou à l'autre d'abandonner quelque chose. La femme peut être mise en demeure d'abandonner sa carrière, le mari certains de ses amis d'hier. Le mari abandonnera le ski si la femme abandonne l'équitation. Le processus de réduction des individus (chapitre de la camaraderie ouverte) exerce ici ses premiers ravages. Et le résultat final est que la femme accepte d'abandonner sa qualité de personne, d'individu en expansion, si le mari en fait autant. Ce n'est pas là sans doute la façon dont eux-mêmes voient les choses, mais c'est bien ce qui se produit... Ils ont marchandé pour trouver l'ennui et la stagnation.

Nous appelons cette espèce de relation *équation réductrice*. Elle ne vaut pas mieux que l'égalité des coups, elle n'apporte rien que de négatif. Egaux, peut-être, mais égaux comme des prisonniers dans un cachot qu'ils auraient construit eux-mêmes. Ils se trouvent en vérité (pour prendre en un autre sens le mot compromis) dans une situation bien compromise. Leurs individualités, censées être au premier chef la cause de leur amour, ont été compromises au point d'être anéanties.

Il ne saurait y avoir d'égalité, en un sens positif, entre des êtres qui ne seraient pas des personnes ou qui ne seraient que des demi-personnes. Et si vous essayez de mettre au point une relation de marchandage fifty-fifty, vous trouverez inévitablement que vous êtes de moins en moins la personne que vous étiez avant votre mariage. Malheureusement l'idée du compromis mercantile a la vie dure. Elle est née au début de l'ère du *tous-les-deux,* il y a vingt ans. Tout récemment encore, en 1968, un nouveau manuel du mariage contenait le jugement suivant : « Nous affirmons avec vigueur, sans équivoque, que le marchandage est une part essentielle du mariage viable. » Il serait grand temps de laisser de côté ces encouragements à l'auto-réduction.

L'égalité à cent pour cent

Issu des mariages bourgeois du siècle dernier, le mariage clos contemporain a ses racines dans l'inégalité. Les tentatives d'y introduire l'égalité par le partage égal du type fifty-fifty aboutit fatalement à l'égalité des coups ou à l'équation réductrice. On ne peut réaliser l'égalité dans le mariage clos ; les clauses restrictives rendent la chose impossible. Le mariage ouvert, au contraire, est enraciné dans l'égalité. Pas de mariage ouvert sans égalité. Et parce que le mariage ouvert, sur tous les plans stimule l'individualité et le développement des deux partenaires, il a pour conséquence l'établissement d'une relation entre deux personnes complètes et non deux demi-personnes.

Les époux qui doivent abandonner cinquante pour cent d'eux-mêmes dans la relation matrimoniale ne sauraient parvenir à un parfaite égalité ; mais les époux qui sont des personnes à part entière, qui gardent cent pour cent de leur personnalité, de leur individualité, ont la certitude intrinsèque de se garantir, l'un à l'autre, « ouvertement », les libertés qu'ils auraient dû marchander en tant que demi-personnes dans un mariage clos. Au lieu de préserver leur relation par l'abandon de tel ou tel droit, comme l'exige la transaction fifty-fifty, les partenaires du mariage ouvert se donnent librement l'un à l'autre les libertés qui contribuent à une relation en expansion constante.

Dans un mariage clos, Richard doit abandonner son match de foot télévisé du dimanche pour obtenir de Geneviève la permission de faire une partie de golf le samedi ; et Geneviève doit abandonner son bridge du mardi soir pour convaincre Richard de la laisser travailler deux jours par semaine à la bibliothèque municipale. Tous deux, en acceptant ces compromis, abandonnent une part de leur personnalité, se refusant à eux-mêmes, non seulement un plaisir, mais la possibilité de se développer. La raison qui les pousse à s'imposer ces abandons, match ou bridge, c'est, je le veux bien, qu'aucun des deux ne reste seul à la maison sans rien faire. Mais le temps supplémentaire qu'ils passent ensemble, grâce à cette négation réciproque de leurs désirs naturels, se perd en discussions sur ce qu'ils se sont déjà sacrifié, et même à réclamer de nouveaux compromis. Dans le mariage ouvert, chacun offre à l'autre l'occasion et la liberté de rechercher les plaisirs qu'ils désirent et le temps qu'ils consacrent à leur foyer est fructueusement et heureusement passé à s'intéresser réciproquement à leurs activités personnelles.

L'égalité est donc fondée sur la personne, sur le sens de l'individu, qui ne trouve son développement que lorsque les deux époux se garantissent le respect de leur vie privée, la camaraderie ouverte et la liberté à l'égard de rôles imposés. Encore une fois il nous faut souligner que les directives du mariage ouvert sont tissées comme un canevas. Cela veut dire évidemment que la réalisation du mariage ouvert est un processus graduel. C'est un processus constamment payant, car l'interdépendance des directives signifie qu'un progrès accompli dans un domaine conduit inévitablement à un pas en avant dans un autre domaine. Comme le sentiment d'individualité se renforce en chacun d'eux, ils trouveront par conséquent plus aisé de reconnaître l'égalité de l'autre.

Personne, et non personnage

Dans un mariage fondé sur le contrat clos, le statut est prédéterminé : l'homme domine, la femme se soumet. Comme nous l'avons vu dans le chapitre sur la plasticité des rôles, un statut plus élevé est attribué au rôle du mari, simplement parce qu'il porte le fardeau financier le plus lourd et travaille au-dehors, tandis que le statut de la femme est inférieur parce que le travail ménager n'est pas considéré comme un travail effectif dans notre civilisation. En revanche, la « consistance » est quelque chose qui se crée de l'intérieur entre les partenaires du mariage ouvert.

La « consistance » naît de deux façons. On peut réaliser sa propre consistance en prenant toutes les responsabilités dans le développement de son propre moi, en devenant une personne au lieu de rester un acteur qui joue un rôle. Si vous croyez à la consistance de votre personnalité, alors peu importe comment les autres vous traitent. Si vous vous pliez aux exigences d'un rôle, vous déclinez vos responsabilités envers vous-même, vous cessez de croire en vous ; vous dites : « Je serai ce que le rôle annonce que je suis. » Et si vous n'acceptez pas votre responsabilité envers vous-même en tant que personne, vous ne sauriez vraiment vous attendre à ce que les autres vous traitent comme une individualité et non comme une incarnation de votre rôle. Ainsi respect de soi-même et consistance personnelle vont de pair.

Cette consistance peut aussi être mutuellement garantie par les conjoints. L'impression que, sous l'influence de l'autre, chacun se fait à soi-même est d'une importance décisive. Après tout, on peut avoir un statut, mais être inconsistant aux yeux de son conjoint. Comme le disait un mari : « Je suis peut-être son mari, son soutien, celui qui apporte l'argent, le grand type magnanime, mais je ne compte pas beaucoup à ses yeux si elle ne me respecte pas. » Vous ne pouvez exiger que votre conjoint vous garantisse votre consistance ; c'est quelque chose qui fait l'objet d'un don. Mais il y a fort peu de chances que ce don vous soit accordé si vous ne croyez pas le posséder déjà et ne vous comportez pas en conséquence.

Ainsi l'égalité est une attitude, un état d'esprit, une compréhension entre mari et femme, entre deux pairs d'égale consistance. Mise en phrases, cette compréhension se traduirait à peu près ainsi : « Je vais te considérer, te traiter, me comporter avec toi en égal. Quand tu te plaindras de quelque chose, je ne te traiterai pas en enfant, non, je te donnerai mon attention, je t'écouterai, je te répondrai, je te donnerai des droits égaux — les mêmes privilèges, un accès égal à mon temps et à mes sentiments —, je te donnerai ce que j'attends que tu me donnes quand la situation s'inversera et que j'aurai ces mêmes besoins. Quand tu seras heureuse, joyeuse et voudras exprimer ton contentement, je le partagerai avec autant d'enthousiasme que tu partageras mes joies personnelles. J'écouterai tes opinions et l'annonce de tes décisions comme j'espère que tu écouteras les miennes. Sans être nécessairement d'accord, je respecterai tes opinions comme toi les miennes. Peut-être essaierai-je de t'influencer, mais jamais je ne t'obligerai, ni ne prendrai tes opinions ou tes sentiments pour acquis. Si nous partageons le fardeau, nous le faisons par choix et non par marchandage. Nous le faisons parce que nos buts sont communs. Si nous nous apprêtons à partir en week-end, je ferai la vaisselle du petit déjeuner pour que tu puisses faire la valise (et non : je ferai la vaisselle *si* tu fais la valise), de manière que nous puissions partir ensemble plus tôt. Il y a une joie commune à faire un égal effort pour réaliser quelque chose qui soit positif à la fois pour chacun de nous et pour l'unité que nous formons. Pourtant, quand nous suivrons des chemins séparés comme nous le ferons quelquefois, chacun de nous garantira à l'autre la liberté de soustraire ce temps, dans la mesure où il nous est individuellement nécessaire, sans avoir le sentiment d'être menacé. Nous ne marchanderons pas sur le strict équilibrage de nos « temps séparés » (« Il faut que je sorte mardi parce que tu es sorti samedi »), car ce n'est pas le temps qui doit être égal, mais la liberté de l'utiliser. Sans besoin de marchandage, chacun de nous peut prendre ses propres décisions, et qu'il s'agisse d'une action conjointe ou séparée, la décision sera prise dans la considération, l'intérêt et l'amour réciproques. »

Dans ces conditions, l'égalité de consistance est à la fois garantie et méritée. Vous devez vous la garantir à vous-même, et vous devez la mériter. Votre conjoint doit vous la garantir, et vous devez lui garantir une égale consistance. Tout ce livre, toutes les directives ont pour but de vous aider à découvrir la valeur de la consistance, entre deux individus unis par le mariage ouvert. Appréciation mutuelle de la valeur réciproque : voilà ce que devient l'essence abstraite de l'égalité, pour un couple marié. Mais bien que ce soit un concept abstrait, chaque application d'une directive à votre situation particulière réalise une partie de cette abstraction. Consistance égale, c'est une idée et un idéal, mais c'est aussi une façon de vivre.

La place d'une femme

Un problème particulier se pose aux personnes quant à l'application de cette directive VI. Le contrat de mariage clos, comme nous l'avons déjà noté, spécifie que la place de la femme est au foyer. Son horizon est fatalement limité par sa relégation dans les devoirs domestiques, et il n'est qu'à moitié surprenant que, souvent, elle ne parvienne pas à se maintenir au niveau de son mari, qui, par la force des choses, la dépasse. Elle n'est qu'une épouse, et lui, plus qu'un mari, avec ce rôle complémentaire à l'extérieur, qui, généralement, le galvanise et lui propose bien plus d'occasions de grandir que sa femme n'en peut rencontrer. Tant qu'elle acceptera ce déséquilibre, ses chances de se rendre l'égale de son mari resteront infimes. Non seulement son statut est inférieur, mais son développement personnel prend obligatoirement du retard sur celui du mari.

Il y a des femmes, assurément, qui se contentent parfaitement de ce rôle domestique, qui préfèrent être protégées, et pouvoir se consacrer exclusivement à s'occuper des autres. Et il y a des maris qui sont pleinement satisfaits de telles femmes, qui ne se soucient pas le moins du monde du « retard de croissance » de leurs femmes — en fait, ils se sentiraient peut-être menacés si leurs femmes « croissaient ».

Nous doutons que ces hommes et ces femmes-là, qui aiment réellement le vieux système du mariage clos, aient lu ce livre jusqu'ici, en admettant qu'ils aient commencé à le lire. Si vous êtes allé jusqu'ici et que vous soyez une de ces femmes qui prétendent se contenter d'un rôle domestique, ou de ces maris qui prétendent se contenter de cette sorte de femmes, nous pensons qu'il faut y voir un signe : vous savez, ou vous soupçonnez, que votre mariage n'est pas aussi satisfaisant qu'il pourrait l'être, quoi que vous prétendiez. Ainsi nous n'hésitons pas à avancer qu'aucune femme dans le monde d'aujourd'hui ne peut espérer croître au même rythme que son mari, à moins qu'elle n'exerce quelque activité, autre que le travail du ménage, qui lui impose des exigences analogues et lui offre autant d'occasions qu'à lui de développer sa personnalité.

Certaines femmes, peut-être, voient dans le travail ménager une profession. Mais personne d'autre ne les suivra, à cause du statut différent dont nous avons déjà parlé. De plus, même les exigences que le travail ménager imposent à une femme (d'ailleurs, elles diminuent avec chaque appareil ménager) ne durent que le temps qu'il faut pour élever les enfants. La longévité actuelle permet à la femme de vivre encore trente longues années avec son mari après le départ des enfants. Au bout de combien de temps, si votre seul triomphe réside dans la confection de nouveaux rideaux, deviendrez-vous fastidieuse ? Au bout de très peu de temps, c'est ce qu'atteste le redressement de la courbe du divorce après trente ans. En fin de compte, la relégation de la femme dans un rôle ultra-domestique (terme employé par Philip Slater pour désigner le travail ménager), la programme pour la médiocrité et engourdit son cerveau. Peut-être, la sensibilité ainsi émoussée, est-elle capable de se faire croire à elle-même que le ménage et la maternité suffisent à faire d'elle une compagne excitante, mais elle ne le lui fera pas croire à lui. Triste conclusion peut-être, que pourtant les tribunaux confirment par les divorces qu'ils prononcent.

Elle ne peut pas davantage se maintenir au niveau, en termes de croissance, et mériter l'égalité par l'amateurisme : classe de peinture, conférences, troupe théâtrale, assiduité aux matinées théâtrales, avec la dernière pièce de Neil Simon ou de Harold Pinter. Ce dilettantisme peut comporter ses plaisirs, mais aucune de ces occupations n'exerce une pression suffisante pour que vous vous développiez réellement. Si vous voulez peindre ou vous livrer chez vous à la création, très bien, mais assurez-vous que vous vous y êtes mise assez sérieusement pour que vous ne vous croyiez pas obligée de poser le pinceau toutes les cinq minutes au moindre caprice du mari ou de l'enfant. On peut s'occuper de peinture, s'occuper d'une tâche sociale, mais ce n'est qu'en la prenant sérieusement, en s'y donnant vraiment, et malheureusement aussi, en étant rétribuée, qu'elle sera prise au sérieux par les autres. Là encore, cela peut paraître regrettable, mais dans notre civilisation, c'est ainsi que vont les choses. « A tort ou à raison, dit Edith de Rham dans *La fraude amoureuse*, l'individu admiré est celui dont le talent a été affranchi, a reçu le sceau de l'approbation, du fait que quelqu'un accepte de le payer... » Il y a aujourd'hui une aura de futilité et de condescendance autour du dilettantisme, une impression d'inadaptation quand il s'agit de talent d'amateur, car il ne mérite pas d'être reconnu et n'a pas de place dans le monde moderne. Si vous voulez croître en personnalité, développer vos aptitudes, rester au niveau de la croissance de votre mari, il faut que vous consentiez à accepter de répondre aux mêmes exigences que lui. Un passe-temps ne pourra jamais imposer les mêmes exigences qu'un travail rémunéré. Des passe-temps, quelle que puisse être leur importance, ne remplissent pas non plus notre besoin profond d'être impliqué dans un projet ou une cause qui nous dépassent.

Ainsi, les femmes doivent rechercher une activité intéressante, qui développe leur intelligence, leurs talents et soit productrice, au plein sens du mot, et qui contribue à quelque dessein plus vaste. Il s'ensuit que la maternité doit peut-être être reculée dans le temps. A la naissance d'un enfant, il faut diminuer le temps de travail pendant les premiers mois, ou les premières années de l'enfant, mais ce ne doit être qu'une suspension temporaire de l'activité productive. Etre productif, cela peut vouloir dire avoir un métier, enseigner, reprendre ses études en vue d'un examen, se préparer de quelque autre façon à une profession sérieuse, se plonger dans l'effort créateur, monter soi-même une affaire, ou même faire marcher une boutique en vendant du fil aux femmes encore confinées chez elles. Il y a bien des possibilités, mais il faut en saisir une. Ce mouvement doit être accompli en s'intégrant au monde extérieur, où règne la compétition, où la compétence s'acquiert et se fait apprécier, où la croissance est possible. L'égalité obtenue par un tel mouvement, mari et femme peuvent grandir ensemble, par différents moyens et à des rythmes différents, sans doute, mais grandir, et se rendre ainsi capables de se fournir l'un à l'autre le stimulant perpétuel d'une compagnie intéressante. Ensemble, ils pourront assumer les responsabilités familiales, échangeant parfois les fonctions pour ne pas manquer les occasions de changer de métier et pouvoir prendre de nouveaux risques. Ainsi la croissance est parallèle plutôt que divergente, et l'égalité règne naturellement.

Nous voyons bien que cette mise en commun absolue des responsabilités familiales n'est guère possible, jusqu'à ce qu'un changement majeur dans la société vienne modifier la réalité familiale et éducative, et que toutes les femmes trouvent autant de facilités que les hommes pour l'apprentissage et l'exercice des professions.

Le facteur E.S.E.

L'égalité pour les femmes, dans le mariage ou hors du mariage, est un sujet qui remue les foules, hommes et femmes, pour ou contre. Mais mieux vaut voir les choses en face, car il s'agit ici d'une des conséquences inévitables de l'histoire et même de l'évolution, sur lesquelles, en fin de compte, il n'y a pas à discuter. Jusqu'au jour où trois voies s'ouvrirent aux femmes pour aller vers la liberté, elles n'avaient aucune chance d'égalité, mais du jour où ces voies leur furent ouvertes, il ne fut plus possible de leur refuser une place égale. Tant que la femme était sans instruction, financièrement dépendante, et sujette aux caprices de la nature qui provoquent les naissances au hasard, elle ne pouvait échapper au rôle que la tradition du mariage clos lui avait assigné. Et le mari ne pouvait être soulagé du fardeau reposant sur ses seules épaules : faire vivre sa femme et sa famille. « Pour garder femme à la maison, tiens-la pieds nus et ventre rond », disait la vieille plaisanterie — mais elle reflétait une triste vérité. Quoi qu'ait pu désirer la femme (d'ailleurs personne ne le lui demandait), elle n'avait pas d'autre choix que de rester à la maison. Prise au piège.

Mais la technologie du XXᵉ siècle aboutit à des transformations sociales et donna aux femmes la liberté de faire des études, d'avoir une vie sexuelle et une activité économique. Ces trois composantes, Etudes, Sexe, Economie, forment ce que nous nommons le facteur E.S.E. Et ce facteur est l'élément dominant dans le changement de style des mariages d'aujourd'hui. Les études élargissent l'horizon féminin bien au-delà du lavage des couches et des recettes de cuisine, suscitent la croissance intellectuelle et préparent la femme à une profession. La liberté sexuelle a été conquise par le contrôle absolu des naissances, par une connaissance neuve de la nature de leur sexualité et par un climat de plus grande tolérance, et la liberté économique, qui permet l'indépendance, est rendue possible par l'activité professionnelle. S'il manque l'une de ces composantes, la femme redevient, dans le mariage, une partenaire subsidiaire. Avec les trois, elle est libre de mener une vie bien remplie dans toutes les directions, même si son choix est de ne pas se marier. Et si elle tient à se marier, le facteur E.S.E. ne signifie pas seulement qu'elle *peut égaler* son mari, mais, en un sens plus large, il exige qu'elle l'égale. Avant l'entrée en jeu du facteur E.S.E., la plupart des femmes ne se rendaient pas vraiment compte à quel point elles étaient dépossédées de leurs droits. Elles acceptaient la vieille forme patriarcale du mariage, parce qu'il n'y avait pas d'autre solution. Mais la femme qui accepte ce mariage clos aujourd'hui ne peut s'empêcher de savoir qu'il y a d'autres femmes, autour d'elle, qui refusent ces limites, qui cherchent la croissance et l'épanouissement, au même titre que leurs maris.

Nous avons déjà fait allusion à ce que nous appelons le langage de l'inégalité : les formules employées par les hommes, comme « ma petite femme », « ma femme » et « je vous présente Madame Durand » sont les signes extérieurs de l'inégalité, de la domination du mari, du statut d'objet possédé qui est celui de la femme. Lorsque nous parlons de « mari et femme » (combinaison sanctifiée dans le rite du mariage par la formule : « Je vous proclame maintenant mari et femme »), nous entrons automatiquement dans une terminologie qui reflète la réalité du mariage clos, où le mari garde une identité d'homme, et où la femme a une identité d'épouse. Nous sommes conditionnés par cette inégalité, et cette façon de parler traduit notre pensée profonde : essayez seulement d'imaginer la formule inverse !

Combien de gens parlent d'un couple marié en disant « la femme et son mari ». En quelque sorte, cela sonne faux, n'est-ce pas ?

Mais « cet homme et sa femme » devraient sonner aussi faux. Espérons qu'un jour viendra où cette formule paraîtra aussi bizarre qu'aujourd'hui « la femme et son mari ».

L'égalité véritable entre hommes et femmes ne viendra que peu à peu. En attendant, au cours de la période de transition, les frictions vont forcément augmenter, et les dents grincer des deux côtés. Les femmes, après avoir subi une si longue domination, ont plus de motifs de se plaindre, et tout à fait raison de vouloir que cela change. Mais cette période de changement ne doit pas obliger les femmes à se porter, dans la défense de leur cause, à l'extrême de la rétorsion : la femme qui cherche l'égalité par le mariage ouvert devra prêter l'oreille aux plaintes d'un mari victime de l'injustice. Inévitablement, en période transitoire, il aura souvent lieu de crier : Coup bas !

Quelques récriminations justifiées

Comme nous l'avons montré dans le chapitre sur la plasticité des rôles, les nouvelles libertés des femmes ont créé un déséquilibre dans l'organisation du mariage : les petites filles s'attendent aujourd'hui à devenir des *femmes,* tandis que les petits garçons s'attendent à ce que ces mêmes petites filles deviennent des *épouses.* Quand le garçon devient un homme, il le fait en s'attendant au même rôle que celui qui gouvernait le comportement paternel, mais cela ne peut se réaliser qu'avec l'assentiment des femmes, or celles-ci ont tout à coup cessé de coopérer. Elles ont élaboré tout un nouveau système de rapports attendus, et les hommes se trouvent dans une situation particulière, car il leur faut répondre aux exigences des femmes. Cette confusion des rôles crée ce que le Dr Anne Steinmann, de la fondation Maferr, a dénommé le dilemme masculin et l'impasse féminine. Etant donné les changements apportés par le facteur E.S.E., la femme ne peut reculer, ni même rester stationnaire, mais elle trouve pénible tout pas en avant : une impasse en vérité ! Le dilemne masculin, c'est la question de savoir comment réagir à tous ces changements, comment s'adapter aux nouveaux besoins des femmes, sans perdre le sens de leur masculinité. Les femmes, il faut l'admettre, ne les aident pas autant qu'elles le pourraient à s'adapter.

« Dis-moi, chérie, se plaint un jeune mari, si nous mettons en œuvre ce cahier des charges égalitaires, ne penses-tu pas qu'il est temps de mettre tous les deux nos salaires dans la même caisse, au lieu que tu dépenses le tien en vêtements et le mien pour tout le reste ? » Un jeune célibataire qui aimerait bien se marier se demande s'il est compris dans cette égalité nouvelle. Il dit de sa petite amie : « Je suis tout à fait pour *l'égalité*, mais elle ne s'arrête pas là ! Ainsi, voyez-vous, elle veut tout ce que j'ai : un métier, de l'argent, l'initiative, l'agressivité. Bien. Mais quand ça commence à aller mal, elle retombe dans les vieilles ruses féminines. Si elle ne peut l'emporter dans la discussion par la logique, elle redevient une garce à l'ancienne mode. Elle veut pouvoir me donner un rendez-vous. excellente chose, mais si elle me le donne, il faut que je l'accepte, ou elle en est malade pendant quinze jours ; si c'est moi qui le lui propose, en revanche, elle se sent parfaitement libre de refuser. Elle paie sa place au cinéma, mais elle trouve normal que je paie le dîner, qui constitue la dépense importante. Voilà comment elle montre son indépendance sans dépense excessive. C'est cela qui n'est pas bien. Elle ne peut avoir ce que j'ai et en plus ce qu'elle a toujours eu. »

Il est normal qu'on renâcle dans des cas pareils. Il y a des femmes qui profitent des courants novateurs en revenant à la sécurité de l'ancien rôle, quand c'est avantageux pour elles, et en s'efforçant en même temps de s'arroger les préro-gatives traditionnelles de l'homme. Mais en bien des cas, la femme n'essaie pas vraiment d'en profiter ; c'est seule-ment que les vieux styles de comportement, qui ont modelé génération après génération, sont difficiles à extirper, spé-cialement quand il reste tant d'hommes qui nient le droit de la femme à la pleine égalité. La vraie tragédie dans ces mésententes est que ce ne sont pas les individus (homme ou femme) qu'il faut blâmer, mais les impératifs culturels qui les ont mis dans cette situation.

Jusqu'à ce que des changements majeurs interviennent à la fois dans les attitudes et les planifications sociales en vue de modeler de nouveaux rôles plus souples, à la fois pour les hommes et les femmes, on peut s'attendre à ce que les hommes réagissent mal et résistent aux changements, et que les femmes oscillent d'une structure à l'autre, entre la personnalité pleine et la dépendance. Pendant cette période transitoire, tandis qu'hommes et femmes avancent et reculent sur la balançoire conjugale à la recherche d'un nouvel équilibre, nous croyons qu'une bonne communication entre époux est de la plus haute importance. Le mariage ouvert est entièrement conçu comme une réponse aux tensions imposées aux relations matrimoniales par les changements intervenus dans les normes de comportement au cours des vingt dernières années, et il n'y a pas une seule des directives de notre livre qui ne puisse, à notre avis, aider les maris et les femmes à progresser vers un nouvel équilibre, fondé sur une complète égalité.

Ce qui lie les pairs

Le couple qui parvient à éprouver le sentiment de l'égalité décrit dans ce chapitre devient un couple de partenaires au plein sens du terme : ils travaillent, jouent et grandissent ensemble comme des pairs. Ils ont en commun les responsabilités, les avantages et les privilèges qui accompagnent la maturité personnelle, ils s'aident à réaliser leur être propre tout en se rapprochant par la communauté du don, du partage, de la confiance et de l'amour.

Cette communauté de projets crée un nouveau style de lien, qui dépasse de très loin le simple appariement. Fondés d'abord sur les affinités biologiques et l'intention de créer une famille, les mariages clos sont des appariements typiques qui tiennent par la glu du conformisme, de la convention et des clauses restrictives du contrat traditionnel, qui fait de cette forme de mariage ce qu'on pourrait appeler un esclavage par paires. En revanche, le lien des pairs, comme l'a appelé le Dr James Ramey, spécialiste du comportement, est l'union ouverte d'égaux qui ont liberté d'être eux-mêmes. Comme pairs, ils peuvent être amis ou amants, des gens qui pensent et qui sentent, qui apprécient et qui jouissent. Ils deviennent en fait des personnes avec des perspectives illimitées.

Quand homme et femme sont égaux dans le sentiment qu'ils ont de leur valeur, la force des liens qui les unit ne doit rien aux anciennes clauses, elle vient du dedans. C'est une vraie liaison et non un esclavage, et le paradoxe est que sa force de cohésion vient de la liberté d'être lui-même, laissée à chaque partenaire.

Catherine et Marc sont un jeune couple, dont le mariage implique cette sorte de rapports entre pairs. Ecoutez comment ils décrivent ce qu'est pour eux l'égalité.

« Parce que Catherine est mon égale, une personne, une adulte, je peux lui demander son opinion sur tout ce qui est généralement considéré comme prérogatives masculines, décision d'homme, par exemple à propos de mon métier, quels engagements accepter ou refuser. Comme je la respecte, son opinion compte beaucoup pour moi. Elle a une manière de voir différente, peut-être même moins de préjugés. Dans la plupart des cas, nous prenons la décision de concert. Après tout, qu'est-ce qu'une décision d'homme ? Une décision est une décision ! Qu'importe qui la prend ? Pourquoi pas nous deux ? » A l'évidence, Marc et Catherine ont fait table rase des vieux stéréotypes masculin-féminin et se sont mis à prendre les décisions par consensus. Car avec l'égalité vient la congruence. Quand deux partenaires sont congruents — ou égaux en statut et en consistance — il n'est nul besoin entre eux de déférence, et les idées viennent en foule et s'expriment librement. Si quelqu'un est votre supérieur (professionnellement par exemple) vous hésitez à lui faire des suggestions, vous êtes inhibé, vous censurez votre spontanéité. Le supérieur aussi y perd, car il ne peut jamais mettre tout à fait en commun ses pensées et ses expériences avec un inférieur ; il reste dans une large mesure enfermé en lui-même. Avec l'égalité, une plus grande capacité de résoudre les problèmes résulte naturellement d'une discussion fondée sur le respect mutuel plutôt que sur le marchandage. Le but à atteindre ou le problème à résoudre deviennent effort commun plutôt que conflit.

Marc et Catherine travaillent tous deux. Lui est photographe et elle propriétaire-exploitante d'un magasin d'objets exotiques. Ils ont une vie extrêmement trépidante, absorbante, laborieuse, et ils sont souvent séparés quand il a affaire hors de la ville ou quand elle part pour une tournée d'achats à l'étranger. Tous deux parlent de la nature dynamique de cette façon de vivre ensemble. Marc dit : « Je pense que le vrai profit d'une relation égale, c'est qu'une porte est ouverte sur une vie bien plus riche, bien plus pleine, bien plus créatrice. » Et Catherine ajoute : « Mais en réalité, c'est plus qu'une porte ; c'en sont deux. Si la femme a un métier, il y a deux routes, deux possibilités de rôles dirigeants, selon la situation. L'homme n'a pas toujours à être la force locomotrice avec la femme pour wagon. »

Ce couple met en pratique ce qu'il préconise et démontre la plasticité à laquelle beaucoup de jeunes gens parviennent aujourd'hui. Marc avait précisément travaillé comme vendeur dans une affaire très lucrative et il a pu aider Catherine à lancer son magasin. Quand, finalement, il décida de se mettre à la photographie, le travail de Catherine les fit vivre durant ses années d'apprentissage. Maintenant que tous deux gagnent très bien leur vie, ils ont constaté que, non seulement ils mettent en commun leurs responsabilités, mais que des voies nouvelles s'ouvrent devant eux. Marc l'exprime ainsi : « Nous pourrions théoriquement mettre ensemble la clef sous la porte et nous serions capables de commencer une vie nouvelle ensemble n'importe où, non pas tant parce que nous sommes tous deux créateurs que parce que nous sommes égaux, non dépendants. Il n'y a pas de limites à ce que nous pouvons faire ensemble. Depuis que nous sommes ouverts et égaux, nous pouvons créer notre monde ensemble, et recommencer encore dans un style de vie totale qui est bien à nous. Et cela nous donne non pas deux portes, mais un millier de portes. »

CHAPITRE XIV

LIGNE DIRECTRICE VII :
L'IDENTITE

Suis-je toi ?

Un mari perplexe, dont le mariage s'effondrait, nous a dit récemment ce qu'à son avis devrait être le mariage. Son opinion se résumait en trois petites formules : « Je suis toi, tu es moi, et nous sommes un. » Voilà qui est sincère, touchant, et fort bien exprimé. Pourtant rien ne saurait indiquer la racine de son problème matrimonial mieux que cette idée dont on se berce, mais qui, en pratique, ne peut avoir pour résultat que de nier la personnalité des deux partenaires. Ce mari, Jean-Claude, reconnaissait qu'en plus de vingt ans de mariage, sa femme et lui avaient été incapables de réaliser cette unité. Mais cela ne l'empêchait pas de continuer à chercher l'accomplissement de ce rêve impossible, provoquant ainsi sa propre frustration et amenant sa femme au point de la rupture.

Au commencement de ce livre, nous avons montré comment le syndrome du *tous-les-deux*, l'idéal irréaliste du « devenir un » conduisirent Jean et Suzanne à se conformer aux clauses restrictives du mariage clos dans les premiers jours de leur vie conjugale, s'enfermant dans un système de négation de soi et de mésentente qui devait durer autant que leur couple. Peu de couples réussissent véritablement à « devenir un » ; tout ce qu'ils arrivent à faire, c'est de se dénier très rapidement le droit à une existence individuelle, et de s'attirer le malheur qui accompagne inévitablement ce déni. Il y a, sans doute, de rares couples qui réalisent cet « idéal ». Nous les avons tous vus, un jour ou l'autre, à la table d'un restaurant. Un vieux petit couple gris, qui a « grandi ensemble dans la prison isolée du *tous-les-deux* » pendant si longtemps, qu'ils ont commencé à se ressembler. Ils sont assis là, masques muets aux yeux embués, mangeant sans échanger, de tout le repas, un seul mot qui ne soit de pure forme. Ils sont si parfaitement accordés que leur accord est devenu habitude, rituel absurde célébré dans un *no man's land*. Grâce au *tous-les-deux*, ils ont fondu leurs identités au point de devenir anonymes. Ils ont réussi à faire deux riens l'un de l'autre.

L'importance de l'identité a été soulignée tout au long de ce livre. Toutes les directives précédentes s'y rapportent d'une façon ou d'une autre. Nous avons signalé le besoin d'une vie privée pour se chercher et se découvrir soi-même, le besoin d'une communication ouverte pour mieux comprendre l'autre et soi-même, le besoin de souplesse des rôles, pour séparer votre personnalité des conduites prédéterminées dictées par les formes traditionnelles, et le besoin de camaraderie ouverte pour répondre aux aspects de votre personnalité qui ne trouvent pas d'équivalent chez votre conjoint. Nous avons montré que la réalisation de l'égalité entre mari et femme est intimement liée à la question de l'identité. Dans ce chapitre, nous insisterons sur quelques points supplémentaires qui selon nous vous aideront à accomplir pleinement le sens de votre moi, ce qui est fondamental pour le mariage ouvert.

Apaisement : baume pour l'identité blessée

Annie s'active au ménage et range la maison, pour faire de la place à sa belle-mère. La vieille dame vient vivre avec eux. Dans la cave encombrée, où il faudra ranger sa malle et ses valises, Annie découvre sous quinze ans de poussière le trombone de Claude, son mari. « Allons, pense-t-elle, soyons pratique, pourquoi garder ça ? » Claude l'avait traîné dans tous ses déménagements, du petit appartement au grand appartement, puis à cette maison-ci. Il n'en avait jamais joué, jamais depuis vingt-cinq ans, mais c'était à lui, et c'était le seul objet qui lui rappelait une des plus agréables, des plus insouciantes périodes de sa vie, quand il avait voyagé avec une petite formation pour boîtes de nuit, pendant deux ans et demi. Annie décide que son attachement sentimental à ce trombone doit s'être estompé, et elle le jette sur un tas de vieilleries qui doit être enlevé ce jour-là.

Mais, dans son subconscient, Annie se sent coupable. Malgré sa journée de nettoyage, elle prépare un petit dîner aux chandelles, ce qui surprend et ravit Claude. Il devient romantique, met ses vieux disques de Glenn Miller qui, par malheur, rappellent à Annie l'histoire du trombone. Ils dansent un moment, et finissent par faire l'amour avec une spontanéité inhabituelle. Annie répond avec une chaleur et une vitalité qu'elle n'a pas montrées depuis des mois. Ce n'est qu'à la fin de la semaine, lorsque Claude descend à la cave, qu'il découvre l'absence du trombone. D'où une discussion furieuse, où ni l'un ni l'autre ne discernent nettement que le dîner aux chandelles et l'ardeur d'Annie étaient une forme d'apaisement, en expiation de la faute qu'elle avait commise en jetant le trombone.

En jetant le trombone, Annie n'avait pas seulement violé notre loi civilisée du respect de la propriété (loi que le mariage affaiblit, du fait du syndrome *tous-les-deux*), mais elle avait aussi fait incursion dans le territoire personnel de son mari. Par son geste, elle avait symboliquement jeté les souvenirs de Claude, une partie de son moi profond. Cet assaut lancé contre la personnalité de son mari était vraiment involontaire plutôt que vindicatif, mais il n'en était pas moins destructeur. De tels assauts sont très communs dans le mariage clos. De mille manières, banales la plupart du temps, mais dommageables pour tous deux, les époux attaquent réciproquement leur personnalité, les minent, les détruisent. Quelquefois ils le font parce qu'ils ont été blessés et souffrent dans leur propre personnalité, d'autres fois par aveuglement inconscient, parfois par vengeance amère. Ils en ressentent gêne ou culpabilité, et alors font ce qu'il faut pour s'apaiser l'un l'autre.

Le jeu de l'apaisement peut se jouer de différentes manières et pour des raisons variées. Il peut servir à atténuer sa faute pour avoir envahi le territoire de l'autre, comme dans le cas d'Annie. Il peut servir à payer sa dette pour avoir transgressé une clause du contrat de mariage clos. Dans ces cas-là, c'est plutôt la clause que la transgression qu'il faut trouver vicieuse. Par exemple, si Jean devait emmener déjeuner dehors un ancien flirt, violant par là les clauses possessives du contrat clos, il pourrait sortir sa femme dans un restaurant très cher le samedi soir pour faire oublier l'outrage et atténuer sa culpabilité. En termes de mariage ouvert, ce n'est pas Jean qui devrait se sentir coupable, mais sa femme, pour lui avoir refusé le droit à la camaraderie ouverte et l'accomplissement de son être propre.

Il y a une troisième manière de jouer le jeu de l'apaisement qui est très commune mais peu remarquée. Un mari peut offrir une nouvelle voiture à sa femme pour qu'elle refuse une place qu'elle pensait accepter, ou une croisière pour qu'elle abandonne sa participation à un mouvement politique qu'il désapprouve. Cela revient à une sorte d'apaisement anticipé ou, pour être brutal, d'achat de conscience. Il y a là beaucoup de similitude avec l'espèce de marchandage décrite dans le chapitre de l'égalité. Dans le mariage traditionnel, les femmes sont tout à fait habituées à des apaisements compensant la perte de leur identité. C'est presque une façon de vivre. On fait toute une histoire de leur rôle maternel, par exemple, pour les consoler de la suppression de leur personnalité. Dans son livre, *Poursuite de la solitude*, Philipp Slater note que beaucoup d'hommes font de leurs femmes une île de stabilité dans une mer de changements... Dans leur profession, les hommes doivent accepter le changement — même ils l'accueillent avec joie et le favorisent, si menaçant et perturbant qu'il soit. Ainsi les hommes participent au xxᵉ siècle, mais assignent à leurs femmes « la tâche sans espoir de représenter une pitoyable bergerie qui les renvoie au xixᵉ siècle ! »

Un psychanalyste new-yorkais a commenté cette sorte d'apaisement destiné à empêcher l'affirmation de la personnalité et le changement qui l'accompagne naturellement : « Je souhaiterais pouvoir vous dire combien de femmes me racontent que leurs maris leur offrent des voitures, des vêtements et des voyages pourvu qu'elles ne se fassent pas analyser. C'est purement et simplement les acheter pour éviter qu'elles changent. Parfois, c'est vrai, c'est la femme qui s'effraie du changement, qui tente l'apaisement anticipé pour persuader le mari de ne pas abandonner sa place dans une affaire de publicité, pour devenir, par exemple, rédacteur libre, même si cela répond à une nécessité de développement personnel.

Mais quel que soit l'époux qui pratique l'apaisement, et pour quelque raison qu'il le fasse, qu'il ait envahi le territoire personnel de l'autre comme l'avait fait Annie, ou transgressé, comme Jean, une des règles du contrat clos qui engendrent la culpabilité chez ceux qui tentent d'affirmer leur personnalité, ou parce qu'il désire acheter son conjoint pour l'empêcher de changer, cette façon d'agir est au fond un produit de la croyance fausse et finalement destructrice de la formule : « Je suis toi, tu es moi, nous ne sommes qu'un. »

La femme : programmée pour la dépendance

Comme pour l'égalité, la question de l'identité pose aux femmes des problèmes particuliers. Caroline, qui est maintenant divorcée mais néanmoins à la recherche d'un autre mari, nous l'a bien dit : « Je n'aime pas ça, dit-elle, je n'en veux pas, mais c'est comme ça. Pour une femme, le mariage est un accomplissement ; pour un homme, non. Il a un métier et tant d'autres choses qui peuvent remplir sa vie. Mais une femme ne peut se sentir complète sans être unie à quelqu'un, elle a beaucoup plus besoin de compenser par toutes sortes de moyens le caractère incomplet de sa personnalité. »

Notre société tente de conditionner les femmes pour un statut de dépendance, de les persuader que le mariage constitue en lui-même une identité. En gros, elle réalise son identité *par* le mariage, la consolide et la fond avec celle de son mari. Jusqu'à une période récente, la plupart des femmes acceptaient cette programmation comme naturelle et inévitable. Ayant très peu d'occasions de se constituer une personnalité propre avant le mariage, elles n'étaient pas gênées d'abandonner leur nom pour devenir une Madame quelqu'un d'autre, ou de laisser là certains droits de propriété ou autres droits légaux (même aujourd'hui, dans certains pays, les femmes célibataires conservent de nombreux droits légaux refusés aux femmes mariées). Mais le facteur E.S.E., décrit dans le chapitre sur l'égalité, est en train de changer tout cela. Actuellement, des jeunes femmes, en nombre croissant, reconnaissent comme Caroline qu'elles ont été conditionnées pour la dépendance. Certaines, plus indépendantes que Caroline, résistent fortement à cette programmation et reconnaissent que ni la conjugalité ni la maternité ne peuvent en elles-mêmes constituer l'identité. Pourtant, il y en a encore qui tiennent à la femme un autre langage. Ecoutez la voix du Dr Théodore Isaac Rubin, dans l'un de ses articles pour *Ladies'Home Journal* (Femmes au foyer) : « La capacité de comprendre les hommes est beaucoup plus importante que l'aspect physique, le talent ou l'instruction... une femme considère son mari comme la personne la plus importante de sa vie. Elle l'estime plus que les autres, elle-même comprise. » Voilà une proclamation qui revient à refuser à la femme une personnalité, et qui exige des femmes qu'elles sacrifient le sentiment de leur propre valeur et de leur dignité.

En dépit de toute l'attention accordée au mouvement féministe par la presse et autres media, la majorité des journalistes cotés, dans les conseils qu'ils dispensent avec plus ou moins de sérieux, font écho au mode de pensée désuet et répressif du Dr Robin. Les femmes qui tentent de hausser leur vie jusqu'à cette négation de soi se retrouvent souvent malades, et il y a de quoi. En Amérique, les statistiques de l'Institut national de la Santé mentale montrent que les femmes ont une courbe plus élevée que les hommes en matière d'hospitalisation psychiatrique, et démontrent d'une façon générale qu'une femme est plus facilement « en détresse psychologique », comme l'indique un compte rendu. Chez elles, les symptômes de nervosité, maux de tête, apathie, insomnie, etc., dépassent largement ceux qu'on observe chez l'homme. Il est assuré que l'insuffisance d'accomplissement personnel ou de confiance en son propre développement contribue largement à la collection toujours croissante de ses malaises physiques. On dit souvent, c'est vrai, que ces dépressions, cette « détresse » sont dues à la nature féminine : cycles menstruels, flux hormonal, ménopause. Mais ce mode de raisonnement est démoli par le fait que, dans les autres sociétés, à travers le monde, où les femmes ne sont pas confinées dans le ménage et la maternité, cette même *nature* féminine aboutit rarement à de tels problèmes.

Le point le plus important sur la nature des femmes est exactement le même que sur la nature des hommes : pour qu'un être humain soit productif et affectivement sain, il faut qu'il ait une personnalité, et qu'il recherche la croissance continue qui développe cette identité.

L'identité, processus continu

Vous en savez long maintenant sur ce que l'identité n'est pas. Elle n'est pas d'être épouse ou mère ; ce sont là peut-être des aspects de votre identité, mais aussi bien ce n'en sont peut-être pas. Ils ne peuvent être au plus qu'une partie du tout. De même pour un homme, le rôle de soutien de famille n'est pas en soi une identité, certains hommes prennent leur métier pour substitut de leur identité. Vous n'avez qu'à penser à tous les hommes de votre connaissance qui sont morts d'une attaque moins d'un an après la retraite, pour reconnaître que cette tendance masculine à consacrer toute son énergie à l'activité professionnelle, au détriment de presque tout autre intérêt, est auto-destructrice. L'identité peut se réduire à un seul élément. Elle n'est pas un élément, elle est un processus.

Avoir une identité, c'est devenir l'individu particulier que vous êtes, et être capable de l'exprimer. Cela signifie que vous vous connaissez vous-même. Cela signifie que vous êtes capable de combiner en un tout intégré, en une bonne image du moi enracinée dans le réel, toutes les images différentes de vous-même enregistrées au cours des années. Au sein de ce tout, il doit pourtant y avoir de la place pour les images futures. Notre quête de l'identité implique à la fois l'être et le devenir, car nous sommes en changement constant. L'homme qui ne change pas n'est pas l'homme qui a trouvé son identité ultime, il est plutôt celui qui a peur de chercher son identité et préfère s'attacher à un rôle statique comme une moule à un rocher.

Avoir une identité signifie que vous savez qui vous êtes et que vous aimez ce que vous êtes. Vous êtes capable d'être une personne authentique quand vous vous découvrez à autrui. Vous avez une intégrité. Vous croyez en vous-même, vous êtes responsable de vos actes. Vous avez vos opinions propres et laissez les autres avoir les leurs. Vous êtes confiant dans vos capacités et respectez celles des autres. Etre capable de choisir pour vous-même et de fonctionner comme individu séparé, voilà qui démontre votre autonomie. C'est cet aspect vital de l'identité qui est si souvent absent dans le mariage clos.

Garantir l'autonomie

Les couples du mariage clos, voués au culte du *tous-les-deux*, en arrivent souvent à s'appuyer l'un sur l'autre comme les côtés d'une maison en forme de A : ensemble ils tiennent, séparés ils s'effondrent. Chacun apprend à attendre de l'autre qu'il satisfasse à ses besoins, à un point tel que ni l'un ni l'autre ne savent plus comment fonctionner séparément, indépendamment. N'avez-vous jamais vu de ces femmes qui ne peuvent ouvrir un bocal toute seule, ou ces maris qui ne peuvent choisir leurs cravates ? Vous en connaissez sûrement, de ces maris qui s'effondrent quand leur femme est malade, et de ces femmes qui prennent une crise quand les tuyaux se rompent ou que la cave est inondée.

Dans cette sorte de relation, les partenaires conjugaux essaient de se projeter en partie sur l'autre. Le conjoint devient une extension de soi. Vous voyez ses fautes comme si elles étaient vôtres. Quand il fait ce que vous ne feriez pas, vous êtes embarrassée pour lui. Les critiques dont il est l'objet, vous les interprétez comme vous étant adressées. Dans une situation donnée, vous bondirez pour prendre sa défense, comme s'il était vous-même, mais dans d'autres situations, vous prendrez le contre-pied et le critiquerez pour avoir agi comme il l'a fait, parce que, de son fait, vous avez eu le sentiment de votre vulnérabilité et de votre embarras. Il y a là, c'est évident, un sérieux manque d'autonomie. A cause de votre manque de personnalité, vous n'avez pas été capable de reconnaître en votre conjoint une personne séparée. Et cette incapacité de votre part rend plus difficile à votre conjoint d'être une personne séparée, d'affirmer sa propre identité. Votre moi s'est mêlé au sien au point qu'ils se confondent.

Dans le mariage clos, les époux s'emploient activement, par toutes sortes de moyens, à amputer leur autonomie mutuelle. Ils sont trop ensemble, trop dépendants l'un de l'autre, trop mêlés psychiquement l'un à l'autre, et ils se refusent la possibilité de prendre des décisions personnelles, en faisant des coupes sombres dans les choix qui s'offrent à chacun. Le mariage clos décrète qu'aucun des deux ne peut prendre une décision autonome le concernant — seule est admise l'autonomie contrôlée par l'époux. Si Grégoire aime la dernière robe que vous avez achetée, vous pouvez la garder. Si Mélanie approuve le choix de vos partenaires au bowling, vous avez le droit d'y aller. Si un gain de prestige ou d'argent est en jeu, le champ de l'autonomie est naturellement plus large. Phyllis laisse volontiers Bertrand assister à un congrès d'une semaine si elle y voit la possibilité d'un avancement. Mais elle fait la tête quand il va à une partie de pêche rien qu'avec des amis. Bertrand, de son côté, se sent abandonné quand Phyllis prend des leçons de danse, un soir par semaine, pour son plaisir, mais il approuve chaudement qu'elle tape à la machine pendant des heures pour arrondir son salaire à lui ou l'aider pour son article. L'autonomie concertée, en d'autres termes, n'est pas une autonomie du tout. Certains maris et certaines femmes deviennent si experts à ce jeu, qu'ils sont capables d'amener leur conjoint à croire qu'il a beaucoup plus de liberté qu'il n'en a réellement.

Ce que le partenaire du mariage clos ne comprend pas, c'est qu'en limitant l'autonomie de son conjoint, et en minant le sentiment de sa personnalité, il limite aussi sa capacité d'amour. Car sans la confiance en soi qui accompagne la personnalité, il est beaucoup plus difficile à un homme de s'efforcer de communier dans l'intimité et l'amour. Comme Erik Erikson l'a remarqué dans son étude sur la formation de la personnalité, ce n'est que lorsqu'un homme a réalisé son identité qu'il est « prêt pour l'intimité, c'est-à-dire capable de s'engager concrètement dans des associations et des liaisons... » Ainsi le mariage clos, avec toutes les clauses qui restreignent l'autonomie, tend à empêcher l'intimité même qu'il cherche en principe à produire.

Présence à soi-même

Avoir une identité personnelle, qu'on l'ait possédée avant le mariage ou qu'on la réalise par le mariage ouvert, signifie que l'on a une vue positive de la vie, et c'est là le propre d'un individu sain, relativement exempt de ces névroses débilitantes qui gênent la croissance. Personne n'a décrit les bienfaits qui découlent de la possession d'une identité positive mieux que le Dr Abraham Maslow, qui a consacré sa vie à étudier ce qu'il appelle les auto-réalisateurs. Ce sont des gens créateurs, originaux, réalistes, plongés dans la vie et dans le progrès, qui font pleinement usage de leurs talents, capacités, potentialités, tout en gardant l'aptitude à « apprécier toujours avec fraîcheur et naïveté les biens fondamentaux de l'existence, en éprouvant crainte, plaisir, émerveillement, extase même... ». Par-dessus tout, ces gens sont capables d'amour non possessif dans leurs relations intimes.

L'auto-réalisateur, selon Maslow, déploie dans les relations amoureuses « une affirmation de l'individualité de l'autre, l'ardeur vouée à la croissance de l'autre, le respect essentiel pour son individualité et sa personnalité ».

Respecter un autre, c'est le considérer comme entité indépendante, individu autonome. L'auto-réalisateur n'utilisera pas quelqu'un d'autre occasionnellement, ne le dirigera pas, ne méprisera pas ses désirs. Il reconnaîtra à celui qu'il respecte une dignité irréductible. Cela nous semble une excellente description de ce que doit être la relation entre homme et femme dans le mariage ouvert.

Le couple ouvert peut s'efforcer de parvenir à une telle relation en usant du concept que nous nommons : présence à soi-même. Ce concept est en partie l'extension de notre première directive : vivre au présent. L'identité ne saurait être recherchée dans un quelconque lendemain. Elle participe au passé, en ceci qu'elle est formée par la somme de nos expériences, mais elle doit être *sentie* au présent. L'exploration que nous avons décrite dans la directive sur la vie privée est un autre aspect important de la présence à soi. Sans prendre le temps de cette investigation, la réalisation de l'identité complète est impossible. Mais il ne s'agit pas seulement d'introspection. Il faut chercher votre moi en pleine activité aussi. La manière nouvelle dont vous percevez l'environnement, le plaisir plein de fraîcheur que vous prenez aux gestes quotidiens, vous aideront également. La perspective plus vaste et les expériences nouvelles, qui proviennent de la plasticité des rôles, sont un moyen sans prix de vous débarrasser de vos réactions — habitudes et réflexes — au monde qui vous entoure, et d'arriver ainsi à une perception plus immédiate et plus intense du moment présent.

A un niveau de réaction plus complexe, il vous faut rechercher la présence du moi dans les associations qui vous lient aux autres. En clair, la camaraderie ouverte secondera votre effort, en vous donnant l'occasion d'exprimer ces parties de vous-même, ces atomes crochus sans correspondants chez votre conjoint. Et peu à peu, tandis que vous vous ouvrirez de plus en plus au monde, et en viendrez à vous connaître vous-même de mieux en mieux, vous trouverez de plus en plus facile d'éprouver la « présence du moi » dans l'intimité de votre relation conjugale — et la même chose sera vraie pour lui.

Cela peut sembler paradoxal, mais à mesure que vous vous percevrez mieux vous-même, ainsi que votre conjoint, votre union deviendra plus riche et sera vécue plus profondément. A mesure que chacun accomplira son identité, chacun découvrira qu'il a plus à donner à l'autre. Comme nous l'avons noté au commencement de ce livre, c'est en principe parce que nous aimons le moi de l'autre que nous nous marions, pourtant le contrat traditionnel du mariage clos contient des clauses successives qui exigent le dépérissement de soi, qui restreignent les possibilités de croissance, de sorte qu'au fil des ans, chaque partenaire a de moins en moins à offrir de ce moi pour lequel il est aimé. « Au fur et à mesure qu'il parvient à être plus authentiquement lui-même, écrit Maslow, il est plus capable de s'unir au monde... »

Le mariage ouvert prépare ainsi la voie à l'auto-réalisation. Et à son tour l'auto-réalisation rend possible à chaque conjoint de s'ouvrir encore plus à l'autre. Maslow dit que l'auto-réalisation peut être considérée comme « une étape, ou, mieux, un effort grâce auquel les pouvoirs de la personne se rassemblent de façon particulièrement efficace, en s'accompagnant d'une intense jouissance, de manière à réduire les divisions et à réaliser l'intégration du moi, à l'ouvrir à l'expérience, à en augmenter l'idiosyncrasie, l'expansivité, la spontanéité, le fonctionnement total, la créativité, la gaieté, la capacité de se dépasser soi-même et l'indépendance à l'égard des besoins les plus bas ».

Deux personnes qui savent réagir à la vie et l'un à l'autre de cette façon vivront inévitablement une relation bien plus riche que deux personnes qui, comme Jean-Claude et sa femme, au début de ce chapitre, s'efforceront désespérément de se réduire eux-mêmes et réciproquement à une taille assez exiguë pour tenir dans l'espace restreint où, selon l'expression de Jean-Claude, « je suis toi, tu es moi, nous ne sommes qu'un ». La tâche quasiment impossible de

« devenir un » ne peut produire que frustration et amertume et même si elle était réalisée, elle n'amènerait qu'un anonymat gris et sans joie. C'est une sorte de mort ; si vous préférez la vie, il faut vous mettre à la recherche de la « présence du moi ».

Restaurer l'identité

Le mariage clos efface l'identité ; mais si vous avez vécu en mariage clos pendant quelques années et que vous envisagiez de passer au mariage ouvert, comment ferez-vous pour restaurer votre identité ? Il est clair que les différentes directives que nous avons déjà exposées vont toutes dans ce sens. Vie privée et vie dans le présent sont essentielles pour affirmer la présence du moi. Se libérer des rôles, devenir l'autre par inversion et échanger les rôles, vous donnera la plasticité et vous aidera à vous affranchir de l'influence des vieux modèles qui limitent votre expérience et votre espace affectif. La communication est le pont et le lien entre vous et l'autre, elle fait progresser la connaissance de soi par l'ouverture à l'autre ; le dialogue véritable prévient la mésentente et nourrit l'égalité qui engendre le respect réciproque, lequel, à son tour, est essentiel pour le développement de l'estime de soi dans le mariage. Tous ces processus conduisent à une plus grande liberté pour l'un et l'autre, à la garantie de l'autonomie mutuelle.

Chacune de ces directives peut vous aider à progresser naturellement jusqu'à réaliser pleinement le sens de votre personnalité et prendre une nouvelle consistance. Mais nous voudrions ajouter ici quelques suggestions particulières qui toutes pourront vous aider, à notre avis, sur la route de l'identité. Certaines de ces suggestions sont des précisions ou des extensions sur des points déjà traités. D'autres sont nouvelles. Vous pouvez choisir celles qui vous paraissent les plus frappantes ou les plus appropriées à votre situation.

1 — *Permettre à l'autre d'être :* Le mariage ne donne à personne l'autorisation de refaire son conjoint. Nous avons tous des habitudes ennuyeuses pour les autres, mais quand c'en est au point que des manières différentes de presser le tube de pâte dentifrice amènent au divorce, alors il faut incriminer quelque chose de plus profond qu'une simple habitude. S'il vous faut essayer de faire changer votre

conjoint, vous devez aborder la question en découvrant pourquoi certaines de ses habitudes vous affectent à ce point. Le vrai problème est peut-être en vous. La meilleure manière de changer, souvenez-vous-en, est celle qui vient de l'intérieur. Le changement doit être éprouvé par la personne elle-même comme nécessaire pour elle, comme quelque chose à quoi elle a avantage. Le psychologue Carl Rogers a dit : « Plus je suis ouvert aux réalités, en moi et chez les autres, moins je désire me précipiter pour « régler l'affaire ». Les habitudes de votre conjoint, ses défenses, son idiosyncrasie peuvent être l'expression de son individualité ; aussi, tant que vous ne serez pas assurés de vos identités respectives, n'essayez pas de projeter votre moi dans celui de votre conjoint : essayez de le laisser être. »

2 — *Ne tolérez pas les gens qui vous écrasent :* Hélène... une jeune femme que nous avons interrogée, nous a parlé de ses visites hebdomadaires à sa mère, une dame qui aime à critiquer. « Je réussis bien, dit Hélène ; je fais des progrès dans mon travail, j'ai de plus en plus confiance en moi ; j'arrive à la maison et je dis : « Regarde, maman, « comme ça marche bien, pas de points faibles, tu vois ? » Et maman me répond : « Regarde, ma chérie, comme ta « robe est froissée ! » Le conseil que nous donnerions à ceux qui sont dans la situation d'Hélène serait de se tenir à l'écart de la personne qui les rabaisse. Mais si le détracteur se trouve être votre conjoint, la situation est plus délicate. Le divorce est toujours praticable, et quelquefois il est nécessaire. Si vous en êtes à devoir opter entre votre propre identité et votre mariage, nous pensons que votre identité est plus importante. Mais il y a des mesures à prendre avant d'en arriver là.

Un homme, en dix ans de mariage, avait attaqué chez sa femme « l'estime de soi » jusqu'à parvenir au point de rupture. Il lui disait constamment que ses yeux étaient trop rapprochés, son visage trop long, ses cuisses trop grosses — toutes qualités physiques qu'elle ne pouvait absolument pas changer. Par des voies plus subtiles, il critiquait ses vêtements, ses amis, et faisait tout pour la décourager dans son ambition d'être actrice. Elle partit pendant un temps, puis elle décida de considérer froidement ce qui se passait. Ses dénigrements étaient destructeurs, mais elle l'avait laissé faire pendant tant d'années ! Comme elle l'aimait assez, comme elle s'aimait elle-même et aimait leur couple, elle revint combattre. Elle fit front et apprit à s'estimer elle-même. Et parce qu'il l'aimait assez, il se mit à examiner pourquoi il la ravalait constamment. Ce n'est pas encore un mariage parfaitement réussi, mais chacun en apprend plus long sur soi, et sur la dynamique des rapports. Leur relation mutuelle et leur relation à d'autres seront dès lors améliorées parce qu'ils ont tenté de résoudre ce problème. Donc, si votre conjoint vous écrase, n'acceptez pas, essayez de lui faire considérer les raisons qui le font agir ainsi.

3 — *Cherchez la nouveauté en vous-même* : Ceci se rapporte à la fois à la plasticité et à la présence du moi. Tant de nos façons d'agir, ou de nos goûts et dégoûts, sont de seconde main. Une femme peut se farder de telle façon parce que sa meilleure amie à l'école (très populaire parmi ses camarades) le faisait ainsi. Un homme peut choisir un style de cravate à l'imitation de son père. Ainsi, cherchez le moi authentique qui gît sous le rôle accepté et la facilité de l'habitude. Suivez l'impulsion que vous réprimez d'ordinaire. Opérer les changements les plus banals, acheter une cravate criante, changer complètement de coiffure, voilà qui vous aidera à accomplir peu à peu des changements plus profonds, et augmentera votre confiance en votre propre façon de faire.

4 — *Trouver un principe* : Les principes sont les fils qui courent à travers nos vies, ordonnent notre expérience en nous donnant foi ou croyance en un idéal qui nous dépasse. Toutes les civilisations ont des principes, par exemple : « Tous les hommes naissent et demeurent libres et égaux en droits. » Peut-être ne vit-on pas toujours à la hauteur du principe, car il indique en général comment une civilisation, ou les gens qui y participent, estiment qu'on doit se conduire. Quel est le fil qui court à travers votre vie, la croyance particulière qui vous a soutenu dans les moments difficiles, qui vous a permis de *vous* affirmer ? Quand vous avez trouvé une réponse qui soit positive (car les négatives ne peuvent que vous ramener en arrière), attachez-vous aux circonstances qui la confirment. De cette manière, vous parviendrez à découvrir le type de réaction qui fait de vous un individu unique.

5 — *Se trouver un but intéressant* : Les possibilités sont multiples : une cause, une recherche, votre travail actuel,

un nouveau métier ou une nouvelle activité, mais le but choisi doit impliquer un effort qui vous concerne vous, et non pas nécessairement votre conjoint, vos enfants, votre ménage. Il doit surtout être un but qui vous dépasse, quelque chose qui vous engage avec toute votre créativité, qui vous permette de vous découvrir vous-même en même temps qu'il apportera une contribution positive à la communauté humaine. Quand vous atteignez un but ou quand vous changez et croissez au point de pouvoir changer de but, vous devez pouvoir regarder derrière vous pour considérer comment une série de buts se rapporte à votre principe personnel.

6 — *Créer ses propres symboles :* Un symbole d'identité est d'autant plus important qu'une personne se sent moins sûre d'elle-même. Plus forte est votre identité, moins vous vous souciez des symboles extérieurs de son existence. Mais, au début, ils peuvent être très importants. Les femmes tout spécialement peuvent trouver de l'assurance dans la possession d'un compte chèque personnel, d'un papier à lettres à leur nom (au lieu de Monsieur et Madame), et garder ainsi le sens de leur individualité. Si vous sentez que cela a de l'importance, allez de l'avant, utilisez votre nom de jeune fille, ou associez-le par un tiret à celui de votre mari. Pour les femmes qui ne sont encore que mères et ménagères, un jour de sortie par semaine peut être le symbole du réveil de l'individualité, et un moyen de découvrir qui elles sont.

Les symboles usuels de l'identité, courrier, coups de téléphone, affaires personnelles et même un coin particulier dans la maison, doivent être respectés par les deux époux. La propriété privée est un symbole hautement respecté dans notre société, excepté dans le mariage, où on tend à tout mettre dans la même marmite. Dans la plupart des sociétés pourtant, le mari et la femme distinguent clairement entre leurs propriétés respectives. Aucun *Hottentot Nama* qui se respecte ne possède en commun une vache « à-lui-et-à-elle » ; tout animal appartient à l'un ou à l'autre. Si cela vous aide, gardez certains objets en les désignant comme vôtres.

7 — *Construire un nid individuel :* Si la personnalité féminine est diminuée par l'abandon du nom de jeune fille et de la carrière professionnelle lorsque les femmes se marient, la personnalité masculine est souvent submergée lorsqu'il

s'agit d'aménager la maison ou l'appartement. Selon le mariage clos, c'est l'affaire de la femme. L'homme peut bien acquitter les factures, et aider à choisir les appareils, domaine supposé de ses compétences, mais souvent sa participation s'arrête là. Certains couples tournent la difficulté en choisissant dans un grand magasin des salles de séjour et des cuisines-types, aménagées d'avance, et la maison où ils vivent ne porte la marque ni de la personnalité de l'homme ni de celle de la femme. Mari et femme doivent contribuer à bâtir le nid domestique, et si cela donne un résultat un peu spécial, quel mal y a-t-il ? Au moins les visiteurs sauront que ce sont deux individus et non un couple, qui vivent là.

8 — *Essayer de prendre des vacances séparées :* Une bonne manière de sortir de la situation du *tous-les-deux* pour toujours est de prendre séparément ses vacances. Cela aura au moins l'avantage de révéler l'étroitesse des liens qui vous unissent. Bien des couples font des voyages séparés, visites familiales (pour les femmes) ou participation à des congrès (ruse du mari). Mais il est rare qu'ils envisagent un voyage pour leur seul plaisir ou intérêt personnel, encore moins pour jouir de la solitude. Nous ne proposons *pas* ici la suppression des vacances prises ensemble, qui sont très importantes, avec ou sans enfants, mais simplement de prendre *en plus* des vacances séparées. Et si l'idée vous effraie, nous espérons qu'au moins vous essaierez de découvrir ce qui vous trouble ainsi. Si vous avez une réaction d'angoisse, ou si votre imagination allume les feux de la jalousie, ce peut être une indication de votre manque de personnalité et de confiance. Pourquoi êtes-vous si peu sûr de vous que vous n'acceptiez pas de laisser votre conjoint partir seul ? Pourquoi manquez-vous d'enthousiasme et d'initiative au point de ne pouvoir partir seul vous-même ? Vous pouvez commencer par prendre un jour de temps en temps. Puis deux jours, puis des congés plus longs, en suivant votre propre rythme. Quand vous serez assez sûr de vous, et que votre conjoint constatera le bien que cela vous fait, vous pourrez penser à un plus long voyage. Les femmes auront probablement plus de mal que les hommes à accepter cette idée, car elles ont, moins que les hommes, le sens de leur identité, à l'intérieur du mariage clos ; à celles qui vraiment ne peuvent regarder en face une telle éventualité, nous conseillons la lecture du passage plein de sensibilité où

Anne Morrow Lindberg, dans *Don de la mer*, analyse le besoin d'avoir du temps à soi, seul avec soi, dans une relation entre homme et femme.

Certains lecteurs trouveront peut-être que l'accent mis dans ce chapitre sur le développement du moi ressemble à une approbation de l'égoïsme. Mais rien ne saurait être plus éloigné de la vérité. L'égoïsme, qu'il s'agisse du refus de l'amour, de la sympathie, de l'attention ou des biens matériels, naît généralement de la peur qu'en donnant trop on n'en garde pas assez pour soi. La création d'une identité forte, en revanche, combat cette peur et rend le don plus facile, comme cela a été établi clairement par les travaux de Maslow, Erikson et bien d'autres. Don et identité sont intimement liés. Le développement d'une identité forte conduit à plus d'ouverture, et non à plus d'égoïsme.

CHAPITRE XV

LIGNE DIRECTRICE VIII :
LA CONFIANCE

Les degrés de la confiance

Examinons le degré de confiance existant chez trois couples mariés :

1 — Marie et Roger sont mariés depuis vingt ans. Le degré de confiance régnant entre eux est souvent résumé par Marie en ces termes : « Tiens donc ! Je ne fais aucune confiance à Roger dès qu'il a le dos tourné », confie-t-elle à qui veut l'entendre.

2 — Dorothée est mariée avec Eugène depuis douze ans, et son attitude est plus détendue : « Que voulez-vous dire ? demande-t-elle en se tournant vers la dame assise près d'elle. Que vous êtes jalouse des femmes avec qui Henri travaille ? Mais c'est stupide. Mon mari a un tas d'amies femmes dans son travail. Pourquoi m'y opposerais-je ? Après tout, j'ignore tout de son métier, ce que je sais du travail d'Eugène c'est ce qu'il m'en dit. Nous avons confiance l'un en l'autre, et qu'est-ce que ça peut faire s'il déjeune avec elles pour parler métier ? Je ne puis partager ce côté de sa vie, alors pourquoi l'empêcher de le partager avec une collègue ?

— Mais s'il couchait avec ?

— Ce serait la fin de notre ménage, répondit Dorothée avec véhémence, sans une seconde d'hésitation.

— Même une seule fois ?

— Absolument. Vous savez pourquoi ? Parce que cela ne pourrait arriver que si ça ne marchait pas entre nous. On n'est amené à chercher ailleurs que lorsque ça ne va plus chez soi. Je sais qu'Eugène voit les choses comme moi.

— Et s'il était un peu échauffé, ou quelque chose comme ça, et qu'il fasse juste un petit « faux-pas », par exemple à l'occasion d'un congrès ? »

Dorothée secoue la tête :

« Ce ne serait pas une excuse. Si cela arrivait vraiment, cela signifierait que d'abord quelque chose n'allait pas entre nous. Il ne le ferait certainement pas si nos rapports étaient ce qu'ils doivent être. Si je ne lui suffis pas, parfait, alors adieu ! »

3 — Laurent et Claudine, un jeune couple marié depuis quatre ans, répondirent à nos questions sur leur façon d'établir la confiance entre eux.

CLAUDINE : « Du temps, voilà tout, et du travail. Comme pour toute chose dans la vie, il faut du temps et du travail. »

LAURENT : « C'est une question difficile. Il est difficile d'y arriver, c'est même difficile à comprendre. Prenons le problème à l'envers : manquer de confiance, c'est avoir peur — mais la plupart du temps peur de soi-même. Au cours d'une soirée, il y a des années, j'ai cru que Claudine faisait du charme à un autre homme. Ce n'était pas le cas, évidemment. Mais j'interprétais la chose ainsi. Je traversais une mauvaise période ; je ne pouvais décider si oui ou non je devais laisser tomber les cours du soir ; j'étais en train de changer de situation, j'avais une impression d'insécurité. Ainsi toute l'histoire venait de moi-même, de mes propres sentiments, plutôt que ce qu'elle faisait réellement. Je pense que ces craintes, cette jalousie, etc., sont votre propre fait, qu'elles sont en vous. La confiance est du même ordre, c'est un sentiment qu'il vous faut travailler à installer, pour vous-même d'abord. »

CLAUDINE : « La confiance consiste à se fier à l'autre, à croire en lui. Je crois en Laurent, il croit en moi. Bien sûr, il y faut du temps, mais nous nous aimons assez pour être francs l'un envers l'autre. Sinon, ce ne serait pas possible. »

LAURENT : « La confiance, voyez-vous, c'est la liberté, l'absence de crainte. Au fond, la confiance, c'est la foi. Nous avons foi en ceci : ce que nous avons tous les deux, c'est beaucoup plus que ce que pourrait être une quelconque liaison passagère. Ainsi nous n'avons pas peur de nos rapports avec les autres. »

Des trois couples évoqués ci-dessus, il est clair que le dernier est celui qui a obtenu les meilleurs résultats en fait de confiance. Marie, la première femme, n'a pas confiance du tout. Une méfiance aussi profonde pourrait évidemment se justifier si le mari était quelqu'un à qui on ne peut faire confiance, mais souvent, quand elle s'exprime ainsi à tue-tête, cette sorte de méfiance reflète simplement l'insécurité profonde qu'éprouve celui qui se méfie à ce point. C'est tout bonnement la nature de Marie que d'être soupçonneuse : pas de danger qu'elle se fie à son mari ou à n'importe qui, quel que soit leur comportement. Le second couple, Dorothée et Eugène, ont quelque confiance l'un dans l'autre, mais une confiance limitée à certains domaines. Ils ont ce que nous appellerons une *confiance statique*.

Dorothée croit qu'elle peut être tout pour Eugène : ce n'est pas réaliste, et du même coup cela révèle sa propre insécurité. Les limites de sa confiance sont fixées par les normes du mariage clos traditionnel : elle accepte que Eugène déjeune avec ses collègues féminines, parce qu'il l'a convaincue que jamais, au grand jamais, il ne pourrait éprouver du désir pour une autre femme. Du moment que Dorothée et Eugène se sont accordés sur le délicat équilibre de cette confiance, cela va bien. Mais la violence de Dorothée quand il est question d'une possible infidélité, prouve que même l'*apparence* d'une infidélité peut rompre cet équilibre. Ainsi Eugène est contraint de prétendre que jamais il n'éprouve, pour une autre que sa femme, le moindre intérêt ni la moindre attirance. Leur confiance est donc fondée sur une fiction plutôt que sur la vérité, l'indulgence pour la nature humaine n'y trouve aucune place. Où ces exigences ne sont pas réalistes, la croissance est impossible. Dorothée et Eugène sont immobilisés dans leur confiance étroite et statique.

Laurent et Claudine, au contraire, s'orientent vers ce que nous appellerons *confiance ouverte*. La différence cruciale entre la confiance statique et la confiance ouverte, c'est la franchise. Eugène ne peut être franc, même s'il s'agit d'une passade, de peur d'altérer la confiance qui règne entre sa femme et lui. Mais Laurent peut dire : « Malika me donne des idées », sans porter atteinte à la confiance de Claudine.

En réalité, cet aveu sans détour augmentera la confiance entre eux.

La confiance est la qualité la plus importante que les époux puissent posséder en commun. Elle est absolument essentielle pour que le rapport soit dynamique, enrichissant. Pourtant, elle est rarement décrite dans les livres sur le mariage moderne. Peut-être faut-il attribuer ce silence à la complexité du sujet, mais sa cause la plus probable est l'incompatibilité du mariage clos traditionnel avec le développement de la confiance ; et bien des livres sur le mariage, parus au cours de l'après-guerre, se consacrent au rapetassage des mariages clos plutôt qu'à l'exposition de solutions de rechange valables. Au contraire, dans le contexte du mariage ouvert, on peut, et même on doit, traiter de la confiance. Sans confiance, pas de mariage ouvert. La confiance est le pivot autour duquel tourne la relation ouverte. En un sens, elle aurait pu fournir la première de nos directives. Mais le concept de confiance dans le mariage ouvert se comprend mieux dans le cadre des autres développements et, assurément, si vous mettez ces directives en pratique, vous verrez que la confiance en découle naturellement.

Il est vrai qu'il faut du temps pour instaurer une confiance réellement ouverte, même entre ceux qui s'aiment le plus, comme Laurent et Claudine le remarquaient tous deux. La dure expérience nous apprend qu'on ne saurait faire confiance indistinctement, qu'il y a des gens qui n'aiment pas, qui ne sont pas francs, des gens qui profitent des autres en usant de manœuvres ou d'attaques déloyales. En général, malheureusement, il faut prouver qu'on est digne de confiance.

Ainsi, quand nous accroissons la confiance au cœur de nos rapports intimes, nous luttons jusqu'à un certain point contre notre prudence naturelle et justifiée. Mais on sait à qui on a affaire. Ceux qui sont pleins de défiance, comme Marie, femme de Roger, au début de ce chapitre, peuvent prendre la franchise pour de l'agressivité. Dans le mariage clos, certains époux doivent user de précautions à cause du caractère névrosé ou dépendant et des problèmes psychiques de l'un ou des deux. Pour ceux-là, une franchise totale peut être inconsidérée, ou même destructrice. Nos propositions de confiance totale n'ont pas été conçues pour être avalées telles quelles par ces couples, encore que nous considérions qu'ils peuvent trouver, eux aussi, dans nos directives précédentes, une aide pour bâtir une relation confiante, dans une certaine mesure.

Un mariage ouvert parfait ne se réalise pas rapidement, pas plus que la confiance totale sur laquelle il repose. Mais chaque pas accompli vers l'ouverture et la confiance, en commençant par les directives dont l'application est le plus à votre portée, vous aidera, croyons-nous, à constituer un rapport conjugal plus réaliste et plus dynamique.

La tromperie, l'ennemi de la confiance

Sylvie entretient son amitié avec Mona, une ancienne camarade de classe, dans le plus grand secret, par la tromperie : son mari n'a jamais aimé Mona, et a demandé à sa femme de ne plus la voir. Voilà qui n'arrête pas Sylvie. « Oh ! Je trouve toujours moyen, dit-elle. Tout ce qu'il sait, c'est que je fais mes commissions, que je suis chez le coiffeur ou que j'ai quelque course à faire. Nous déjeunons ensemble, ou bien nous allons ensemble à l'institut de beauté. Si je le lui disais, il deviendrait fou furieux, aussi j'estime que ce qu'il ne sait pas ne lui fera pas de mal, ni à moi non plus. »

Comme elle le reconnaît, Sylvie se défend, se protège elle-même autant que son mari. Tous deux sabotent la possibilité de confiance entre eux, lui en lui déniant sa personnalité et en imposant des exigences déraisonnables au sujet de ses relations avec son amie, et elle par ses tromperies délibérées. En mariage ouvert, où chaque partenaire respecte les choix individuels et les désirs de l'autre, il n'est pas besoin de tels subterfuges. Malheureusement, le mariage clos est un terrain très favorable à la tromperie.

La tromperie nous empêche de connaître et nous-même et les autres, et elle est l'ennemie évidente de la confiance. La plupart des petits mensonges et souvent même les grandes tromperies sont excusés ou systématisés au nom de « l'humanité ». Maris et femmes se disent qu'ils épargnent à leur conjoint un désagrément, ou même pis, en les trompant. Mais nous ne pensons pas que les tromperies par omission ni le mensonge fieffé aident aucun mariage à grandir, ni qu'à long terme cette forme « d'humanité » produise d'autre résultat que l'éloignement progressif des époux.

La modification des structures, qui a pour objet le développement de la franchise et, par là, de la confiance, ne doit se faire que lentement et avec beaucoup de prudence dans les mariages où elle existe le moins. Quand un époux est particulièrement nerveux ou dépendant, l'autre doit éviter de le toucher aux points les plus sensibles, écarter le blâme, la raillerie, la critique en public. Comme nous l'avons noté dans les chapitres sur la communication ouverte, rien ne peut excuser le travestissement de la cruauté en franchise. Examinez d'abord vos propres motivations. Dissimulez-vous vraiment vos amitiés (comme Sylvie), vos achats, ou vos infidélités pour épargner votre conjoint ? Ou bien est-ce pour vous épargner vous-même ? Et pourquoi ? En reconnaissant votre propre faiblesse et la sienne, vos aires de plus grande dépendance, vous pouvez aller vers plus de franchise à pas mesurés.

Les époux peuvent commencer à exercer leur franchise sur des détails. Les femmes diront à leur mari le vrai prix d'un achat au lieu de leur dire : « Je l'ai acheté en solde », et d'essayer ainsi de soutenir leur réputation de parfaite ménagère. Elles pourront mettre un terme à l'hypocrisie qui leur faisait admirer des cravates extravagantes qu'en fait elles détestaient. Le mari sait trop bien, en général, qu'elle n'est pas sincère, et cette hypocrisie n'est qu'une preuve de plus qu'il ne peut la croire d'un seul mot. En revanche, inutile de dire au nom de la franchise : « Non, je trouve cette cravate atroce, tu as un goût affreux. » Ce n'est qu'être destructeur, surtout si le mari est chatouilleux du col. Mais elle dira : « Tu sais, chéri, mon goût est plutôt classique. » De la sorte elle exprime franchement son sentiment sans lui contester le droit d'avoir le sien.

Un mari peut procéder de même à propos des lunettes incrustées de strass que porte sa femme. Il peut lui dire qu'il n'apprécie vraiment pas l'idée de passer une autre soirée chez les Dupont, ou qu'il trouve parfaitement idiot de l'accompagner au thé en plein air organisé par le club. Ainsi nos deux lascars inaugureront leur franchise sur des objets mineurs, où les sensibilités sont moins aisément froissées et la dépendance moins grande. Chaque fois que les époux s'exercent à se dire la vérité, ils apprennent à renforcer leur propre identité et à croire en eux-mêmes. Constatant peu à peu que les petites vérités blessent moins qu'ils ne croyaient, ils construisent de ce fait leur confiance mutuelle, au point d'être en mesure d'approcher des zones plus sensibles.

Parmi ces zones plus sensibles, la sexualité est un domaine où il est vital d'établir franchise et confiance — et où abondent les supercheries. Partager le point de vue traditionnel sur la supériorité masculine nécessite pour ainsi dire la tromperie dans la chambre à coucher. Dans ce type de relation, la femme feint fréquemment la jouissance pour soutenir l'*ego* masculin, ainsi que sa propre réputation d'épouse ardente. Le mari, pour se rassurer sur sa virilité, croit qu'il faut qu'il arrive à la faire jouir à tous les coups. Tant que la femme s'obstine à dire : « Mais si, mais si, j'y suis arrivée », alors qu'elle n'y est pas arrivée du tout, et que le mari continue à souhaiter ces paroles, ni l'un ni l'autre ne créent un climat de franchise ni de confiance.

Ils se sont lancés dans l'entreprise de vivre en fonction d'un mythe qui en elle sape l'estime de soi, en lui enfle abusivement l'amour-propre. Les exigences impliquées par le mariage clos à dominante masculine créent de telles tromperies.

Mais un couple désireux de suivre nos directives et qui les applique avec souplesse à sa propre situation, peut approcher d'une franchise nouvelle dans ses relations sexuelles comme dans les autres aspects de la vie commune. En brisant avec les rôles prédéterminés, sexuels ou autres, en reconnaissant réciproquement l'identité singulière de l'autre, en communiquant ouvertement leurs besoins et leurs désirs réels, ils peuvent, en toute égalité, parvenir à cette sorte de tendre intérêt pour les sentiments de l'autre qui résulte d'une entière compréhension et du plaisir mutuels. Quand les exigences prédéterminées et les fausses normes prennent fin, commence la franchise sexuelle. Et cette franchise, accompagnée d'une indulgente compréhension de la vulnérabilité sexuelle de chacun, peut mener à l'élaboration de cette espèce de confiance qui non seulement rend inutile la tromperie sexuelle, mais peut aussi être canalisée pour féconder d'autres zones du mariage.

Deux sortes de confiance

Eviter la tromperie aide à créer un climat de confiance, mais d'autres conditions sont aussi essentielles. La confiance ne peut être unilatérale, c'est une route à deux voies. Chacun doit mériter la confiance autant qu'il doit avoir confiance. La confiance grandit parce qu'elle est réciproque, parce que mari et femme partagent leurs expériences et, au fil des jours, éprouvent leur confiance réciproque. Pourtant, pour vraies que soient ces considérations, elles restent trop simplistes. Car la confiance comporte différents niveaux. Comme nous l'avons remarqué à propos des trois mariages évoqués au début de ce chapitre, la question n'est pas seulement qu'il y ait ou non confiance au sein d'un couple. Elle peut être en effet *statique* ou *ouverte*. Entrons dans le détail de cette différence.

La confiance statique est fondée sur les normes prévues et, dans une mesure raisonnable, elle garantit la prévisibilité. Nous comptons que les gens tiendront leurs promesses, paieront leurs factures et viendront à leurs rendez-vous. La confiance statique est absolument nécessaire à la coopération, en toutes circonstances, mais étant fondée uniquement sur le probable et le prévisible, elle ne s'accommode guère du changement.

Les couples se marient, font vœu de s'aimer, de s'honorer, de se chérir, et de renoncer à tous les autres jusqu'à ce que la mort les sépare. Promesses que seuls des anges pourraient tenir. Parce qu'ils ont promis, ils croient que la confiance va être là, comme par un décret du Bon Dieu. Ils se figurent que chacun va tenir ce qu'il a promis explicitement, et même que leur vie se conformera toujours aux clauses implicites du contrat de mariage clos. Par malheur, ces spéculations sur lesquelles ils croient fonder la confiance sont irréelles. Ils s'imaginent que leur conjoint sera toujours comme il était au jour de son mariage. Le changement est pour eux une surprise, voire un choc. Combien d'époux ont dit : « Je ne sais ce qui arrive à mon mari (à ma femme) depuis quelque temps, il (elle) a tellement changé ! » ou : « Mais, mon chéri, tu ne faisais pas comme ça d'habitude ! Qu'est-ce qui t'est arrivé ? » Ce qui signifie en réalité : « Qu'est-ce qui ne va pas ? Tu ne fais pas ce que j'attendais. J'ai des soupçons. »

Ces couples s'imposent des normes de comportement rigides, absolues et idéalisées et quand, inévitablement, ils y dérogent, ils y voient une trahison. Qu'on se rappelle l'attitude de Dorothée au début du chapitre — une seule transgression de la clause de fidélité absolue, et c'est la fin de tout. Comme chacun des deux doit s'efforcer de respecter ces normes utopiques, en niant sa propre identité, la moindre entorse de la part de l'autre prend une importance démesurée : « Moi je me suis sacrifié, et toi tu ne t'en fais pas, tu fais tout ce que tu veux ! » Combien de fois ce cri furieux et désappointé a-t-il été proféré ? En de telles circonstances, chacun fondant sa conduite et sa confiance sur des normes utopiques, un seul faux pas peut jeter à bas tout l'édifice comme un château de cartes. Car, selon Erikson, « sous l'effet de la fatigue, tout être humain peut régresser temporairement jusqu'à une certaine défiance, chaque fois que son monde normal a été ébranlé dans ses profondeurs ». Plus ces normes sont réalistes, plus souvent elles seront ébranlées, et plus difficile sera l'instauration de la confiance.

Il est bon, dans la vie active, de pouvoir compter sur les gens. Mais le mariage est une relation personnelle et non une transaction commerciale. C'est une relation continue, entre des êtres vivants qui changent avec le temps. Si vous attendez que votre partenaire s'en tienne à des normes sans réalité (et que vous essayiez d'en faire autant), votre confiance statique vous ramènera de force à une relation restrictive, dans laquelle le changement deviendra traumatisant, au lieu d'être une émulation créatrice, comme on peut la trouver dans le mariage ouvert. Bien des couples dans le passé ont réussi à se bâtir une vie raisonnablement heureuse en la fondant sur la confiance statique. Le contrat du mariage clos comprenant cette espèce de confiance restreinte a assez bien rempli son rôle pendant toute une période historique. Il le remplit peut-être encore pour un nombre constamment décroissant de couples. Mais, en notre ère de changement continuel, une confiance plus souple agissant dans le cadre d'un mariage plus souple, est nécessaire. Le mariage ouvert postule la confiance ouverte.

Confiance ouverte

Il faut que la confiance, dans le mariage ouvert, aille bien plus loin qu'à prouver sa propre crédibilité dans le cadre de normes rigides. La confiance statique ne se borne pas à paralyser le changement, elle n'implique même pas la franchise ni l'intimité. On peut tenir ses promesses sans être franc sur ce qu'on en pense. On peut les rompre (par exemple la clause du contrat clos touchant à la fidélité absolue) et n'être jamais véridique à ce sujet. La confiance statique, fondée uniquement sur des normes, peut se satisfaire de pures apparences. Tant que les apparences sont sauves, quelle que soit la vérité, la confiance est sauve elle aussi. Et comme ce qu'on attend de vous est déterminé par les normes prescrites associées aux rôles spécifiques, vous ne pouvez parvenir à une véritable intimité : vous connaissez le personnage, non la personne, et l'intimité avec un personnage est impossible. Ainsi la base de la confiance ouverte, c'est plus que d'être confiant et digne de confiance, plus qu'une question de responsabilité et de prévisibilité : c'est d'être ouvert et franc l'un envers l'autre, aussi bien dans la pensée que dans l'expression.

La confiance ouverte implique un degré d'intimité, de franchise et d'ouverture qui dépasse de beaucoup les possibilités de la confiance statique. Etre *ouvert* de cette façon, c'est croire à la capacité et à la volonté de votre conjoint de chérir et de respecter *votre* franchise et *votre* sincérité. Un ami définissait ainsi cette sorte de confiance : « La confiance est le sentiment que, quoi que vous puissiez dire ou faire, on ne va pas vous critiquer. C'est une façon de vivre en plein jour, qui consiste à ne pas garder de secrets embarrassants, à exprimer volontiers ce qu'on a dans l'esprit, en sachant que l'autre ne s'en servira pas plus tard contre vous. C'est croire *en* quelqu'un et non seulement le croire. Nous pouvons nous déshabiller devant l'autre, non pas seulement au sens physique, mais par l'intimité véritable des pensées et des sentiments. L'idée fondamentale est que nous savons que nous ne sommes pas parfaits, mais nous savons aussi que nous ne serons pas accusés d'être ce que nous sommes. »

Savoir que vous pouvez atteindre ce degré d'ouverture,

savoir que vous pouvez vous faire confiance en toute franchise crée un *climat* qui fait qu'on croit en l'autre. Quand existe cette franchise, vous savez où vous en êtes l'un par rapport à l'autre. Avec cette confiance ouverte, chacun peut prendre toute sa taille. Il n'y faut pas des années ; nous croyons que, si les partenaires s'ouvrent l'un à l'autre, même par degrés, ils découvriront bientôt que la franchise, l'amour et la confiance sont interdépendants, se renforcent mutuellement et se développent l'un par l'autre.

Ici encore, vous pouvez constater combien toutes les directives du mariage ouvert interfèrent. Tout ce que nous avons dû dire sur la communication ouverte et franche est applicable à l'établissement de la confiance ouverte. Il y a pourtant quelques remarques supplémentaires à faire sur la franchise dans ses rapports avec la confiance ouverte.

Franchise et croissance sont étroitement liées. La franchise assurément n'est pas toujours facile, ce n'est pas tout l'un ou tout l'autre, cela dépend de la façon dont vous sentez les choses. Même ainsi, on peut avancer pas à pas, de façon constructive. Plus on s'ouvre l'un à l'autre le fond de sa pensée, sans critique destructrice, plus on approche d'une connaissance intime et réciproque. Plus on *essaie*, plus le dialogue devient véridique et franc.

Des partenaires, dont le rapport se situe à un niveau de franchise plutôt statique, ont souvent l'impression d'un écroulement général quand ils doivent absorber la franchise à haute dose ou que, dans la chaleur de la discussion, ils disent ce que d'ordinaire ils n'auraient pas révélé, tout en le pensant profondément. Quand la vérité sort, il faut la prendre comme une expérience instructive, plutôt que comme l'ultime révélation. On ne le dira jamais assez : les êtres changent. Et ils continueront à changer, longtemps après que la discussion ou la révélation du moment auront perdu toute importance. Quand un fait nouveau concernant l'autre « sort » ainsi, même s'il s'agit de l'aveu inattendu d'une infidélité par exemple, c'est une *information* nouvelle, et quand on dispose d'une information nouvelle, même si elle est désagréable, la seule réaction de bon sens est de rechercher ce que signifie cette information, pour en faire le meilleur usage.

Peut-être trouvez-vous impossible de faire bon usage de

la nouvelle, si vous apprenez brusquement que votre mari ou votre femme ont noué des relations avec un tiers. Mais si vraiment vous aimez votre partenaire, et si vous tenez à votre couple, il est plus important de découvrir le pourquoi de cette tromperie (grande ou petite) que de vous épargner le chagrin ou la colère que cette franchise peut provoquer. Quand Dorothée affirme que toute infidélité signifierait la rupture, elle prouve seulement que, pour elle comme pour lui, l'image de l'autre l'emporte sur sa réalité. Dorothée nous dit qu'elle préfère être un personnage en rapport avec un personnage plutôt qu'une personne en rapport avec une personne. Et il se peut qu'en bien des cas, cette préférence de toutes les Dorothée du monde soit la raison fondamentale des tromperies de leurs maris.

Les personnages sont statiques, les êtres changent. Si vous voulez être une personne, vous devez consentir à enregistrer le fait nouveau concernant l'autre, même si vous êtes déçu et blessé, et à en faire l'amorce d'un dialogue qui pourra vous amener à une appréciation plus objective, plus franche et plus ouverte du rapport entre deux êtres. Ce dialogue permettra la recherche d'une meilleure compréhension réciproque, d'où une connaissance de niveau supérieur, qui approche de la franchise et de la confiance totales qui caractérisent le ménage idéal. C'est alors seulement que le changement inévitable sera assimilé et que la croissance mutuelle se fera. Il faut du courage pour prendre la responsabilité de ses actes face aux clauses rigides, dominées par des rôles, qui ont régi pendant trop longtemps les vies de trop de gens. Des époux qui se font confiance, qui croient l'un en l'autre, prennent cette responsabilité par un libre choix, comme partie intégrante de leur croissance. Ceux qui sont encore en mariage clos en souffriront peut-être à des degrés divers. Mais la souffrance, dans le corps humain, est un signal d'alarme qui retentit lorsque quelque chose va mal, et nous pousse à rechercher la cause exacte du malaise ; de même la souffrance morale, affective, est souvent une étape nécessaire sur le chemin de la guérison.

Plus il y aura de franchise dans un couple, moins il souffrira à long terme, car la franchise totale implique des relations vraiment détendues, une révélation parfaitement sincère de ce qu'on est, sans qu'il soit besoin d'en conter ou de se défendre. La franchise entière, la perfection de la confiance, veulent que le changement, en l'un ou en l'autre, ne soit pas une surprise. Et le couple qui réalise ce rapport forge un lien plus fort que n'en peut créer la confiance statique.

Les Chinois disent qu'on ne trempe jamais son pied dans la même onde, signifiant par là que le temps, comme l'eau des fleuves, s'écoule sans cesse. On peut, bien sûr, arrêter le cours d'un fleuve par un barrage, et c'est ce que tente la confiance statique, mais selon toute apparence le résultat, tôt ou tard, en sera la stagnation ou l'inondation. Nous les hommes, il nous faut voguer au cours de la vie et de ses changements. La confiance ouverte enveloppe le pardon, en ce sens que chacun doit permettre à l'autre d'être humain, de commettre des erreurs, d'être imparfait, de croître et de changer au gré des circonstances. Par la confiance ouverte, ils seront francs devant les réalités humaines, ils seront objectifs devant le changement, ils seront courageux et sincères s'il leur faut affronter un rival, une crise. Le couple ouvert sait bien que ni l'un ni l'autre n'est parfait et que le changement oblige souvent à faire un pas en arrière pour en faire deux en avant.

La nature de la confiance dans le mariage ouvert veut encore que les époux puissent être seuls ensemble ou seuls séparément, sortent ensemble ou non, aient des amis communs ou non. Elle veut qu'ils sachent respecter leurs différences et, pourtant, en être d'autant plus rapprochés, qu'ils sachent partager leurs difficultés et leurs servitudes temporaires, en possédant la connaissance réciproque de leur moi profond, connaissance nécessaire à l'entraide en cas de besoin.

Donc la confiance ouverte ne consiste pas à attendre ou à faire des gestes spécifiques ou prédéterminés, mais plutôt à ne pas laisser l'autre dans l'ignorance de vos désirs et besoins immédiats, en vivant pour aujourd'hui, non pour hier ou pour demain, et non pas en vivant la vie dont un autre a tracé pour vous les normes obligées, mais en vivant pour vous-même en même temps que pour l'autre grâce à la communication et à la croissance. La confiance, c'est la liberté, comme le disait Laurent dans son entretien avec nous : liberté d'assumer d'abord la responsabilité de son propre moi, de mettre ensuite en commun, dans l'amour, ce moi humain, en constituant un couple qui ne restreigne pas la croissance, ne limite pas l'accomplissement.

CHAPITRE XVI

AMOUR ET SEXUALITE SANS JALOUSIE

Les racines de la jalousie

Amour, sexualité et jalousie semblent, à la plupart des couples, une triade parfaitement naturelle et même inévitable, associée intimement au mariage contemporain. Nous reconnaissons, sans aucun doute, que les deux premiers éléments de cette triade, l'amour et la sexualité, sont essentiels pour un mariage, ouvert ou clos. Mais quiconque a lu avec soin nos directives doit bien savoir déjà que, pour nous, la jalousie n'a aucune place dans le mariage ouvert. Qu'elle soit si répandue dans le mariage clos ne signifie pas que l'amour et la sexualité soient inévitablement accompagnés de cette ombre sinistre.

Pour commencer nous voudrions mettre au rebut l'idée que la jalousie sexuelle est naturelle, instinctive et inévitable. Elle n'est rien de tout cela. La jalousie est avant tout une réaction *apprise,* relevant de comportements culturels. Dans de nombreuses sociétés à travers le monde, chez les Esquimaux, les habitants des Iles Marquises, les Lobis d'Afrique occidentale, les Sirionos de Bolivie entre autres, la jalousie est réduite à sa plus simple expression ; et chez d'autres encore, tels les Todas en Inde, elle est presque complètement absente. Si, dans d'autres sociétés, la jalousie existe à peine, on ne peut donc la considérer comme un aspect naturel du comportement humain. Pourquoi, alors, est-elle si générale chez nous ?

Pour répondre à cette question, distinguons d'abord nettement entre jalousie et envie. La jalousie naît à propos de ce qu'on possède déjà. L'envie apparaît quand on voit quelque chose que l'on n'a pas, mais qu'on voudrait avoir. Un mari, par exemple, peut envier à un autre homme l'épouse qui le comble d'attentions, lui prépare ses cocktails et lui retape ses oreillers. Mais le même homme sera jaloux de sa femme si elle comble d'attentions semblables tout autre que lui-même. Il sera jaloux car il pense que ces attentions lui *appartiennent*. La distinction entre jalousie et envie est donc importante, puisque la jalousie suppose la possession préalable. Personne ne peut être propriétaire d'une autre personne, ainsi que nous l'avons déjà dit, mais le contrat du mariage clos crée l'illusion d'une telle possession, et nos comportements traditionnels envers l'amour et la sexualité renforcent les clauses de ce contrat.

La notion de monogamie sexuellement exclusive et de propriété de l'autre fait naître une dépendance profondément ancrée, des émotions infantiles et puériles, une insécurité. Plus vous vous sentez dans l'insécurité, plus vous serez jaloux. « La jalousie, dit Abraham Maslow, presque toujours augmente l'isolement et accroît l'insécurité. » Et la jalousie, semblable à un cancer monstrueux, nourrit la jalousie. Elle n'est donc pas fonction de l'amour, mais de notre insécurité et de notre dépendance. Elle a peur de perdre l'amour et elle détruit ce même amour. Elle porte atteinte à l'identité de la personne aimée en même temps qu'elle la nie. La jalousie est donc un sérieux obstacle au développement de la sécurité et de l'identité et c'est notre mariage clos avec ses idées de propriété qui en est directement responsable.

Dans le présent chapitre nous souhaitons examiner quelques-unes des conceptions erronées, causes de jalousie dans le mariage clos, et montrer comment le mariage ouvert, en nous en débarrassant, nous aidera à séparer la jalousie de la sexualité et de l'amour.

L'amour est un sentiment

Il peut être plus facile de comprendre la complexité de l'amour si nous l'envisageons comme un sentiment auquel nous apportons l'énergie de nos émotions, ou mieux, auquel nous fournissons de l'énergie affective. Ainsi, nous pouvons considérer l'émotion comme de l'énergie en mouvement à l'intérieur de l'individu, et nous pouvons espérer maîtriser, au moins en partie, le sens et la manifestation de cette énergie.

Par exemple, nous investissons plus ou moins d'énergie dans nos sentiments amoureux, selon la situation, l'objet, la personne, le caprice qui nous inspirent. Nous apportons à nos sentiments amoureux le degré d'émotion que leur objet fait naître. Nous pouvons avoir peu d'affection pour quelqu'un ou quelque chose, ou nous pouvons en avoir beaucoup. L'affection vient des mêmes régions de la sensibilité que l'amour. Elle peut se transformer en amour, peut s'accroître jusqu'aux dimensions de l'amour, cela dépend du degré d'émotion qu'on y apporte. Un homme peut mettre plus d'énergie affective dans ses sentiments à l'égard de la vieille maison familiale qu'il n'en éprouvera jamais à l'égard d'une personne. Mais cela peut ne pas être évident, aux yeux de l'observateur non prévenu, à cause des façons très variées dont nous pouvons exprimer nos sentiments. Parfois, nous orientons mal nos sentiments, parfois nous y mettons trop d'émotion.

L'amour possessif naît lorsque nous investissons dans nos sentiments amoureux trop d'énergie affective prise à de fausses sources : énergie produite par des sentiments de dépendance et d'insécurité. La nature de cet excès peut se comprendre plus rapidement peut-être si on le compare à la haine, qui est le contraire de l'amour. On y voit le même principe à l'œuvre : lorsqu'un sentiment d'antipathie pour quelqu'un ou quelque chose est modéré, ce n'est qu'un déplaisir ; mais, lorsque ce même sentiment est investi d'une somme énorme d'énergie affective, il se transforme en haine. Lorsqu'une personne nous déplaît, peut-être simplement parce qu'elle n'est pas notre genre, notre sentiment est modéré. Mais nous haïssons quelqu'un si nous pensons qu'il nous a volontairement fait du tort. Bien sûr, cette idée nous semblerait peut-être sans fondement, si nous pouvions voir les deux côtés de la question. Mais, et c'est là l'important, l'amour possessif n'est pas rationnel.

L'amour romantique : un héritage irrationnel

On dit des amants romantiques que « leur cœur domine leur raison ». C'est très bien vu. Lorsque quelqu'un est amoureux de façon romantique, une quantité d'énergie excessive est mobilisée au bénéfice de son seul sentiment amoureux, faisant de lui quelque chose d'analogue à une automobile conduite par un amateur de sensations sur une route en lacets. La randonnée est excitante, naturellement, et la plupart d'entre nous passent par là à un moment ou à un autre. Mais c'est essentiellement une distorsion de la réalité et, comme nous le verrons, elle s'ajoute à d'autres distorsions pour induire une conception totalement erronée des relations entre l'amour et la sexualité.

La conception occidentale de l'amour romantique est née de la tradition courtoise du Moyen Age, où la passion de l'amant et de sa bien-aimée était non seulement extra-conjugale, mais n'avait pour but aucune consommation charnelle. Le mariage n'entrait pas dans cette catégorie ; cependant, notre civilisation moderne a emprunté de nombreux traits à l'amour courtois (auquel s'ajouta plus tard l'idéal romantique) et les a appliqués au mariage. Les troubadours et leurs dames toujours mariés (les deux ou au moins l'un d'eux) à quelqu'un d'autre, soupiraient profondément, tissaient d'impalpables rêves, mais en restaient à la contemplation. Car l'amour courtois était idéal et non réel, c'était un jeu auquel on jouait pour se divertir. Les charmantes personnes que cela concernait, n'ayant rien d'autre à faire que broder et laisser tomber des mouchoirs de leurs balcons, consacraient leur temps de loisir à stimuler artificiellement ces jeux d'amour courtois, allant jusqu'à en édicter les règles, qui furent codifiées dans les cours d'amour du XIIe et du XIIIe siècle. Nous ne résistons pas au plaisir de citer quelques-unes de ces règles, extraites de l'un de ces codes, pour montrer comment nos propres conceptions d'amour et de jalousie découlent directement de ces attitudes ludiques :

Un amour nouveau fait partir l'ancien.
Une vraie jalousie augmente toujours la valeur de l'amour.

La suspicion, et la jalousie qu'elle allume, accroissent la valeur de l'amour.

La moindre présomption oblige chacun des deux amants à suspecter le pire.

Deux idées se mêlent dans ces extraits du code de l'amour courtois : l'idée que l'amour est limité, qu'on ne peut aimer plus d'une personne à la fois, et l'idée que l'amour est prouvé par l'existence de la jalousie. Ces règles de l'amour courtois réussissent à merveille à rendre toute l'affaire à la fois plus difficile et plus excitante. Prises au sérieux et appliquées au mariage moderne, elles ne sont pas fondées sur la réalité humaine.

Amour limité

L'amour limité est la variété potagère courante dont les couples se nourrissent dans le mariage clos après avoir épuisé l'amour romantique. Il reflète l'une des clauses principales du mariage clos : on ne peut s'engager vraiment, aimer, vivre dans une grande intimité, qu'avec une seule personne à la fois. Cette clause dont l'origine remonte à l'amour courtois médiéval a reçu de Freud, ce bourgeois du XIX° siècle si comme il faut, ses lettres de noblesse scientifique, par la doctrine selon laquelle chaque individu possède une quantité fixe et limité de libido, ou énergie sexuelle globale. « Freud, pensait, écrit Abraham Maslow, qu'on ne dispose que d'une certaine quantité d'amour et que, plus on en donne à une personne, moins il en reste pour les autres. »

On peut voir très clairement l'influence pernicieuse de cette idée dans les rapports d'un jeune couple avec son premier enfant. Si vous pensez que vous avez seulement une certaine quantité d'amour à donner, et que votre conjoint a de même une quantité limitée d'amour à offrir en retour, il en découle que toute affection ou sentiment ressenti par votre conjoint pour quelqu'un d'autre diminue l'amour qu'il peut éprouver pour vous. Naturellement, alors, vous allez fabriquer des règles et des clauses pour l'empêcher d'avoir avec quelqu'un d'autre des rapports tels que sa réserve d'affection à votre égard s'en trouve diminuée. Les gens croient tellement à cette fausse idée qu'ils appréhendent l'affection que leur conjoint porte à leurs propres enfants. Les études sur le mariage font toutes état du fait que le premier enfant est un facteur de perturbation pour les époux, le père étant souvent jaloux des relations que la mère entretient avec l'enfant.

Bien évidemment, si vous croyez à cette conception de l'amour limité, vous le conserverez soigneusement, vous le morcellerez parcimonieusement et même vous le marchanderez. Chemin faisant, votre réelle *capacité* d'aimer diminuera inévitablement : vous apprenez à refuser l'amour plutôt qu'à le donner. Et, à mesure que votre capacité d'aimer se rétrécira et s'atrophiera, vous serez de plus en plus convaincu que vous n'en avez vraiment qu'une quantité donnée à offrir. La notion d'amour limité constitue en somme une prophétie, selon laquelle l'amour doit diminuer, et elle s'accomplit par la simple raison qu'elle existe. Malheureusement, ce n'est pas vous et votre conjoint seulement qu'elle amoindrit, mais aussi vos enfants.

L'homme n'est pas naturellement monogame

Les confusions dues à la déformation romantique et à la conception fausse d'amour limité sont intimement liées à la définition très étroite de la monogamie qui prévaut dans notre civilisation. Selon cette définition, la monogamie signifie relation sexuelle avec le conjoint seulement. En termes scientifiques, pourtant, la monogamie signifie simplement le fait d'être marié avec une seule personne à la fois. Selon les sociétés, les conjoints du mariage monogamique n'ont de relations sexuelles qu'entre eux, ou peuvent en avoir aussi bien avec d'autres : le mot monogamie par lui-même n'indique pas si les règles sexuelles d'une société sont restrictives ou libérales.

Dans beaucoup de sociétés de par le monde qui n'autorisent que le mariage par paires, la monogamie ne signifie nullement l'exclusivité sexuelle : la pluralité des partenaires y est permise et même prévue. Et même dans les sociétés qui ont adopté la polygénie ou la polyandrie, l'exercice de la sexualité n'est pas toujours limité aux éléments de l'ensemble matrimonial. Notre société peut bien nous affirmer que la monogamie sexuelle est la meilleure formule qui soit, il faut savoir qu'il en existe d'autres.

Il faut comprendre aussi que l'homme (l'être humain des deux sexes) n'est pas sexuellement monogame par nature, par évolution ou par habitude. Dans toutes les sociétés du monde, dans lesquelles on lui enjoint de pratiquer le mariage sexuellement monogamique (et il s'agit ici d'une *minorité* parmi les cultures, même si cela touche une majorité en nombre d'individus), il n'a jamais réussi à se conformer à cette norme. Il peut y manquer avec gloire, impudence, nonchalance, regret, repentir, mais il y manque toujours, avec une fréquence qui montre que ce manquement n'a rien d'exceptionnel. Même dans les sociétés où les interdits sexuels sont les plus stricts et les plus intransigeants, cette « faiblesse humaine » qu'on appelle communément « infidélité » reste extrêmement courante. Et nous sommes amenés inévitablement à nous demander où est la « faiblesse » : dans l'être « de peu de foi » qu'est l'homme, ou dans la norme elle-même ?

Nous n'avons assurément pas l'intention de nier qu'il y ait des gens capables d'être, pendant toute leur vie, sexuellement monogames. Certains couples sont capables de réussir une union dans laquelle ni l'un ni l'autre n'ont, ni même ne désirent, de liaisons extraconjugales. Mais ils sont rares et le deviennent de plus en plus. Il y a l'histoire de l'homme qui s'était marié six fois, mais qui se vantait de n'avoir jamais été infidèle pendant le temps d'un mariage. Un modèle de vertu, apparemment. Il faut poser sérieusement la question : la monogamie sexuelle fournit-elle, oui ou non, une norme réaliste et applicable dans une société aussi diverse et pluraliste que la nôtre, où la durée de la vie s'allonge, et où les hommes et les femmes s'adaptent constamment à des situations nouvelles ? Quand bien même certains accepteraient pour norme la monogamie sexuelle, ils ne devraient pas pour autant s'aveugler, et s'interdire l'indulgente compréhension de la variété des normes sexuelles, qui sont toutes également humaines. Il ne faut pas oublier que, conjointement avec les déformations culturelles de l'amour, la monogamie produit des effets secondaires extrêmement déplaisants : « La monogamie, écrit le Dr Albert Ellis, non seulement encourage directement le développement d'une intense jalousie sexuelle, mais encore, en prétendant faussement que les hommes et les femmes ne peuvent aimer qu'un individu de l'autre sexe à la fois, et ne peuvent être sexuellement attirés que par cette personne unique, elle sème indirectement les germes de futures grandes scènes de jalousie. »

La monogamie, telle qu'elle se définit dans notre culture, *est* le mariage clos. Elle implique la propriété, exige l'exclusivité sexuelle, et nie à la fois l'égalité et l'identité. Par une perversion des valeurs, elle favorise la jalousie, elle en fait un *bien*. Souvent les maris et les femmes *essaient* même de rendre l'autre au moins « un petit peu jaloux », en allant juste assez loin pour obtenir une réaction qui leur prouve qu'on les aime vraiment. Pour eux, la jalousie est censée démontrer qu'on se fait du souci. Mais que ce soit peu ou prou, la jalousie n'est jamais un sentiment constructif. Elle peut montrer qu'on se fait du souci, mais ce pourquoi on s'en fait, c'est déjà trop pour l'un et pas assez pour l'autre.

Cependant, la monogamie ne signifie rien de pareil, comme nous l'avons vu. Les directives de notre livre visent à redéfinir la monogamie, à créer une espèce de monogamie où l'égalité soit naturelle, où la personnalité fleurisse, où la jalousie et l'exclusivité sexuelles « sortent du sujet », où les décisions soient prises par choix et non par coercition, où l'amour grandisse dans un climat de liberté. Nous avons jusqu'à présent examiné un certain nombre de conceptions erronées de l'amour et de la sexualité. Le reste du chapitre sera consacré à redéfinir ces concepts, en montrant comment la monogamie peut être mise en équation avec le mariage *ouvert*.

L'affection : clef de l'amour

Un mari et une femme peuvent « s'aimer » sans affection. Bien des couples se marient quand, dans les affres de l'amour romantique, la brume sentimentale ne leur a pas encore permis de se voir assez distinctement pour savoir, si oui ou non, ils ont de l'affection l'un pour l'autre. Même quand la fleur bleue s'est fanée et qu'ils découvrent qu'en fait ils n'ont point d'affection, ils peuvent continuer à « s'aimer », à se désirer possessivement, ou à avoir besoin l'un de l'autre par suite d'une dépendance névrotique. Mais les époux qui manquent d'autonomie et ne satisfont pas à leurs besoins individuels, qui s'appuient l'un sur l'autre en restant dépendants, en arrivent souvent à souffrir de cette dépendance et, s'il n'y a pas d'affection entre eux, l'amour peut très vite tourner à la haine.

L'affection, selon nous, est la clef de l'amour. C'est ce que Rollo May appelle amitié, ou *philia*, dans l'amour : « C'est la détente en présence de l'aimé, c'est tout simplement se trouver bien avec l'autre... La *philia* demande seulement qu'on accepte l'aimé, qu'on soit avec lui, qu'on y ait plaisir. C'est l'amitié, à dire les choses simplement et directement.» L'affection n'est qu'un aspect de l'amour, mais elle est à notre sens la clef qui permet de découvrir la créativité personnelle, l'estime mutuelle et la satisfaction érotique qui composent l'amour authentique et mûr que nous appelons *amour ouvert*.

L'amour romantique est aveugle et souvent irrationnel ; l'affection, elle, est rationnelle, et fondée sur le respect plutôt que sur la passion. Ce n'est pas dire que la passion n'ait pas d'importance, mais cela montre qu'un amour qui comporte à la fois affection et passion est beaucoup plus solide qu'un amour seulement passionné. Sans affection, et sans le respect qu'elle implique, le véritable amour ouvert ne peut se réaliser, car le respect mutuel est indispensable à l'établissement de l'identité et de l'égalité, ainsi qu'à la communication ouverte entre époux. En fait, la mise en pratique de n'importe laquelle de nos directives nécessite le respect ; mais au commencement, ce respect peut n'être que la bonne volonté réciproque pour essayer la formule, car c'est la pratique des directives qui renforce, pour bâtir sur lui, ce que vous aviez de respect au départ.

L'amour ouvert n'a pas de limites

L'amour ouvert, de la même façon, est lui-même la condition de sa propre construction et de son propre développement. Une fois libérés de l'idée fausse que l'amour est limité, une fois que vous vous serez mis à donner librement votre amour, vous constatez que votre pouvoir d'en donner croîtra continuellement. Le concept d'amour limité assimile l'amour à l'argent : plus on en dépense, moins on en a. Et on accumule l'amour comme le capital. Mais le don de l'amour

n'est pas un débours, c'est un investissement. Plus on inves-
tit, plus on récupère. Le riche s'enrichit, car l'argent crée
l'argent. Mais l'amour aussi crée l'amour. Plus on en donne,
plus on reçoit et plus on est capable de recevoir ; plus on a,
plus on est capable de donner.

Parce que l'amour ouvert est fondé sur la personnalité et
l'égalité des partenaires, c'est un amour non possessif.
A mesure que vous vous accomplissez et tant que personne,
l'amour devient, selon la formule d'un psychanalyste, « le
trop-plein de votre complétude ». Il repose sur le sentiment
d'appartenir au couple plutôt qu'à l'autre. L'amour ouvert est
libéré des restrictions, injonctions et interdictions qui sont
la marque de fabrique de l'amour possessif et limité. Ceux
qui s'acceptent ouvertement, qui savent communiquer franchement, sont capables de connaître ensemble une détente
inconnue à ceux qu'enchaîne encore le mariage clos. Un
tel climat de détente non seulement réconforte et rassure,
mais nourrit la croissance. Chacun aide l'autre à dépasser ce qu'il aurait pu être seul. Parce qu'ils croissent et
changent, parce qu'ils ne sont ni possessifs ni limitatifs, ils
ont un attachement vibrant à leur relation, dont ils éprouvent la nouveauté et la spontanéité vivifiantes. Ils sont à la
fois dans l'être et dans le devenir.

A propos de cette sorte de rapport amoureux qu'il obser-
vait chez les auto-réalisateurs, Abraham Maslow dit : « Ce
que nous constatons..., c'est la fusion d'un grand pouvoir
d'aimer et d'un grand respect pour les autres et pour soi-
même. Cela se voit au fait que ces sujets n'ont pas, au sens
ordinaire du mot, *besoin* l'un de l'autre comme en ont besoin
des amoureux ordinaires. Ils peuvent être très proches l'un
de l'autre et pourtant se séparer très facilement. Ils ne se
cramponnent pas l'un à l'autre, ils n'ont ni grappins ni
ancres... Dans les aventures amoureuses les plus intenses,
les plus extatiques, ils restent eux-mêmes, ils restent en
dernier ressort maîtres d'eux-mêmes aussi, vivant selon leurs
normes propres tout en jouissant intensément l'un de l'autre. »

Ainsi, deux êtres, s'ils parviennent à s'ouvrir aux possibilités qu'ils ont en eux, à la liberté qui naît du respect mutuel,
peuvent connaître l'épanouissement d'un amour ouvert d'espèce nouvelle. « Le paradoxe de l'amour », dit Rollo May,

« est qu'il représente le plus haut degré de confiance en soi (en tant que personne) et le plus haut degré de fusion en l'autre. » Cela rappelle le paradoxe évoqué à propos de l'identité. De même qu'en vous réalisant vous-même, vous êtes capable de relations plus complètes avec autrui, de même l'amour non possessif vous rapproche plus que jamais de votre conjoint. Et parce que vous êtes plus proche, parce que votre amour s'accroît constamment, il vous est également possible d'inclure plus aisément les autres dans le cercle toujours élargi de votre amour.

L'amour ouvert, dont le niveau s'élève, déborde en englobant les autres. Il inclura très certainement vos enfants, si vous en avez. Mais l'amour ouvert s'étend même au-delà des frontières de la famille. En dépit de notre tradition d'amour limité, il est tout à fait possible d'aimer son conjoint d'un amour qui lui apporte d'intenses satisfactions, et en même temps d'en aimer un autre, ou d'autres, d'une affection profonde et confiante. Et cette dimension supplémentaire de l'amour vient alimenter en retour l'amour du couple. Un mari s'exprime ainsi : C'est merveilleux, une fois qu'on a desserré les liens et compris que la liberté fait partie de l'amour ! Dans ma vie ç'a été un véritable saut qualitatif, pas seulement par rapport à Jeanne et à ce que nous avons en commun, pas tellement par rapport aux quelques amis vraiment proches avec qui nous partageons cet amour, mais la mutation s'est produite en moi, dans mon moi, toutes mes relations ont changé, je vois tout d'un autre œil, tout s'ouvre à moi, on dirait qu'il n'y a pas de limites. »

L'harmonie sexuelle naît de l'harmonie de la relation

Les attitudes culturelles à l'égard de la sexualité ont fortement changé depuis la Seconde Guerre mondiale. Il y a bien encore, par-ci par-là, des gens qui croient qu'il s'agit là d'un secret honteux à dissimuler derrière des portes closes, sous des couvertures, dans une chambre obscure, mais il y en a de moins en moins. La plupart des gens reconnaissent aujourd'hui ce qu'est réellement la sexualité : une fonction naturelle dont il faut jouir sans hypocrisie puisque nous ne sommes pas des anges. Comme le monde rapetisse de jour en jour, avec la révolution des communications, de plus en plus de gens se rendent compte que les mœurs sexuelles nous sont prescrites par la culture particulière dans laquelle nous vivons et que ce qui est tabou quelque part est parfaitement admis ailleurs. Chaque civilisation nous dit comment les hommes, comment les femmes doivent agir. L'esprit du XIXᵉ siècle voulait que les hommes puissent aimer les plaisirs sexuels, mais que les femmes n'en aient pas le droit, et il fallut près d'un siècle pour que les confusions causées par ce commandement commencent à s'effacer. Aujourd'hui, la même dichotomie persiste dans l'idée que les hommes peuvent éprouver du plaisir sans amour mais que les femmes ne le peuvent pas. Plus vite nous nous débarrasserons des mythes et des superstitions sur la sexualité et le rôle qu'y jouent l'homme et la femme, plus vite nous arriverons à trouver la plénitude sexuelle et la compréhension réciproque.

Il y a des livres et encore des livres, et même, maintenant, des films, qui nous disent comment améliorer notre plaisir sexuel. Assurément, il nous est utile de nous informer autant que possible, pour dissiper les mythes, les superstitions, la fausse information du passé. La mise de cette information à la portée de tous est en soi une bonne chose. Mais la prolifération de tous ces documents, éducatifs et autres, crée des problèmes pour un tas de gens. Le premier problème consiste en ce que, dans la plupart de ces documents, les aspects mécaniques et techniques de la sexualité sont soulignés au détriment des aspects sentimentaux.

Le second problème est que ces documents, pris dans leur ensemble, tendent à créer pour les hommes, les femmes et les couples, une représentation totalement irréelle du possible. Cette représentation imaginaire se transforme en nouvelle normativité. Et l'idée d'imposer une norme culturelle à la relation inter-sexuelle ou au mariage, qu'il s'agisse de la norme d'hier ou de celle d'aujourd'hui, appartient au mariage clos. Dans le mariage ouvert on doit être influencé (en matière de sexualité comme ailleurs) ne premier lieu par la considération des besoins de l'autre. Si l'attrait des nouvelles normes culturelles est suffisant pour que vous éprouviez le besoin de vous y conformer, cela est également possible dans le mariage ouvert.

La sexualité, toute naturelle qu'elle est, *est apprise* ; mais souvenez-vous qu'elle est conditionnée par les prescriptions culturelles et les variations individuelles. Apprenez autant que vous voulez, mais tenez compte de ce conditionnement, et usez de vos facultés de jugement pour distinguer ce qui vous convient.

Une idée qu'il faut désapprendre dans notre culture est l'affirmation que l'expression sexuelle d'une personne, son fonctionnement physiologique dans le coït, deviennent dans le mariage une *propriété* du conjoint. C'est un axiome du mariage clos. Pourtant il n'est pas d'idée aussi nocive à la qualité de la relation sexuelle. La sexualité est propriété personnelle, expression personnelle, fonction de l'être personnel. La jonction ultime et intime des processus psychologiques et physiologiques dans le phénomène sexuel appartient à la personnalité autant qu'elle est expression du moi dans les autres domaines de la vie. Et ces fonctions appartiennent à chaque individu, et non au conjoint. Sexualité, amour, affection, souci, intérêt, responsabilité sont des expressions personnelles d'un individu : elles sont à lui seul pour les donner et les partager avec une autre personne, et non pour être possédées, exigées ou contrôlées par autrui. Ainsi la sexualité heureuse naît du partage et du don et il lui faut s'accompagner du même respect, de la même liberté, de la même autonomie, de la même égalité, de la même identité qui existent dans les autres domaines de la relation.

Que la sexualité réussie naisse de la relation réussie, ne signifie pas qu'on ne puisse avoir de plaisir sexuel avec un partenaire récemment rencontré. On le peut, et ceux qui le nient sont encore sous l'influence des mythes du XIXᵉ siècle. L'idée que la sexualité sans amour est destructrice, aliénante et sans agrément, est une appréciation purement culturelle très voisine de l'idée que la sexualité est répugnante. Tout un chacun sait que la sexualité dans l'amour est ce qu'il y a de mieux, mais cela ne signifie pas nécessairement qu'une autre sorte ou qu'un autre degré d'engagement sexuel soit pervers, dégradant, ou signe de névrose. Le plaisir sexuel peut correspondre, et correspond en effet, à des degrés divers d'affection, de chaleur, de camaraderie. Il peut n'être pas aussi riche, aussi satisfaisant, aussi comblant que lorsque l'amour s'y ajoute, mais il n'en est pas moins agréable, stimulant et généralement vivifiant.

Quand nous parlons d'une relation à long terme, pourtant, la qualité des rapports sexuels dépend de cette relation même. La réussite sexuelle ne garantit pas la réussite de la relation ; elle ne sauve ni ne raccommode un mariage défaillant. En d'autres termes, la sexualité n'est pas le seul facteur de première importance dans le mariage. Elle est fondamentale, mais elle s'enchevêtre avec d'autres aspects du mariage. Pour l'essentiel, elle est un *moyen* d'exprimer son amour. Des techniques nouvelles peuvent rénover ou développer votre répertoire sexuel, mais ne peuvent, en elles-mêmes, améliorer votre sensibilité. Au contraire, vos sentiments peuvent améliorer votre expérience sexuelle, imprégner votre répertoire, si agréable qu'il puisse être déjà, d'une signification nouvelle. Et c'est la signification que nous attachons aux choses qui leur donne leurs sens.

Plus on s'ouvre et plus on devient compréhensif à l'égard de l'autre. Plus votre relation devient ouverte, plus satisfaisants doivent être vos rapports sexuels. Chacune des directives utilisées pour améliorer votre relation, la grandir, la développer, la vivifier, ajoutera aussi à votre plaisir sexuel. Pensez à chacune d'entre elles dans l'optique sexuelle : égalité, réalisme dans la visée, accent mis sur le présent, liberté, plasticité des rôles, communication franche, confiance. Par la communication ouverte, combinée avec le respect et la sensibilité aux sentiments et aux besoins de l'autre, les partenaires gagnent en patience et en conscience à l'égard de leurs fragilités réciproques dans le domaine sexuel. Leur confiance réciproque peut leur permettre d'harmoniser leur sexualité, de façon qu'elle exprime la plénitude et l'étendue des émotions et des sentiments qu'ils partagent. Quand le rapport sexuel atteint sa perfection, il apporte une fusion totale : c'est le moment paradoxal de la communion ultime où chacun simultanément se transcende et fait l'expérience la plus profonde de lui-même. A de tels moments, la sexualité devient l'expression totale de leurs personnalités, de leurs identités séparées, de leur croissance et de leur engagement réciproque, et de leur connaissance de l'autre et de soi.

Pourtant la sexualité n'est pas nécessairement une expérience profonde. Elle comporte bien d'autres dimensions, et toutes ont leur charme. Elle peut être gaie ou sérieuse, exploratrice ou confortablement pot-au-feu, créatrice ou tendre, ou désinvolte et taquine ; elle peut être passionnée, exotique, érotique, ou, tout simplement, sensuelle et abandonnée. Et par-dessus tout, elle peut être enjouée, comme Maslow la décrit ici : « C'est un caractère des auto-réalisateurs que de pouvoir se plaire à l'amour et à la sexualité. Celle-ci bien fréquemment devient une sorte de jeu dans lequel le rire est aussi commun que le halètement... Ce n'est pas le bien de l'espèce, ni la tâche de reproduction, ni l'avenir de l'humanité qui expliquent l'attirance sexuelle. La vie sexuelle des gens sains, bien qu'elle les porte souvent aux sommets de l'extase, se compare néanmoins très aisément aux jeux des enfants et des chiots. C'est de la gaieté, de l'amusement, du jeu. »

L'intelligence appliquée à la sexualité

Nous pensons que la sexualité mérite qu'on y applique toutes ses facultés : sentimentalité, émotivité, sensibilité, sensualité et, mais oui, intelligence. Notre culture nous a pendant longtemps appris à accepter les choses telles qu'elles sont, et à congédier notre esprit quand nous sommes au lit. Quand vous vous mettez au lit, vous êtes censé ôter votre intelligence avec vos vêtements. Le refrain est que si on pense, on ne sent pas ; que si on pense, on coupe le courant... Comme l'écrit un psychanalyste, « nous ne pouvons posséder le plaisir, le plaisir nous possède. Il existe dans le corps, comme pure sensation, il est indépendant de notre volonté. Aussitôt que le corps retombe sous le contrôle conscient de l'esprit, c'est la fin du plaisir. » Nous croyons cette opinion exagérée. Alors qu'il est vrai que la réponse sexuelle est une réaction physiologique que l'inhibition, ainsi que le contrôle, l'anxiété et la peur peuvent bloquer, il est faux que l'on doive chasser toute pensée pour éprouver le plaisir. Bien des gens ont à apprendre le laisser-aller pour s'adonner aux plaisirs de l'amour, afin de faire échec aux inhibitions et à la répression que nos expériences passées et la société ont fait entrer en nous par le dressage. Mais l'intelligence et la connaissance sont sûrement des armes formidables contre ces bloquages. Contrairement à ceux qui prétendent que le plaisir ne peut venir que par une sexualité sans volonté ni pensée, nous croyons que la sexualité progresse quand on lui apporte l'esprit avec le corps, l'intelligence, la curiosité, la prévision, la connaissance, le goût de la découverte, aussi bien que la sensualité et la perception toujours en éveil. Une relation ouverte avec votre conjoint, dans le lit comme hors du lit, dépend de l'usage que vous faites de votre intelligence, comme elle dépend de votre connaissance, de votre confiance réciproque, de votre sensibilité avertie des besoins et des préférences de l'autre.

L'importance d'une relation ouverte et de l'application de la connaissance à la sexualité dans le mariage a été démontrée par les méthodes thérapeutiques destinées à aider les couples à résoudre leurs problèmes sexuels. Le Dr William H. Masters et Mme Virginia Johnson, pionniers dans ce domaine, ont élaboré un programme complet et multiple. Ils s'arrêtent sur tous les aspects de la sexualité, avec la communication pour point central, ainsi que l'éducation destinée à éliminer les idées fausses et les tabous. Ces méthodes ont obtenu un plein succès dans le traitement des mésententes sexuelles, en grande partie parce qu'elles requièrent des conjoints qu'ils travaillent *ensemble* à la solution de leur problème. Travailler ensemble signifie développer la relation mutuelle. Les partenaires apprennent à communiquer franchement et sans inhibition à aucun niveau (contacts, gestes, paroles), pour exprimer leurs besoins, se sensibiliser à ceux de l'autre, même lorsqu'ils travaillent sur les aspects techniques et physiologiques de la sexualité, et c'est cette relation nouvelle, plus ouverte, et non seulement les mécanismes, qui, en fin de compte, améliore l'entente sexuelle.

Que votre propre vie sexuelle soit déjà plus que satisfaisante ou malheureusement inadaptée, nous pensons qu'en appliquant les directives du mariage ouvert à votre couple, les progrès dans vos rapports entraîneront aussi un progrès sexuel.

Dans tout notre livre, nous avons souligné que la relation ouverte dépendait de l'application de votre intelligence à tous les aspects de votre relation. Cela veut dire : savoir quels sont vos choix. Cela veut dire : passer au crible les vieux mythes, les superstitions et écarter les vieilles idées de déterminisme sexuel et social pour trouver votre propre voie vers la plénitude, par le choix des meilleures solutions.

Une nouvelle définition de la fidélité

La fidélité sexuelle est le faux dieu du mariage clos, un dieu auquel les partenaires se soumettent (ou qu'ils défient) par toutes sortes de mauvaises raisons et, souvent, au prix de la relation même que ce dieu est censé protéger. La sexualité est envisagée dans le mariage clos en termes de fidélité, devenant ainsi l'alpha et l'omega de l'amour, au lieu d'être considérée dans sa perspective propre comme une facette de la multiple réalité de l'amour. Dans le mariage clos, la fidélité est la mesure de l'amour *limité*, de la croissance *freinée*, de la confiance *conditionnelle*. Cette idée arrêtée finit par mettre en échec son propre projet, en encourageant la tromperie, en semant la méfiance, en limitant la croissance des deux partenaires et, par conséquent, de leur amour.

La fidélité, en son sens radical, est marque de féale allégeance à un devoir, à une obligation. Mais l'amour et la sexualité ne doivent jamais être considérés sous l'angle du devoir ou de l'obligation, comme c'est le cas dans le mariage clos. Il faut les considérer comme expérience de la communion et du plaisir, et c'est le cas dans le mariage ouvert. Ainsi la fidélité est redéfinie, dans le mariage ouvert, comme engagement dans sa propre croissance et engagement égal à contribuer à celle de l'autre, et comme mise en commun de la découverte de soi-même que permet cette croissance. Elle est loyauté et foi à l'égard de la croissance, de l'intégrité du moi et du respect de l'autre, et non un esclavage sexuel et psychologique.

Dans un mariage ouvert, où chaque partenaire est sûr de son identité et fait confiance à l'autre, il existe des possibilités nouvelles de relations subsidiaires, et l'amour ouvert (en tant qu'il s'oppose à l'amour limité) peut s'étendre jusqu'à en inclure d'autres. La fidélité ne doit pas être interprétée dans le contexte étroit du mariage clos, où l'on est soupçonné d'infidélité possible chaque fois qu'on manifeste de l'intérêt pour tout individu de sexe opposé qui n'est pas le conjoint. Dans le mariage ouvert, on peut être amené à connaître et apprécier des gens de l'autre sexe, et avoir avec eux des relations de camaraderie. Ces relations enrichissent à leur tour la relation matrimoniale du couple ouvert.

Ces relations extérieures peuvent assurément comporter des rapports sexuels. Cela dépend absolument des intéressés. Si les conjoints « ouverts » ont des rapports sexuels extra-conjugaux, c'est sur la base de leur propre relation intérieure, c'est-à-dire parce qu'ils ont éprouvé la maturité de l'amour, qu'ils ont une confiance réelle, qu'ils sont capables d'expansion personnelle, d'amour et de plaisir avec les autres, et capables aussi de réinvestir cet amour et ce plaisir dans leur propre couple sans jalousie.

Nous ne recommandons pas les rapports sexuels hors mariage, mais nous ne disons pas qu'il faille les éviter non plus. Le choix dépend entièrement de vous, et ne peut être opéré que sur la base de votre propre appréciation : jusqu'à quel point avez-vous établi, dans votre couple, la confiance, l'identité, et la communication ouverte nécessaire à l'extirpation de la jalousie ? Les expériences sexuelles extérieures, lorsqu'elles se situent dans le contexte d'une relation de grande valeur peuvent être enrichissantes et bénéfiques. Mais de telles relations ne sont pas nécessairement partie intégrante du mariage ouvert. Il ne s'agit là que d'une option. A vous de voir.

Avoir une aventure sans vous y être préparé, et sans avoir préparé votre conjoint à franchir cette étape, peut contrarier le développement d'un vrai mariage ouvert. Il vous faut faire plus que saisir simplement l'idée de fidélité comme engagement à la croissance : il faut mettre cette idée en pratique dans votre ménage. La liberté dans le mariage ouvert ne signifie pas « liberté de faire ce qui vous plaît » sans responsabilité. C'est la liberté de croître jusqu'à la réalisation de vos virtualités personnelles, par l'amour — et un aspect de cet amour est de vous préoccuper de la croissance et du bien-être de votre partenaire autant que du vôtre. Nous pourrions en fait aller plus loin. Si les amitiés extérieures sont appelées à être plus que des passades et peuvent inclure des rapports sexuels, alors ces relations aussi doivent être abordées avec la même fidélité à la croissance mutuelle, et la même mesure de respect que vous montreriez à votre partenaire de mariage ouvert. Il faut être franc aussi dans ses relations extra-conjugales. Si vous ne l'êtes pas, la tromperie pratiquée à l'extérieur reviendra finalement s'infiltrer dans votre mariage même.

Les considérations développées par Samuel et Jane, à l'égard des relations extérieures, que nous avons citées dans notre chapitre sur la camaraderie ouverte, reflètent la nécessité de la franchise, de l'intérêt, du respect pour toutes les personnes intéressées. Quand vous avez construit une relation confiante et franche dans votre propre ménage, et que vous êtes capable de tirer plaisir de relations extérieures, le souci, l'intérêt de tous deviennent la préoccupation essentielle. Souvent, mais pas toujours, ces relations extérieures finissent par s'élargir à l'autre conjoint (ou aux deux autres conjoints, si deux couples ouverts sont mis en contact par une liaison entre deux personnes également mariées). La mise en commun devient alors triple ou quadruple : non pas nécessairement sur le plan sexuel, mais sur celui de l'amitié et de la communauté ouverte.

Nous croyons que si vous réussissez un mariage ouvert, votre relation conjugale en sera plus vivante, plus comblante, et que vous ne cesserez de croître et de découvrir. Dans ces conditions, il semble bien naturel que vous désiriez élargir le cercle de votre amour, des relations nouvelles, avec ou sans rapports sexuels. Et cet apport supplémentaire peut à son tour faire de votre mariage une expérience encore plus profonde, plus riche, plus vitale. Une fois que vous avez réalisé cette communion véritable, il n'y a plus de limites, dans votre couple, à l'évolution créatrice.

CHAPITRE XVII

SYNERGIE
PUISSANCE DU COUPLE :
FONCTION DE LA PUISSANCE DES PERSONNES

Un processus dynamique

Le mariage ouvert n'est pas seulement l'occasion d'une liberté nouvelle pour les conjoints, car son vrai but est la croissance mutuelle que cette liberté favorise. Si l'on suit nos directives, le mariage ouvert deviendra un processus continu, sans bouclage, et non simplement un nouvel état. La recette pour constituer un tout cohérent de ces directives et pour comprendre le mariage ouvert comme un processus dynamique, c'est le concept de synergie.

Synergie est un mot désignant le processus dynamique qui a lieu quand l'action combinée de deux facteurs produit un effet ou un résultat supérieurs ou plus avantageux que ne le serait la somme des actions individuelles séparées de ces facteurs. C'est un processus grâce auquel le tout l'emporte sur la somme des parties, ce qui n'empêche pas ces parties de conserver leur singularité. On peut, par exemple, contracter séparément les muscles de sa cuisse et de son mollet, mais si on les fait agir ensemble, on peut marcher, danser, courir. Quand vous marchez, les muscles de la cuisse et du mollet restent distincts. C'est très différent de ce qui se produit quand vous confectionnez un gâteau ; là aussi, le résultat est plus que la somme des divers ingrédients : farine, sucre, œufs, etc., mais chaque élément a perdu son identité. Ils se sont combinés, mais d'une façon qui a transformé les ingrédients en quelque chose d'autre. Au cours d'un processus synergétique véritable, quelque chose de nouveau se crée sans que les éléments originaux qui se sont combinés perdent rien de leur identité.

La synergie apparaît lorsque deux organismes, ou deux personnes, sont réunis, collaborent d'une façon telle que le résultat final de leur collaboration est enrichi, c'est-à-dire que la combinaison des deux produit une qualité ou un effet d'intensité supérieure à ce que l'un ou l'autre élément comportait au départ ou aurait pu atteindre par lui-même. Ainsi, dans la synergie, $1 + 1 = 3$, et pas seulement 2. Cet effet particulier, cet accroissement permet aux époux, dans le mariage ouvert, d'exister et de croître comme deux individus distincts, et en même temps de transcender leur dualité et de réaliser leur unité à un autre niveau, au-delà d'eux-mêmes, une unité qui naît de l'amour et de la croissance réciproques. De façon synergétique, intégrée, la croissance individuelle de chacun accroît et enrichit la croissance, le plaisir et l'accomplissement de l'autre. Plus chacun possède une personnalité entière, est capable d'auto-réalisation, plus il peut donner à son compagnon. Plus il est en accord avec lui-même, plus il est capable d'aimer ; plus il peut donner de liberté, plus l'épanouissement de son conjoint le rendra heureux ; plus les deux partenaires se développent, plus chacun des deux est plein de force pour entraîner l'autre.

Développement de cette idée

La synergie fonctionnelle fut décrite en premier lieu par l'anthropologue Ruth Benedict, qui fit œuvre de pionnier, dans sa comparaison entre les cultures comportant peu de synergie, comme celle des Dobuans des mers du Sud, qui sont hostiles, agressifs et surtout anxieux, et les cultures à haute synergie, comme celle des Zuni dans le Sud-Ouest américain, qui sont confiants et coopératifs. Le Dr Abraham Maslow, dont nous avons souvent dans ce livre utilisé les études sur les auto-réalisateurs, a travaillé avec Ruth Benedict lorsqu'elle élaborait sa théorie, et il l'a appliquée aux relations entre individus. Le Dr Benedict a découvert que ce qui est bon pour l'individu dans une société à haute synergie l'est aussi pour la société dans son ensemble. Selon le Dr Benedict, dans une société à haute synergie, « toute action ou pratique qui favorise l'individu favorise en même temps le groupe ». Maslow explique ainsi l'usage élargi qu'il fait de cette idée : « ... Si j'ai plus de plaisir à mettre mes fraises dans la bouche de ma petite fille qui les adore, si par là je suis heureux et m'amuse à la regarder manger ces fraises que j'aimerais certainement manger moi-même, que dire de l'égoïsme ou de l'altruisme de cet acte ?... Mon acte n'est ni entièrement égoïste ni complètement altruiste, ou bien on peut dire qu'il est à la fois égoïste et altruiste... C'est-à-dire que ce qui est bon pour mon enfant est bon pour moi, ce qui est bon pour moi est bon pour elle, ce qui la réjouit me réjouit aussi. »

On peut voir facilement comment ce principe opère entre époux : chacun aime rendre l'autre heureux, tout comme le père est heureux du plaisir de son enfant dans l'exemple de Maslow. On peut le comprendre de façon très concrète : si le mari a une augmentation de salaire ou parvient à une situation plus élevée, sa femme et sa famille en bénéficieront. On aurait le même résultat si la femme gagnait à la loterie. Mais cette sorte de « ce qui est bon pour toi est bon pour moi » peut fonctionner dans le mariage clos aussi bien que dans le mariage ouvert. Le mariage ouvert, nous semble-t-il, porte l'idée de synergie à un niveau d'interaction totalement nouveau.

L'enrichissement synergétique

Approfondissons la notion de synergie et arrêtons-nous à l'aspect d'enrichissement mutuel implicite dans la définition et le sens du mot synergie. A travers un échange et une création croissants, dans le mariage ouvert, ce qui est bon pour toi est non seulement bon pour moi mais meilleur pour nous deux.

Pour les époux, les multiples aspects de leur croissance deviennent synergétiques et mutuellement enrichissants. Si Jean aime aller à la pêche, et pas Suzanne, dans le mariage ouvert, il peut quand même y aller, y prendre plaisir et revenir à la maison. Son plaisir le rend plus heureux, plus satisfait, et sa femme profite de sa bonne humeur, de sa joie. Le bonheur crée le bonheur par un échange positif : c'est l'essence de la synergie. Suzanne est heureuse de voir

Jean heureux, et ainsi profite de son bonheur. Si Suzanne aime un livre ou suit un cours quelconque, et tire de ces activités un enrichissement intellectuel, elle le partage avec Jean, et lui aussi profite, non seulement de son plaisir ou de son intérêt, mais aussi bien, peut-être, d'un nouveau savoir. Elle devient plus stimulante, il est heureux de son plaisir, il est stimulé à son tour par son intérêt à elle : leur croissance augmente par un effet réciproque. Nous pouvons même voir cet effet d'enrichissement comme une série d'étapes :

1. Je suis heureux (-se) de te voir heureuse (-x).

2. Quand je te vois heureuse (-x) parce que j'ai fait quelque chose pour te rendre heureuse (-x) (je t'ai fait un cadeau, peut-être le cadeau de la liberté), ou fait quelque chose pour nous deux, ton bonheur augmente le mien.

3. Par l'amour ouvert et la confiance ouverte, je suis capable de prendre le même plaisir à ton bonheur, même quand c'est quelqu'un ou quelque chose d'autre qui t'a rendue heureuse (-x).

4. Ton bonheur est *d'autant plus grand* que tu vois et sais que mon bonheur augmente par le tien.

5. Cet effet d'enrichissement mutuel met à notre disposition *la construction synergétique*, ou interaction constructive.

Cette théorie de l'enrichissement peut s'appliquer à n'importe quelle étape de la croissance, où que vous en soyez de l'utilisation de l'une quelconque de nos directives. Elle agit sur tous les aspects de votre vie commune, du métier à la sexualité, à la contemplation d'un coucher de soleil. Voici un schéma de l'enrichissement synergétique :

Interaction synergétique
Enrichissement
Allégresse
Transcendance

L'allégresse peut provenir d'une anticipation, simplement du plaisir lui-même, de la validation de soi par le partenaire ou un autre, ou d'une situation génératrice d'émulation. Le principe de l'enrichissement est exactement semblable au sentiment qui inspirait François, que nous avons cité dans le chapitre sur la camaraderie ouverte, lorsqu'il disait que sa vie était enrichie par les intérêts centrifuges de Jeannette, et que son plaisir à elle augmentait son plaisir à lui Quand les couples ont éliminé la jalousie et la rivalité, quand ils ont réalisé leur identité, l'égalité, l'amour ouvert et la confiance réciproque, tous leurs actes, séparément et ensemble, deviennent synergétiques. Les expériences de chacun construisent celles de l'autre. Ceci est exactement l'inverse de l'attitude limitative des partenaires du mariage clos, l'attitude qui proclame : « Pas d'agrément pour toi si je ne peux pas en avoir autant en même temps », ce qui constitue une réaction négative et limitative.

Celui qui réagit négativement, petitement, est un « rabaisseur, » qui constamment écrase son conjoint ou d'autres. Il a un effet déprimant, qui rabat l'enthousiasme, l'estime de soi, la créativité de l'autre, et mène finalement à l'annulation des échanges et à la paralysie.

En revanche, celui qui réagit positivement dans ses rapports à autrui est un « accroisseur », qui inspire l'enthousiasme et le goût de vivre à son conjoint et aux autres. Un accroisseur est branché sur ses propres sources vives, et il en alimente les autres.

Construction synergétique

Comme une réaction en chaîne, la synergie une fois amorcée se construit elle-même, s'intensifie, s'élargit ; ce faisant, elle introduit dans le circuit de nouvelles significations, de nouvelles découvertes, de nouvelles explorations de soi et de l'autre, de sorte que le système se renforce, se régénère, s'accroît par lui-même, sans autres limites que celles qu'on lui impose.

La synergie est le pouvoir qui permet au mariage ouvert de se développer. C'est plus qu'une interaction positive entre les conjoints, c'est faire de cette interaction positive et enrichissante un système propre à produire une croissance continue. Comme système, la rétroaction enrichissante opère dans tous les domaines : l'amour engendre plus d'amour, la croissance plus de croissance, et la connaissance plus de connaissance. Plus on en sait, plus on peut en savoir. Plus on a d'informations, plus on est capable de comprendre et d'absorber encore plus d'informations — pour les assimiler et les associer à de nouvelles informations. Plus on en sait sur soi et sur l'autre, plus on explore ensemble cette connaissance réciproque, plus grandit l'intimité à laquelle on a accès. La communication ouverte et franche permet ainsi des échanges de plus en plus riches.

Le mariage clos, avec ses limites et ses contraintes, constitue un système énergétique fermé. Lorsque l'on voit des limites à l'amour, il faut aussi des limites à la croissance. Le mariage clos évolue linéairement, suivant un tracé prédéterminé, sur un plan invariant. Le mariage ouvert, par contre, connaît un développement spécial (voir le diagramme).

Le mariage clos est réducteur, il diminue les maris et les femmes. Le mariage ouvert est un système synergétique ouvert, car non seulement chacun ajoute à la croissance de l'autre en créant une énergie nouvelle, mais l'autonomie individuelle des conjoints leur permet d'absorber de l'énergie supplémentaire qu'ils tirent de stimuli extérieurs pour les réinvestir éventuellement dans leur couple.

Le mariage ouvert dépasse le simple *tous-les-deux*, la simple liberté de l'individu. Il est la coopération portée à son comble, un système dynamique qui crée, par rétroaction adjonctive et croissance, un couple synergétique.

Voyons une fois de plus les oppositions des mariages clos et ouverts.

MARIAGE OUVERT	MARIAGE CLOS
cadre dynamique	cadre statique
ouverture au monde	fermeture au monde
ouverture réciproque	fermeture au couple sur soi
spontanéité	calcul
addition	soustraction
création, expression	inhibition, dégénérescence
potentialité infinie	potentialité limitée
franchise, confiance	tromperie, comédie
vie au présent	vie au futur, ou accrochée au passé
vie privée pour la croissance personnelle	contiguïté étouffante en *tous-les-deux*
plasticité des rôles	prescriptions rigides
adaptation au changement	peur du changement
autonomie individuelle	possession de l'autre

identité personnelle	asservissement du moi au couple
intégration des autres, croissance par la relation à autrui	refus des autres, limitation de la croissance par l'exclusivisme
égalité de consistance	statut inégal
confiance ouverte	confiance conditionnelle et statique
amour ouvert	amour limité
système énergétique **ouvert**	système énergétique **fermé**
liberté	esclavage

La comparaison des deux mariages montre clairement où est la question : le mariage clos n'offre aucune option, tandis qu'elles abondent dans le mariage ouvert. Le mariage clos peut bien offrir un fantôme de sécurité, une certaine mesure de satisfaction sans risques, mais inévitablement il paralysera la croissance. Le mariage ouvert nous offre à tous, pour autant que nous désirons en user, de quelque façon que nous en usions, la possibilité d'élargir sans cesse notre horizon. Se connaître et s'accomplir *avec* son partenaire (mariage ouvert) au lieu de le faire par *le moyen de* son partenaire (mariage clos) devient un voyage de découverte. Il nous stimule par l'émulation, il nous prépare aussi à nous adapter au changement. Il offre l'allégresse et non la plate satisfaction.

L'allégresse dont nous parlons correspond à ce que Abraham Maslow a appelé « arrivée au sommet » : illuminations, découvertes, moments créateurs, uniques, intenses où l'on vit totalement dans l'instant, dans l'oubli de soi, ou plutôt en se transcendant soi-même. Bien que ces expériences suprêmes ne se fassent que rarement, elles sont les hauts lieux, les temps forts de votre vie, toujours présents à la mémoire, les moments où nous sommes le plus complètement, le plus purement, nous-mêmes.

Quand ces états sublimes se multiplient, comme c'est possible en mariage ouvert, quand un couple engendre une haute synergie, alors les partenaires sont à même de réaliser la transcendance, et de partager, croître et exister au sein d'une vie nouvelle, tant intellectuelle et affective que spirituelle.

Les cimes sont là. Vous et votre conjoint vous pouvez les ignorer, vous pouvez vous blottir dans les vallées étroites, ou bien partir à leur conquête. C'est vous, c'est votre couple, qui pouvez créer une autre vie pour vous-même et votre conjoint ; vous seul pouvez créer les conditions de la transcendance.

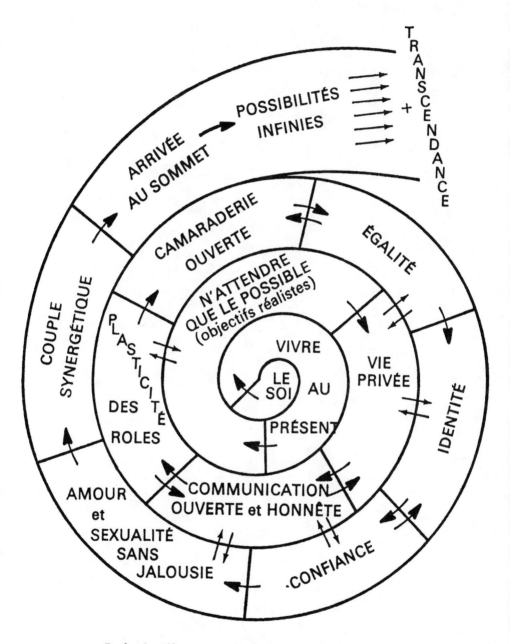

Spirale d'expansion du mariage ouvert

BIBLIOGRAPHIE

Baber, Ray E. *Marriage and the Family.* New York : McGraw-Hill Book Company, Inc., 1953.

Bach, George R., and Peter Wyden. *The Intimate Enemy.* New York : William Morrow and Company, Inc., 1969.

de Beauvoir, Simone, *Le deuxième sexe.* Paris 1960.

Benedict, Ruth. « Patterns of the Good Culture. » *Psychology Today,* juin 1970.

Berne, Eric, *Games People Play.* New York : Grove Press, 1964.

Bierce, Ambrose. *The Devil's Dictionary.* New York : Dover Publications, Inc., 1958.

Birdwhistell, Ray L. « The American Family : Some Perspectives. » *Psychiatry,* août 1966 (vol. 29).

Blood, Robert O., Jr. *Marriage.* New York : The Free Press of Glencoe, 1962.

Blood, Robert O., Jr., and Donald M. Wolfe, *Husbands and Wives.* New York : The Free Press, 1965.

Bowlby, John. *Attachment.* New York : Basic Books, Inc., 1969.

Brecher, Ruth et Edward. *An Analysis of Human Sexual Response.* New York : The New American Library, 1966.

Briffault, Robert, et Bronislaw Malinowski. *Marriage : Past and Present.* Avec une introduction de M. F. Ashley Montagu. Boston : Porter Sargent, 1956.

Bugental, James F. T. *Challenges of Humanistic Psychology*. New York : McGraw-Hill Book Company, Inc. 1967.

Chesler, Phyllis. « Men Drive Women Crazy. » *Psychology Today*, juillet 1971.

Cuber, John F., avec la collaboration de Peggy B. Harroff. *Sex and the Significant Americans*. Baltimore : Penguin Books, 1966.

de Rham, Edith. *The Love Fraud*. New York : Pegasus, 1965.

Deutsch, Hélène. *The Psychology of Women*, 2 vol. New York : Grune and Stratton, 1944.

Ellis (1962), Albert. *The American Sexual Tragedy*. New York : Grove Press, Inc., 1962.

Ellis (1965), Albert. *The Art and Science of Love*. New York : Lyle Stuart, 1965.

Erikson (1963), Erik H. *Childhood and Society*, 2nde éd. New York : W. W. Norton & Company, Inc., 1963.

Erikson (1968), Erik H. *Identity, Youth and Crisis, New York :* W. W. Norton & Company, Inc., 1968.

Farson, Richard E., Philip M. Hauser, Herbert Stroup et Anthony J. Wiener. *The Future of the Family*. New York : Family Service Association of America, 1969.

Ford, Clellan S., and Frank A. Beach. *Patterns of Sexual Behavior*. New York : Harper & Brothers, 1951.

Fox, Robin. « The Evolution of Human Sexual Behavior. » *The New York Times Magazine*, 24 mars 1968.

Friedan, Betty. *The Feminine Mystique*. New York : Dell Publishing Co., Inc., 1964.

Gibb, Jack R. « Group Expériences and Human Possibilities. » In Otto (1968).

Gilman Richard. « The FemLib Case Against Sigmund Freud. » *The New York Times Magazine*, 31 janvier 1971.

Ginott, Haim G. *Between Parent and Child*. New York : The Macmillan Company, 1965.

Gornick, Vivian. « The Next Great Moment in History Is Theirs. » *The Village Voice*. 27 novembre 1969.

Graves, Clare. « Levels of Existence : an Open System Theory of Values. » *Journal of Humanistic Psychology*, 1970 (vol. 10).

Harris, Marvin. *Culture, Man, and Nature.* New York : Thomas Y. Crowell, 1971.

Hicks, Mary W., et Marilyn Platt, « Marital Happiness and Stability : A Review of the Research inthe 60's. » *Journal of Marriage and the Family.* Novembre 1970.

Homans, George C. *Social Behavior : Its Elementary Forms.* New York : Harcourt, Brace & World, 1961.

Honigman, John. *The World of Man.* New York : Harper & Brothers, 1959.

Howard, Jane. *Please Touch.* New York : McGraw-Hill, 1970.

Hunt, Morton M. *The Natural History of Love.* New York : Alfred A. Knofp, 1959.

Janeway, Elizabeth. *Man's World, Woman's Place.* New York : William Morrow and Company, Inc., 1971.

Jourard (1964), Sidney M. *The Transparent Self.* Princeton, N.J. : D. Van Nostrand Company, Inc., 1964.

Jourard (1968), Sidney M. *Disclosing Man to Himself.* Princeton, N.J. : D. Van Nostrand Company, Inc., 1968.

Kinsey (1948), Alfred C., Wardell B. Pomeroy, et Clyde E. Martin. *Sexual Behavior in the Human Male.* Philadelphia : W. B. Saunders Company, 1948.

Kinsey (1953), Alfred C., Wardell B. Pomeroy, Clyde E. Martin, et Paul H. Gebhard. *Sexual Behavior in the Human Female.* Philadelphia : W. B. Saunders Company, 1953.

Kirkendall, Lester A., et Robert N. Whitehurst, éd. *The New Sexual Revolution.* New York : Donald W. Brown, Inc., 1971.

Langdon-Davies, John. *A Short History of Women.* New York : Literary Guild of America, 1927.

Lawton, George. « Emotional Maturity in Wives. » In Fairchild, Johnson E., *Women, Society and Sex.* New York : Fawcett Publications, Inc., 1962.

Lederer, William J., et Don D. Jackson. *The Mirages of Marriage.* New York. W. W. Norton & Company, Inc., 1968.

Lindberg, Anne Morrow, *Gift From the Sea.* New York : The New American Library, 1957.

Lindsey, Judge Ben B., et Wainwright Evans. *The Compationate Marriage.* Garden City, N.Y. : Garden City Publishing Co., Inc., 1929.

Linton, Ralph. *The Study of Man.* New York : D. Appleton-Century Company, Inc., 1936.

Lundberg, Ferdinand, et Marynia Farnham. *Modern Woman : The Lost Sex.* New York : Grosset et Dunlap, 1947.

Marshall, Donald S., et Robert C. Suggs, *Human Sexual Behavior.* New York : Basic Books, Inc., 1971.

Maslow (1954), A.H. *Motivation and Personality.* New York : Harper & Row, 1954.

Maslow (1965), Abraham H. *Eupsychian Management.* Homewood, Illinois : Richard D. Irwin, Inc., 1965.

Maslow (1968 a), Abraham H. *Toward a Psychology of Being.* 2nde éd. Princeton, N.J. : D. Van Nostrand Company, Inc., 1968.

Maslow (1968 b), Abraham H. « Human Potentialities and the Healthy Society. » In Otto (1968).

Maslow (1970 a), Abraham H. « Psychological Data and Value Theory. » In Maslow, Abraham H., éd. *New Knowledge in Human Values.* Chicago : Henry Regnery Company, 1970.

Maslow (1970 b), Abraham H. *Religion, Values and Peak Experiences.* New York : The Viking Press, 1970.

Maslow, Abraham H., et John J. Honigmann, éds. « Synergy : some Notes of Ruth Benedict. » *American Anthropologiste,* avril 1970 (vol. 72).

Masters (1966), William H., et Virginia E. Johnson. *Human Sexual Response.* Boston : Little, Brown and Company, 1966.

Masters (1970), Willim H., et Virginia E. Johnson. *Human Sexual Inadequacy.* Boston : Little, Brown an Company, 1970.

May (1969 a), Rolli. *Love and Will.* New York : W. W. Norton & Company, Inc., 1969.

May (1969 b), Rollo. « Love and Will. » *Psychology Today,* août 1969.

Mazur, Ronald Michael. *Commonsense Sex.* Boston : Beacon Press, 1968.

McClelland, David. « Psychoanalysis and Religious Mysticism. » In McClelland, David, *The Roots of Consciousness*. Princeton, N.J. : D. Van Nostrand Company, Inc. 1964.

McGrath, Joseph E., *Social and Psychological Factors in Stress*. New York : Holt, Rinehart and Winston, Inc., 1970.

Mead (1966), Margaret. « Marriage in Two Steps, » *Redbook*, juillet 1966.

Mead (1968), Margaret. *Sex and Temperament in Three Primitive Societies*. New York : Dell Publishing Company, Inc., 1968.

Mead (1969), Margaret. « The Life Cycle and Its Variations : the Division of Roles. » In Bell, Daniel, *Toward the Year 2000 : Work in Progress*. Boston : Beacon Press 1969.

Mead (1971), Margaret. « The Future of the Family. » *Barnard Alumnae Magazine*, hiver 1971.

Montagu (1962), Ashley. *The Humanization of Man*. New York : Grove Press, 1962.

Montagu (1970), Ashley. *The Natural Superieority of Women*. rev. éd. New York : Collier Books, 1970.

Montagu (1971), Ashley. *Touch : The Human Significance of the Skin*. New York : Columbia University Press, 1971.

Moreno, J. *Psychodrama*. New York : Beacon House, 1946.

Morris (1969), Desmond. *The Naked Ape*. New York : Dell Publishing Co., Inc., 1969.

Morris (1970), Desmond. *The Human Zoo*. New York : Dell Publishing Co., Inc., 1970.

Moustakas (1961), Clark. *Loneliness*. New York : Prentice-Hall, Inc., 1961.

Moustakas (1968), Clark. « The Challenge of Growth ff Loneliness or Encounter ? » In Otto (1968).

Murdock, George P., « World Ethnographic Sample. » *American Anthropologist*, 1957 (vol. 59).

Neubeck Gerhard, *Extramarital Relations*. Englewood Cliffs, N.J. : Prentice-Hall, Inc., 1969

Otto (1968), Herbert A., *Human Potentialities*, St. Louis, Missouri : Warren H. Green, Inc., 1968.

Otto (1970), Herbert A., *The Family in Search of a Future*. New York : Appleton-Century-Crofts, 1970.

Pearce, Jane, et Saul Newton. *The Conditions of Human Growth*. New York : Citadel Press, 1969.

Perls, Frederick S. *Gestalt Therapy Verbatim*. Lafayette, California : Real People Press, 1969.

Putney, Snell et Gail J. Putney. *The Adjusted American : Normal Neuroses in the Individual and Society*. New York : Harper & Row, 1966.

Rimmer, Robert H. *Proposition* 31. New York : The New American Library, 1969.

Robinson, Marie N. *The Power of Sexual Surrender*. New York : New American Library, 1962.

Rogers (1961), Carl R. *On Becoming a Person*. Boston : Houghton Mifflin Company, 1961.

Rogers (1969), Carl R. « The Group Comes of Age. » *Psychology Today*. Décembre 1969.

Rosenfeld, Albert. *The Second Genesis*. Englewood Cliffs, N.J. : Prentice-Hall, Inc., 1969.

Rossi (1970), Alice. « Equality Between the Sexes : an Immodest Proposal. » *In* Baresh, Mayer, et Alice Scourby, *Marriage and the Family*. New York : Random House, 1970.

Roszak, Theodore, and Betty Roszak, *Masculine/Feminine*. New York : Harper & Row, 1969.

Roy, Rustum et Della. *Honest Sex*. New York : The New American Library, 1969.

Satir, Virginia, « Marriage as a Human-actualizing Contract. » In Otto (1970).

Schutz, William C. *Joy*. New York : Grove Press, 1967.

Secord, Paul F., et Carl W. Backman. *Social Psychology*. New York : McGraw-Hill Book Company, 1964.

Shostrom, Everett, and James Kavanauhg. *Between Man and Woman*. Los Angeles : Nash Publishing, 1971.

Simon, William, et John Gagnon, « Psychosexual Development. » *Trans-action*, March 1969.

Skolnick, Arlene S., et Jerome H. Skolnick, *Family in Transition*. Boston : Little, Brown and Company, 1971.

Slater (1968), Philip E. « Some Social Consequences of Temporary Systems. » *In* Bennis, Warren G., et Philip E. Slater. *The Temporay Society.* New York : Harper et Row, 1968.

Slater (1970), Philip E. *The Pursuit of Loneliness : American Culture at the Breaking Point.* Boston : Beacon Press 1970.

Smith, Alfred G., *Communication and Culture.* New York : Holt, Rinehart and Winston, 1966.

Spencer, Robert F. « Spouse-exchange Among the North Alaskan Eskimo. » *In* Bohannan, Paul, et John Middleton, *Marriage, Family and Residence.* Garden City, N.Y. : The Natural History Press, 1968.

Stephens, William N. *The Family in Cross-cultural Perspective.* New York ; Holt, Rinehart and Winston, Inc., 1963.

Stoller, Frederick H. « The Intimate Network of Families as a New Structure. » In Otto (1970).

Toffler, Alvin. *Future Shock.* New York : Bantam Books, Inc., 1971.

Turney-High, Harry Holbert. *Man and System.* New York : Appleton-Century-Crofts, 1968.

Udry, J. Richard. *The Social Context of Marriage.* Philadelphia : J. B. Lippincott Co., 1966.

Susan Vogel, Inga K. Broverman, Donald M. Broverman, Frank E. Clarkson, et Paul S. Rosenkrantz, « Maternal Employment and Perception of Sex Roles Among College Students. » *Developmental Psychology,* novembre 1970 (vol. 3).

Wheelis, Allen. « How People Change. » *Commentary,* mai 1969.

TABLE DES MATIERES

Imprimé au Canada